A este lado de la luz

m Modernos y Clásicos de Muchnik Editores

Colum McCann

A este lado de la luz

Traducción de María Barros Ochoa

El editor agradece la ayuda económica de ILE.
(Translation Fund), Dublín, Irlanda.

Título de la edición original: *This Side of Brightness*
(Metropolitan Books, Henry Holt and Company, Inc.)

Primera edición: marzo de 2000

Peu de la Creu, 4
08001 Barcelona
E-mail: correu@grup62.com
Internet: http://www.muchnik.com

Cubierta: Enric Jardí

ISBN: 84-7669-376-I
Depósito legal: B-5.304-2000
Impreso en papel offset ahuesado de Clariana
Impreso en Romanyà/Valls, Verdaguer 1, 08786 Capellades
Impreso en España - Printed in Spain

Para Siobhan, Sean, Oonagh y Ronan
Y, por supuesto, para Allison

Empezamos a morir antes de que nevara y, como la nieve, seguimos cayendo. Era sorprendente que quedáramos tantos por morir.

Louise Erdrich, *Tracks*

Uno

1991

La tarde antes de que empezara a nevar Treefrog vio un gran pájaro congelado en las aguas del río Hudson. Debía de ser un ganso o una garza pero decidió que era una grulla. Tenía el ala sobre el cuello y la cabeza sumergida en el agua. Treefrog imaginó el viejo pico ornamental bajo la superficie. El ave tenía las patas extendidas y un ala desplegada, como si hubiera querido volar por el hielo.

Recogió unos ladrillos del camino que bordeaba el río y, levantando bien el brazo, los lanzó alrededor del pájaro. El primer ladrillo rebotó y patinó por el hielo, pero el segundo lo quebró y por un instante dio vida a la grulla. Las alas se agitaron de forma casi imperceptible, el cuello trazó un arco rígido y majestuoso y la cabeza surgió de las aguas, gris e hinchada. Treefrog siguió arrojando ladrillos como loco hasta que el ave se desprendió del hielo y se incorporó a la corriente del río.

Se quitó las gafas de sol y contempló el pájaro que se alejaba flotando. Se hundiría en la arena del Hudson o volvería a quedar atrapado en el hielo. Treefrog le dio la espalda y se perdió en el parque vacío. Mientras paseaba se dedicó a dar patadas a distintas cosas, pasó la mano por la corteza helada de un manzano silvestre, llegó a la entrada del túnel y se quitó los dos abrigos. Se coló por la verja de hierro y entró reptando.

El túnel era ancho, oscuro y conocido. No se oía un ruido. Treefrog caminó por las vías hasta una gran columna de cemento. La tocó con ambas manos y esperó un momento a que sus ojos se acostumbraran a la oscuridad; entonces se agarró a un asidero y, con fuerza espectacular, se encaramó a la viga. Avanzó por ella en perfecto equilibrio, llegó a otra pasarela y volvió a encaramarse.

En su nido oscuro, en lo alto del túnel, Treefrog encendió una pequeña hoguera con ramas y periódicos. Caía la tarde. Un tren rugía a lo lejos.

Limpió las cagadas de rata que se habían acumulado en la mesilla de noche antes de abrir el cajón. De sus profundidades extrajo una bolsita de terciopelo morado y desató el cordel amarillo. Con la mano enguantada acercó un momento la armónica a la hoguera. Se la llevó a la boca, comprobó que no estaba fría y aspiró como si recogiera el aire del túnel con una red. La Hohner se deslizó por sus labios. Treefrog lamió las lengüetas y tensó el cuello reluciente, notando que la música le ayudaba a respirar y se afirmaba a través de su propio cuerpo. Como en una visión imaginó que su hija estaba allí, escuchando, formando parte de su música, sentada con las rodillas dobladas contra el pecho, meciéndose adelante y atrás en un éxtasis infantil, y Treefrog se acordó de la grulla congelada en el río.

Sentado en su nido, en la oscuridad de los miasmas, Treefrog tocó, transformando el aire, devolviéndoles a los túneles su música original.

Dos

1916

Llegan al amanecer con su geografía de sombreros. Un oscuro campo de figuras, tallos en movimiento, inclinados hacia los muelles.

Al principio se dispersan por las calles de Brooklyn —han venido en tranvía, en ferry y en el tren elevado—, pero luego empiezan a formar una ola. Son hombres duros, fumadores empedernidos, y caminan sacudiendo el barro que desde ayer se les acumula en las botas. Dejan un rastro sucio en la nieve. Los charcos helados se rajan bajo el peso de sus pies. El frío se les mete en el cuerpo. Algunos tienen grandes bigotes que ondulan sobre sus labios como la hierba en la pradera. Otros son jóvenes y su piel está irritada por la navaja de afeitar. Todos tienen el rostro demacrado por la gravedad de su trabajo; fuman como locos porque saben que pueden morir dentro de unas horas. Encorvados bajo el abrigo, acaso llevan aún en el cuerpo el olor de la noche anterior —quizá se emborracharon, quizá hicieron el amor o quizá ambas cosas. Más tarde se reirán de sus historias de amor y alcohol, pero por ahora guardan silencio. Hace tanto frío que sólo se puede andar y fumar. Se acercan al East River y forman un grupo a la entrada del túnel, pisoteando los adoquines para entrar en calor.

La nieve se derrite bajo sus pies.

Cuando la sirena los llama al trabajo, los topos dan una última calada. Las colillas enrojecen y van cayendo al suelo una por una, como si enjambres de luciérnagas se acostaran a dormir.

Desde el centro de la fila, Nathan Walker observa a los hombres del turno de noche: salen del túnel embarrados de pies a cabeza, exhaustos. Walker sabe que está contemplando su futuro, así que no mira mucho, pero de vez en cuando extiende la mano y le da una palmada en la espalda a un hombre acabado, agotado, que levanta la cabeza, asiente y avanza dando tumbos.

Walker tiene ganas de estornudar pero se aguanta. Sabe que acatarrarse significa un día menos de paga: podrían sangrarle la nariz o las orejas en el aire comprimido del túnel. Mandarían un telegrama diciendo que estaba resfriado y el capataz lo sacaría del grupo. Por eso Walker se traga la tos y los estornudos. Saca del bolsillo su piedra de la suerte y juguetea con ella. Está helada.

Walker pregunta en voz baja a su compañero Connor O'Leary:

—¿Qué cuentas, amigo?

—Estoy para el arrastre. Y para colmo tengo resaca.

—Yo igual.

—Santo cielo, pues sí que hace frío —dice O'Leary.

—Y que lo digas.

—Arriba esa cabeza, chico, vamos allá.

El capataz hace un gesto y los dos topos se unen al grupo que está en la boca del pozo. Avanzan muy juntos, centímetro a centímetro. Walker escucha el gemido del compresor subterráneo. Es un sonido duro, agudo y prolongado que sus oídos pronto dejarán de percibir: el río devora los ruidos, los absorbe y se los traga. Walker se cala el sombrero y mira por última vez hacia el río: en la otra orilla se alza gris en la mañana el edificio de aduanas con sus tres arcos; los estibadores se afanan en los muelles; un par de cargueros esquivan los témpanos de hielo; sobre el agua, en la cubierta de un ferry, una muchacha con un abrigo rojo agita los brazos. Walker reconoce a Maura O'Leary. Justo antes de desaparecer en el túnel, su marido se lleva la mano al sombrero en un gesto que podría ser de despedida o aburrimiento, pero que en realidad es de amor.

Walker sonríe al verlo, agacha la cabeza e inicia su descenso hacia otro día de trabajo por debajo del río, en una mañana tan fría que hasta parece que el corazón helado se le pega a las paredes del pecho.

La puerta de la cámara de descompresión se cierra herméticamente y el aire silba alrededor de los topos.

Walker se desabrocha el primer botón del abrigo. Ya nota que los pies se le desentumecen al calor del aire a presión. Con el pulgar retira una gota de sudor que se le ha formado en la frente. A su lado, O'Leary se apoya en la pared y respira hondo. Pronto se les unen Sean Power y *Ruibarbo* Vannucci. Al aumentar la presión el aire se vuelve tórrido. Es como si una ola de calor hubiera decidido acompañarlos bajo tierra todo el invierno. Los cuatro hombres se aprietan la nariz y soplan para destaparse los oídos.

Al cabo de unos minutos, Power se pone en cuclillas y saca del mono una baraja. Los demás buscan monedas por los bolsillos. Juegan al topo-póker mientras el aire comprime sus cuerpos hasta llegar a una presión de treinta y dos kilos por centímetro cuadrado. Walker gana la primera mano y Power le da una palmada en la espalda.

—¡Eh, pero si eres el rey de picas!

El joven negro no se ofende. Sabe que bajo el río hay democracia. En la oscuridad todos los hombres tienen la sangre del mismo color —un italiano es lo mismo que un negro que un polaco que un irlandés— así que Walker ríe, se guarda las ganancias en el bolsillo y da cartas.

Todavía con los sombreros puestos, los topos salen de la cámara y penetran en el aire comprimido del túnel. Son más de cien chapoteando por el barro. Aguadores y soldadores, carpinteros y lechadores, torneros y electricistas se quitan las gorras y el abrigo en medio del calor. Unos llevan tatuajes, otros tienen barriga, algunos están flacos, la mayoría son fuertes. Casi todos han sido mineros —en Colorado, Pennsylvania, Nueva Jersey, Polonia, Alemania, Inglaterra— y de ello son testigos sus pulmones cada vez más negros. Si pudieran meterse la mano por la garganta, podrían sacar enfermedades de sus bronquios. El alquitrán y la suciedad se les pegarían a los dedos. Podrían mostrar un trozo de tejido del mismo color que el humo y decir: «Esto es lo que me han hecho los túneles».

Ha habido muchas muertes en el túnel, pero los topos tienen una ley: uno vive lo que vive y luego muere.

Las bombillas desnudas arrojan sobre los hombres una luz mortecina, casi líquida, que dibuja en la pared sombras onduladas, sombras que se diluyen, se separan y se mezclan, alargándose y encogiéndose. Por el centro del túnel corre una vía estrecha que más tarde se usará para transportar el barro y la maquinaria. Los hombres andan por los raíles y en varios puntos abandonan el convoy. Caen al suelo fiambreras de metal. De los bolsillos salen rosarios. Los hombres se quitan la camisa en la exuberancia temporal del trabajo que empieza. Uno tensa los músculos del brazo. Otro saca pecho echando los hombros hacia atrás. Y alguien da puñetazos contra la palma de la mano.

Pero los cuatro zafreros —Walker, O'Leary, Vannucci y Power— no se paran a hablar. Tienen que recorrer todo el túnel, bajo los anillos de hierro forjado, junto a las máquinas, los tornos y los pernos, las llaves inglesas gigantes y las pilas de sacos de cemento de Portland. Walker va el primero, haciendo equilibrios en uno de los raíles metálicos, mientras los otros tres caminan con cuidado por las juntas de madera. Las palas les cuelgan de la cintura. Walker ha grabado su nombre en el mango, la de O'Leary tiene la hoja doblada, Power lleva el asa envuelta en un trozo de toalla, y la de Vannucci, ligeramente resquebrajada, está sujeta con una cubierta metálica. Siguen avanzando, penetrando en el vientre negro.

—Hoy hace más calor que en la cocina de una puta —dice Power.

—Y que lo digas.

—¿Has estado alguna vez en la cocina de una puta?

—Sí, desayunando —dice Walker—. Sémola con un par de huevos vuelta y vuelta.

—¡Vaya! ¡Mira el crío este!

—Y un trozo de tocino bien crujiente.

—Oye, eso está muy bien.

—Tocino de la parte de atrás. Con un poco de corteza.

—¡Así se habla!

Al final del túnel está el Gran Escudo, el último dispositivo de seguridad, una gigantesca pieza de metal impulsada por gatos hidráulicos. En caso de accidente, el escudo contendría el hielo. Pero los cuatro hombres aún deben seguir avanzando. Respiran hondo y se agachan para pasar por la puerta del escudo. Es como entrar en un cuartucho situado en el fin del mundo: siete metros cuadrados llenos de oscuridad, humedad y peligro. Largas vigas transversales y enormes gatos metálicos apuntalan el lecho del río. Un techo de acero los protege de las rocas y los corrimientos de barro. Ante sus ojos cuelga una bombilla rodeada de alambre que ilumina montículos de tierra y charcos de agua sucia. La bombilla parpadea, la electricidad no es constante. Mientras chapotean por el agua que cubre el suelo de la habitación, Nathan Walker y Connor O'Leary alargan la mano y tocan los tablones para conjurar el peligro.

—Toca madera, amigo.

—Eso estoy haciendo —dice O'Leary.

—Maldita sea, hasta los tablones están calientes.

Al terminar el día habrá desaparecido la zafra que hay detrás de los tablones, se la habrán llevado por la estrecha vía de ferrocarril, en vagones tirados por caballos jadeantes, hasta un vertedero de Brooklyn. Entonces el Gran Escudo volverá a avanzar. En silencio los hombres se proponen adentrarse más que nunca en el lecho del río, incluso cuatro metros si hay suerte. Montan una tarima para trabajar desde ahí. Walker hace girar un gato y Vannucci baja dos vigas para abrir un hueco donde cavar. Power y O'Leary dan un paso atrás y se preparan para cargar el barro. Los cuatro se turnarán a lo largo del día, cavando y cargando, cargando y cavando, acuchillando el suelo con la pala, clavando a fondo la hoja de metal.

Más tarde, sentado en el hospital, Nathan Walker les dirá a sus amigos tiritando: «Si los otros supieran hablar americano no habría pasado nada, nada de nada, maldita sea».

Es el mejor de los cuatro, aunque sólo tiene diecinueve años. El trabajo es brutal pero Walker siempre se pone a cavar el primero y termina el último.

Alto y musculoso, tensa el brazo con un simple movimiento de la pala. Se le empapa la piel en sudor. Los otros cavadores envidian la facilidad con que trabaja, la forma en que la pala parece mezclarse con todo su cuerpo, la tranquila maestría con que excava describiendo elipses en el aire: un, dos, tres, adentro, afuera. Planta los pies en la tarima, con el mono azul rasgado en las rodillas, el sombrero rojo ladeado, atado bajo la barbilla con un cordel cosido al ala. Cada diez segundos la zafra cenagosa surge por entre las vigas que le llegan a la cadera. Al cavar, Walker saca conchas y las limpia con los dedos. Le gustaría encontrar un trozo de hueso, una punta de flecha o un pedazo de madera petrificada, pero nunca le pasa. A veces se imagina que allá abajo crecen plantas, jazmines amarillos, magnolias y arándanos. Las orillas del pantano de Okefenokee le vienen a la memoria en oleadas, en aguas turbias de color marrón que inundan el río Suwanee de su tierra natal.

Walker lleva dos años cavando. Llegó de Georgia en tren, ensordecido por los agudos silbidos de la sirena de vapor.

Muchas veces tiene que trabajar más allá del escudo de acero, donde no hay protección. Los hombres no llevan casco y su única compañía es el lecho del río.

Walker se quita la camisa y cava con el torso desnudo.

La zafra del río es lo único que le refresca la piel y a veces se la unta por el cuerpo, por el pecho oscuro y las costillas. Es agradable al tacto, y Walker se embadurna de la cabeza a los pies.

Sabe que en cualquier momento una avalancha de zafra y agua puede rechazar el avance de los hombres. Podrían ahogarse; el East River les bajaría por la garganta y les llenaría el estómago de extraños peces y rocas raras. El agua podría aplastarlos contra el Gran Escudo mientras dan la alarma —el *ratatatá* frenético de las herramientas al golpear el acero—, mientras los hombres retroceden entre el tumulto del túnel para ponerse a salvo. O una fuga de aire podría absorberlos y estrujarlos contra la pared, lanzarlos al espacio, destrozarles la columna contra una viga. O podría caerse una pala y abrirle la cabeza a alguien. O el fuego podría barrer el túnel con sus llamas. O la temible enfermedad del buzo podría inyectarles burbujas de nitrógeno en las rodillas, los hombros o el cerebro. Walker ha visto a hombres desplomarse en el túnel, agarrarse las articulaciones moviéndose como culebras en súbita agonía; es la enfermedad de los topos, no se puede prevenir y, cuando ataca a alguien, se le lleva a la cámara y se le descomprime el cuerpo lo más lentamente posible.

Pero Walker no tiene miedo: está vivo, y en la oscuridad amarillenta utiliza cada gramo de su cuerpo para hacer avanzar el túnel.

Los zafradores tienen un lenguaje propio —gato hidráulico, gato de acodalar, virutas excelsior, trepidación, aro trapezoidal, escudo erector—, pero al cabo de un rato su único lenguaje es el silencio. En el aire comprimido las palabras son oro. Un «¡maldita sea!» equivale a varias gotas de sudor en la frente. Se crea una economía de voces calladas y golpes de pala que Walker rompe muy de vez en cuando con su canción de gospel.

«Señor, no he visto ponerse el sol
Desde que estoy aquí abajo.
No, nunca he visto ponerse el sol
Desde que estoy aquí abajo.»

Mientras canta, Power y Vannucci cavan marcando el ritmo.

Un tubo chupa el agua que se acumula a los pies. Los hombres lo llaman «el váter» y a veces mean dentro para que no quede olor. No hay nada peor que el olor a pis en medio del calor. Aprietan el vientre para no cagarse; por otra parte resulta difícil cagar cuando la presión del aire es el doble de la normal y la mierda se les queda en las tripas hasta que llegan al agua o a las duchas de la topera. Pero a veces se escapa sin previo aviso y se oye gritar entre la bruma caliente: «¿Quién se pasó con las alubias?».

Tras dos horas de trabajo el túnel ha avanzado un metro. Se han llenado muchas vagonetas, los contenedores vienen y van por la vía sin cesar.

Vannucci observa a Walker para aprender de él. El italiano tiene el cuerpo largo y fibroso, y los brazos cubiertos de venas azules; por eso lo llaman *Ruibarbo*. Cuando llegó era dinamitero, abría la boca del túnel a golpe de fuego, detonaciones y cable. Pero pronto se acabaron las explosiones y no quedó más que pura zafra. No se puede volar la zafra por más que uno quiera pero Ruibarbo aún lleva como talismán un trozo de mecha en el bolsillo. Casi no sabe inglés, así que no habla mientras trabaja, y los demás lo respetan. Ruibarbo levanta otra palada de zafra y Walker resopla a su lado.

Un, dos, tres, adentro, afuera.

Connor O'Leary jadea y cava inclinado. A su izquierda Sean Power se ha hecho un corte con el borde del escudo y se chupa la sangre que le corre por la palma de la mano.

Los hombres vencen al río y están contentos.

Pronto vendrán los ensambladores y colocarán un anillo de acero —pondrán las piezas en su sitio con una grúa movida por un potente brazo erector y luego las atornillarán— y el túnel avanzará serpenteando hacia Manhattan. Los capataces estarán encantados; se frotarán las manos al pensar que algún día los trenes pasarán por debajo del East River.

Y entonces, a las 8.17 de la mañana, mientras Nathan Walker da la espalda al muro de barro, *Ruibarbo* Vannucci intenta por primera vez decir una frase entera en inglés. Está con la pala a medio camino, un hombro arriba y el otro abajo. Walker no ha visto el agujero diminuto que se ha abierto en la pared del túnel, un punto débil en el lecho del río. El aire a presión se escapa silbando. Vannucci trata de taparlo con un saco de paja, pero alrededor del saco se forma un remolino de tierra y el aire se escapa y el agujero crece. Al principio el punto débil es del tamaño de un puño, luego de un corazón, luego de una cabeza. El italiano observa impotente al joven negro. Walker no puede mantener los pies en el suelo. Se desliza hacia el boquete, que es cada vez más grande y lo absorbe, primero la pala, luego los brazos extendidos, detrás la cabeza hasta los hombros. Ahí el cuerpo se detiene, como un corcho en la pared del túnel, con su parte superior incrustada en la tierra y las piernas en el túnel. La grava del río lo recibe. El aire le empuja los pies. La arena se cierra en torno a sus piernas. Vannucci se acerca al boquete y agarra a Walker por los tobillos para tirar de él. Los otros dos zafradores se acercan y escuchan el eco de las palabras del italiano:

—¡Mierda! ¡Aire fuera! ¡Mierda!

Casi todas las tardes antes del reventón los cuatro hombres salen después de ducharse en la topera, bajo el chorro irregular de las mangueras negras y con la tierra formando charcos a sus pies. Al contacto con el frío exterior, los cuerpos desprenden vaho dentro del abrigo. En el bar de Montague Street se ríen unos de otros al verse con la cara limpia. Por primera vez en todo el día se le nota a Connor O'Leary el hoyuelo de la barbilla, se ven las cicatrices que rodean los ojos de Nathan Walker, los bultos que tiene Sean Power en la nariz y la lisa piel morena de *Ruibarbo* Vannucci.

Es un bar oscuro, todo de madera, sin espejos.

Los hombres cogen serrín del suelo y lían cigarrillos. Se sientan en un rincón, se pasan la única cerilla. Sobre sus cabezas ascienden nubes de humo azul. El barman, Brickbat Jones, trae en la bandeja ocho cervezas, y le tiemblan las manos por el peso. Un manguito cubre su diminuto antebrazo.

—¿Qué hay, muchachos?

—Nada del otro mundo. ¿Y tú qué tal?

—Como siempre. Tenéis pinta de tener sed.

—¡Tengo la boca más seca que el calcetín de un granjero! —grita Power.

El bar de Brickbat es el único de la zona en el que pueden entrar negros. Una vez estuvieron a punto de abrirle la cabeza con un martillo y Walker lo impidió. Lo cogió al vuelo y nunca dijo nada: se limitó a tirar el martillo a la basura de camino a casa. Desde entonces, la cerveza le costaba un centavo menos por semana y alguien le metía tabaco en el bolsillo del abrigo.

—¿Cómo va el túnel, chicos?

—Por la mitad.

—Hay que ser valiente —dice Brickbat.

—Hay que ser idiota —dice O'Leary.

—¡O tener sed! —brama Power levantando el vaso.

Los hombres beben haciendo ruido, a grandes tragos, sin método, muy lejos del ritmo del túnel. Al principio su conversación es dura y áspera: la semana pasada les pagaron diez centavos menos, el lechador hace trampas cuando juegan a las cartas en la cámara, por la radio hablan de una masacre de soldados británicos destrozados, de la posibilidad de que las tropas americanas entren en la guerra de Europa. Pero pronto las palabras y las gargantas se suavizan con la bebida. Los hombres se relajan y ríen. Cuentan relatos y surgen melodiones de los bolsillos. La música tose por todo el bar. Se mezclan los idiomas. Los hombres echan pulsos. A veces estalla una pelea. O alguien mea en el mostrador y lo echan. O pasa una puta por la ventana, toda ella carmín y teatro, levantando decorativamente el bajo del vestido. Los hombres aúllan como lobos y se quedan mirando a la mujer que pasa, con el corazón enorme y paralizado por el deseo. Un reloj da los cuartos.

Ruibarbo Vannucci se va el primero, tras dos cervezas y cuatro campanadas. Se levanta el cuello del abrigo incluso antes de dar el último trago.

—*Ciao, amici.*

—Hasta luego, Ruby.

—¡Oye, Ruibarbo!

—¿Sí?

—Un consejo.

—No entender.

—No te olvides de las natillas.

Es el chiste favorito de Power —ruibarbo con natillas— pero nunca se lo ha explicado al siciliano.

Los hombres se ríen por lo bajo y piden otra ronda. Se acumulan los vasos vacíos. El humo gira en el aire y los ceniceros de concha se van llenando.

Connor O'Leary es el siguiente en irse. Camina sobre los adoquines hacia los muelles. Coge el ferry de Manhattan, va de pie en la cabina con el piloto y luego baja la pasarela y recorre las calles cada vez más oscuras. El reúma le hace sentirse como si fuera su padre, como si tuviera setenta años en lugar de treinta y dos. Se le bambolea la barriga al andar. Las tapas metálicas de las botas echan chispas. Pronto le reciben los bloques del Lower East Side. Al doblar una esquina ve a su mujer, Maura, asomada a la ventanta, saludándole bajo la sombrilla de su pelo rojo eléctrico. Connor le devuelve el saludo y ella corre a la cocina y sirve dos tazas de té.

El tercero que deja el bar es Walker. Al marcharse dice adiós con la cabeza a Brickbat Jones. En la puerta empieza a mascar tabaco y lo va escupiendo mientras camina en dirección al hotel para negros donde vive. Entra en su cuarto y cuelga las botas del picaporte para no manchar la alfombra. La habitación es muy pequeña. Huele a camisas viejas, a calcetines y a tristeza. Walker se tumba en la colcha naranja con los brazos bajo la cabeza y poco a poco se va quedando dormido y sueña con Georgia y con los días en que vagaba por las marismas en su barca.

Power siempre se va el último, cuando cierran. Sale a la calle mojada dando tumbos y saluda a la luna con el sombrero. Power tiene un amanecer en cada dedo, grandes manchas ovales de nicotina, y a veces está tan amodorrado por el alcohol que deambula hasta que también en el cielo empieza a amanecer.

El grito rasga el aire del túnel, de zafrador a ensamblador a lechador a aguador hasta llegar al hombre que controla la máquina de compresión: ¡Reventón! ¡Reduce la presión! ¡Bájala! ¡*Abassa la pressione*! ¡*Obnizuc cisnienie*! ¡La presión! ¡Eh! ¡*La pressione*! ¡Reduce!

Pero las palabras se transforman y se distorsionan al pasar de un idioma a otro y, en lugar de bajar, el marcador de la máquina de compresión sube.

Con milenios de río en la boca y la pala sobre la cabeza en actitud ascendente, Nathan Walker sigue atrapado en la oscuridad, mientras *Ruibarbo* Vannucci le sujeta las piernas. Arena, zafra y grava en los ojos-oídos-boca de Walker. El cieno aguado le inunda la garganta. Tiene la cara llena de rasguños de tanto moverse. Una piedra le ha arañado la base del cuello. La sangre se mezcla con el barro. Es un tapón humano en el techo del túnel. El aire se escapa a su alrededor en una eternidad de segundos hasta que, lentamente, como un gusano, Walker mueve la pala para crear una bolsa de aire y la tierra cede imperceptiblemente.

Vannucci sigue intentando tirar de él.

¡Suéltame! —piensa Walker mientras revuelve en la zafra—. ¡Suéltame de una puta vez!

Remueve un poco más con la pala y nota como el aire se va acumulando. Ladea la cabeza en la zafra y por un instante ve el fantasma de su madre en la estación de tren de Waycross, con un vestido azul y un girasol amarillo en el pecho, diciéndole adiós con la mano mientras suena la sirena del tren.

Walker da otra vuelta a la pala y de pronto el aire entra de golpe y lo libera como quien escupe un hueso de cereza. Todavía consciente, sube cruzando el lecho del río. Y ¿qué ve al pasar? ¿Barcos holandeses hundidos hace siglos? ¿Esqueletos de animales? ¿Puntas de flecha? ¿Cueros cabelludos donde aún crece el pelo? ¿Hombres con bloques de cemento atados a los pies? ¿Los muertos de los barcos de esclavos, blanqueados hasta los huesos? El aire protege a Walker del tremendo peso de la tierra, la arena y el cieno. Es un embrión resguardado en su saco, impulsado hacia arriba por el lecho del río, dos metros, tres metros; la bolsa de aire se abre camino por entre la tierra y lo mantiene a salvo.

La pala se le ha escapado de las manos pero lo sigue como un acólito, y también Vannucci, y Power, que aprieta contra su pecho un saco de paja como si fuera su amor. Vannucci grita y todos sienten los pulmones a punto de estallar.

Y aparece el agua —suben por el río— y acaso los peces los miran atónitos. Walker sólo recordará una negrura absoluta, la negrura del agua; al principio ni siquiera frío, luego un *fuuuu* terrible en los oídos, golpes en el cráneo, los ojos saliéndose de las órbitas, una humedad repentina, el susto del agua, la lucha por respirar, el pecho jadeante, el pánico de saberse rodeado por el río oscuro, convencido de que van a ahogarse, van a ahogarse todos, los lucios, las truchas, la arena y la grava anidarán en sus vientres hinchados, las gabarras peinarán el agua en busca de sus cuerpos, las conchas crecerán en sus ojos.

Entonces los tres hombres llegan a la superficie del East River y casi se golpean la cabeza contra los témpanos de hielo; luego salen disparados al aire vestidos con mono y botas y su pecho se contrae y se dilata sin parar; escupen agua y zafra, tragan oxígeno, sienten como les late el cerebro; los acompañan algunas herramientas del túnel: tablones que giran, un gato hidráulico que da vueltas como una rueda de carro, un saco de paja, un abrigo, un sombrero, una camisa, las cosas más improbables. Es por la mañana, es de día, y ellos están en la cima de un enorme géiser marrón, junto con la tierra y el equipo del túnel. Hay lanchas en el agua. Gaviotas curiosas en el aire. Trabajadores asombrados que los señalan desde los muelles. Sobre el río, los tres topos dan saltos mortales en el aire. El agua los mantiene suspendidos entre Brooklyn y Manhattan por un momento, un momento que nunca olvidarán: han llegado a la altura de los dioses.

Cuando lo rescatan y lo arrastran hasta un barco, medio desnudo y con la cara ensangrentada, lo primero que piensa Walker es que podrían patinar sobre él de lo helado que está.

Con el peine, Maura O'Leary se retira de la cara un mechón de pelo. Tiene el rostro delgado y enjuto.

El East River baja tranquilo en toda su longitud. Se ven lanchas de carga y barcazas, y basura flotando en el agua, y el sol matinal dibuja ruedas de luz en la corriente. Hay movimiento en los embarcaderos. Mulas y carros más allá de la orilla. Y en el río tan sólo un pequeño gorgoteo, unas burbujas en la superficie indican que algo de aire escapa siempre del túnel que hay debajo. Maura mira desde la cubierta del ferry, en medio del frío helador, con una bufanda de lana en la cabeza. Lleva en el ferry desde el amanecer, ida y vuelta, ida y vuelta, ida y vuelta. Es su ritual diario. Lo hace cada mañana desde que supo que estaba embarazada. Su marido le consiente esas rarezas. Además el piloto es irlandés y la lleva gratis. Está pensando en bajar e irse a casa en trolebús. A preparar la cuna para el bebé que nacerá dentro de un mes. Tal vez hacerle a Connor un puré de patata. Descansar un poco. Charlar con las demás mujeres en el piso de arriba.

Se dispone a abandonar la cubierta cuando el río brama y entra en erupción. Un gigantesco embudo de agua saluda a la ciudad en una orilla y a Brooklyn en la otra.

Al principio Maura no ve más que sacos de arena y tablones en lo alto del géiser. Da un paso atrás y se tambalea, agarrándose el vientre. Resbala en la cubierta mojada y se aferra a la barandilla gritando. El agua sale a borbotones y lanza los detritus del túnel a siete metros por encima del East River. Los estibadores de los muelles miran hacia arriba, estupefactos, y el capitán del ferry suelta el timón. Los sacos de arena alcanzan la cima del géiser y saltan por todas partes. Un tablón surge del torbellino y caen al río ruedas de carreta. Maura ve un saco que se retuerce en el torrente y luego algo curiosamente blando. Se da cuenta de que es un brazo y que una pala se aleja de él girando. ¡Un hombre ha salido disparado del túnel! ¡Uno, dos, tres hombres! ¡Desde doce metros de profundidad! Maura reconoce a Nathan Walker, con su cuerpo poderoso y el sombrero rojo que aún lleva en la cabeza como un autógrafo, atado a la barbilla con un cordel. Pero es difícil identificar los otros dos cuerpos que coronan el agua en su extraña ascensión.

El nombre de su marido —«¡Connor!»— sale de su boca como si fuera una goma elástica.

Los tres hombres siguen flotando en el chorro, pero la presión empieza a equilibrarse y —casi con suavidad— el géiser los posa en el río. Cuando Walker cae al agua, a punto está de dar con la cabeza en un trozo de hielo. Se hunde y sale a flote, y enseguida comienza a nadar para ponerse a salvo, describiendo grandes molinetes con los brazos, dejando tras de sí una estela de espuma blanca.

Vannucci y Power están agarrados a unas vigas. A uno le sangra la cabeza. El otro flota como si se hubiera roto el cuello.

Ya se acerca a ellos una lancha desde Brooklyn. La sirena del ferry lanza señales de emergencia, breves y agudas. En la boca del túnel suenan silbatos estridentes y una larga cadena de hombres serpentea hacia la luz. El géiser se apaga, reducido a un murmullo.

—¡Connor! —grita ella—. ¡Connor!

A la mañana siguiente, los periódicos cuentan que Nathan Walker nadó hasta la lancha y fue izado a bordo con el rostro lleno de sangre. Vannucci y Power siguieron agarrados a las vigas hasta que los rescataron. Los llevaron a los tres en la cámara de descompresión. Walker se quedó sentado en silencio, *Ruibarbo* Vannucci quería volver a trabajar inmediatamente, pero sangraba, así que al cabo de una hora lo mandaron a casa. Sean Power llegó a la cámara con los dos brazos rotos, una pierna destrozada y un profundo corte en la frente. Le metieron tubos por los oídos para sacarle el barro. El capataz le dio whisky y Power vomitó toda una playa de arena y guijarros.

En el centro de la sólida columna de letra impresa —junto a la interpretación que un artista ha hecho de la explosión— se dice que Connor O'Leary, de 34 años de edad y natural de Roscommon, Irlanda, sigue sin aparecer, y que se le da por muerto.

Llegan los vecinos al piso de Maura, en la cuarta planta. Se extienden como una nebulosa por la sala de estar, silenciosos, de luto. Sobre una mesa están las flores que han enviado Walker, Vannucci y Power.

Hay que preparar un daguerrotipo de O'Leary para el recordatorio. Con un cuchillo de cocina, Maura recorta su efigie de la vieja foto de boda. O'Leary se queda solo y la contempla desde la palma de la mano. Maura levanta la imagen y la roza con los labios. En la foto su marido tiene una expresión dura y taciturna, taciturna como gran parte de su vida: venía a casa, quitaba el barro de las botas con una navaja, los lentos silencios a la hora de cenar cuando ella le pedía que la ayudara con la casa, se encogía de hombros, levantaba las manos rechonchas en el aire y le preguntaba con un gesto encantador, «pero ¿por qué?». Aún está secándose al aire una vieja camisa blanca suya: Maura estuvo frotando la suciedad del cuello. En la mesa hay un catecismo abierto, y a su lado están esparcidas las tarjetas de béisbol de Connor; para volverse americano O'Leary había decidido enamorarse de ese deporte y lo seguía meticulosamente. Se sabía todos los resultados, los nombres de todos los estadios, los presidentes, los bateadores, los lanzadores, los receptores y los corredores en base.

El piano que estaba arreglando yace destripado frente a la chimenea, con las teclas blancas y negras dispersas por el suelo. Lo rescató de un vertedero y lo arrastró por todo Manhattan atado a una cuerda, destrozando contra los adoquines las patas torneadas. Hicieron falta cuatro hombres para subirlo por las escaleras, y total para descubrir que era un Steinway de imitación, sin más valor que el de la madera. Había limado las teclas porque rozaban unas con otras y distorsionaban las notas. Por la noche recordaban las canciones que ella sabía tocar.

Maura coloca el daguerrotipo sobre el piano y vuelve la cabeza al oír que llaman a la puerta.

Un hombre corpulento, con traje y corbata y sombrero hongo, roza el umbral con los hombros al entrar. Pide a los vecinos que se vayan.

Las mujeres esperan y, a una señal de Maura, salen mirando atrás con desconfianza. Se quedan en la escalera para tratar de oír algo. El hombre sienta su culazo en la única silla de la sala. Se remanga los pantalones y Maura ve —mientras alrededor de sus pies se forma un charco— que tiene los zapatos limpios.

—William Randall —dice.

—Ya sé quién es usted.

—Lo siento muchísimo.

—¿Le apetece un té? Habla como si tuviera canicas en la garganta.

—No, señora.

—La tetera está enchufada.

—No, señora, gracias.

Y luego un largo silencio; el hombre se da cuenta de que no se ha quitado el sombrero.

—Después de la explosión —dice Randall—, el túnel se inundó. Los demás tuvieron suerte y sobrevivieron. Nos vimos obligados a poner una lona en el lecho del río. La cubrimos de arcilla. La trajo una gabarra. Para volver a sellar el túnel. Tuvimos que hacerlo. La compensaremos, claro. ¿Señora? Lo suficiente para usted y el niño.

Señala el bulto y Maura cruza las manos sobre él.

—No tuvimos tiempo de buscar el cuerpo de Connor —dice—. Creemos que se quedó atascado en una segunda explosión. No sabemos nada más. ¿Le parece bastante cien dólares?

Randall tose y se retuerce las puntas del bigote leonado.

—A lo mejor el cuerpo sale a la superficie; entonces también pagaríamos el funeral. Bueno, de todas formas pagaremos el funeral. ¿Va a haber funeral? ¿Señora? ¿Sra. O'Leary? Creo que es mi obligación ocuparme de mis obreros.

—Ah, ¿sí?

—Siempre me he ocupado de mis obreros.

—Váyase, por favor.

—Nunca hay que perder la esperanza.

—Se lo agradezco, pero ya puede marcharse.

La nuez sube y baja. Randall se enjuga la frente con un pañuelo. Las gotas de sudor reaparecen de inmediato.

—Le he dicho que ya puede marcharse.

—¿Señora?

—Váyase.

—Bueno, como quiera, señora.

Maura O'Leary observa las mangas de la camisa de Connor que golpean la ventana, saludando a la nieve. Pasa el dedo por el borde de una taza vacía, y lamenta haberle ofrecido té a Randall. No habla más, sólo se acerca a la puerta y la abre con suavidad. Ella se queda en el umbral. Los vecinos dejan salir al hombre, lo ven bajar las escaleras pesadamente, con un rollo de grasa temblándole en la nuca. Las mujeres entran de nuevo en la sala de Maura y media docena de acentos se mezclan formando uno solo. En la calle el ruido de un coche ahoga el *cloc-cloc* amortiguado de los cascos de un caballo. Los niños juegan al béisbol con palos de hurley. Maura se asoma a la ventana y ve que los chicos se apartan para que pase el automóvil de Randall y que algunos hasta intentan tocar la carrocería encerada. Maura cierra los visillos de encaje y se aleja de la ventana.

Los vecinos cruzan las manos y agachan la cabeza, y por educación no preguntan qué ha ocurrido. Maura se queda de pie como ellos —nadie quiere la silla— y se retira el pelo de la frente. Les cuenta a los vecinos que su marido ya se había convertido en un fósil; algunos no saben qué significa eso, pero asienten de todos modos y la palabra se les queda en la punta de los labios: fósil.

Nathan Walker repite la palabra tras una breve visita al piso de Maura. En la mesa de la cocina ha dejado un sobre con el dinero reunido por los topos en una colecta.

Camina en dirección al ferry por las luminosas calles invernales y se seca los ojos con la manga del abrigo, mientras recuerda lo que ocurrió una tarde del pasado invierno, después del trabajo. Cuando salía de las duchas un poco antes de lo normal, lo atacaron cuatro soldadores borrachos, armados con mangos de picos. Le llovieron golpes sobre la cabeza y se desplomó. Uno de los soldadores se inclinó y le dijo al oído las palabras «negro de mierda», como si acabara de inventarlas. «Eh, negro de mierda.» Walker levantó la vista y le dio un golpe en los dientes con el borde de la mano. Volvió a sentir los palos, la madera patinando por su cara ensangrentada. Y luego oyó un grito —«¡Santo cielo!»— y reconoció la voz. Connor O'Leary, recién salido de la ducha, en botas y pantalones. El irlandés parecía gigante y flexible a la luz del sol. Empezó a usar los puños. Dos de los soldadores cayeron al suelo, y entonces se oyeron a lo lejos los silbatos de la policía. Los soldadores escaparon dando tumbos y se dispersaron por las calles oscuras. O'Leary se arrodilló y apoyó la cabeza de Walker contra su blanco pecho.

—No pasa nada, hijo —susurró.

Bajo el pezón del irlandés se extendió una mancha roja. Recogió del suelo el sombrero de Walker. Estaba ensangrentado.

—Parece un plato de puré de tomate —dijo O'Leary.

Los dos hombres intentaron reírse. O'Leary había pronunciado la palabra «tomate» como con un suspiro en medio. Durante las semanas siguientes, cada vez que Walker veía a su amigo se acordaba de las tres sílabas: to-mah-te.

Ahora, al bajar por las calles del Lower East Side, Walker se seca las lágrimas y sopesa con la lengua otra palabra: fósil.

Tres

LA PRIMERA NEVADA

Cada vez que se despierta piensa por un instante que podría no despertar nunca. Treefrog se palpa el hígado para comprobar que sigue vivo y recuerda la garza congelada que vio ayer en el Hudson.

Siente una punzada en el estómago. Se gira dentro del saco de dormir, abre la cremallera, se desabotona la camisa y frota con los dedos la marca que el metal le ha dejado en el pecho; la pellizca y ve surgir un sarpullido rojo. Hace frío, un frío de la hostia, aún más frío que arriba. Al otro lado de la mesilla de noche hay una vela. La enciende y acerca las manos a la llama, dejando que el calor le penetre en el cuerpo. La luz de la vela hace que por un segundo las manos parezcan independientes del cuerpo sumido en la oscuridad. Cuanto más las acerca más crece la llama, y llega un momento en que el intenso calor lo obliga a apartarse, disfrutando del dolor, con las dos manos bien levantadas en el aire gélido.

Las ratas corretean por la cueva del fondo.

—Joder —dice—, joder.

Por encima del hombro tira una lata vacía contra la pared de la cueva y las ratas se callan, pero enseguida las oye otra vez. Hay que poner trampas.

Sentado en el saco de dormir, Treefrog mete las manos entre las ingles para entrar en calor, se inclina hacia adelante y se asoma al muro bajo que rodea su casa.

La primera nevada entra por el techo del túnel, por la rejilla metálica. La rejilla sujeta la nieve un instante y luego la deja caer desde doce metros de altura. Los copos revolotean entre haces de luz, una luz azulada e invernal. Bajan girando y aterrizan junto a las vías del tren, formando manchones de nieve que llegan hasta el túnel, donde se los traga la oscuridad. No es la primera vez que Treefrog contempla esta escena, y no le sorprende, pero aun así se queda mirando un buen rato y luego dice en voz alta:

—Nieve subterránea.

Todos los días empiezan igual, con su ceremonia matutina. Se levanta y se viste en medio del frío abismal, enciende una vela, cierra los ojos. Se dirige a la parte de atrás del nido. El nido sólo tiene dos habitaciones: una vieja despensa en lo alto de la pared y una cueva.

Treefrog siente la oscuridad, la huele, se integra en ella.

Una vez dentro de la cueva se agacha y avanza con los ojos cerrados. Le caen en la mano gotas de cera. La cueva es negra y húmeda. Hay rincones y rendijas en las arrugas de roca gris; un saliente en la pared; escondrijos ocultos en los que cabe el puño. Posa la vela en el saliente y coge un trozo de papel milimetrado y un lápiz con buena punta. Recorre con la mano la pared de la pequeña cueva, palpando las grietas y el frío. Cada vez que el paisaje cambia abre los ojos y marca un incremento en el papel milimetrado. Toca el mismo sitio con la otra mano, acaricia la roca y deja que el frío se le cuele por entre los guantes de piel. Respira con dificultad y se imagina las nubes que el aliento forma ante sus ojos: formas curiosas, extraños movimientos. Pasa las manos por la pared, se inclina instintivamente, se retuerce, gira y llega a la biblioteca que está oculta en el fondo de la cueva. Se apoya en una desvencijada estantería de madera y permanece inmóvil, como si rezara.

Treefrog se pasa el lápiz de una mano a otra.

En los estantes guarda sus revistas de ingeniería envueltas en bolsas de plástico especiales y con etiquetas adhesivas. Recorre los lomos con los dedos hasta llegar a su preferida

—construcción de túneles— y luego sigue con la colección de mapas, por todo el mundo, y más allá.

Se agacha, sale de la cueva y regresa a la habitación grande; aun con los ojos cerrados ve las sombras que produce el parpadeo de la vela. Sus botas pasan de la alfombra al suelo de tierra y otra vez a la alfombra. Nunca pisa mal y siempre da un número par de pasos. Reconoce cada hueco o pliegue del barro al tocarlo con el pie. Allí guarda la mayoría de sus cosas: cajas viejas, periódicos, un sofá que encontró empapado por la lluvia, latas, cazuelas, cuchillos, agujas, tres docenas de tapacubos y diversos libros envueltos en bolsas herméticas para protegerlos de la humedad. La leña se apila en torno a la chimenea. Treefrog se detiene ante el «gulag», un hueco de medio metro de profundidad excavado en el muro. Debajo hay una caja en la que duerme el gato, *Castor*. Luego pasa, rozando la pared con los codos, bajo el tendedero hecho de corbatas atadas, y llega hasta la cama, con cuidado de no tocar las enormes botellas de pis que se alinean a los pies del colchón.

Después vaciará las botellas y grabará su nombre en letras amarillas sobre la nieve, donde sólo podrán leerlo los grajos.

En el fondo del nido levanta la mano y toca una viga de acero, se gira y extiende la otra mano. Marca con el lápiz el borde superior del papel milimetrado. Treefrog busca a tientas el velocímetro roto que cuelga de la viga con la aguja parada en treinta y ocho, su edad, y se dice: tranquilo, no te estrelles.

Abre los ojos, mira el papel milimetrado, las líneas de puntos, los garabatos. Dibuja un rápido perfil de su paseo. Éste es el rito más importante y el día no puede empezar sin él. Exagera los rasgos aumentándolos de tamaño unas diez veces: sobre el papel el nido parece un fruncido de valles, montañas y llanos gigantescos. Hasta las más diminutas muescas de la pared se convierten en cráteres. Más tarde lo trasladará todo a un mapa más grande en el que lleva cuatro años trabajando, un mapa del lugar donde vive, dibujado a mano, intrincado, secreto, con colinas, ríos, lagos, meandros, arroyos sinuosos, sombras: la cartografía de la oscuridad.

Tiritando de frío, Treefrog guarda en el cajón de la mesilla el mapa de esa mañana y se sube a la pasarela con los ojos cerrados. La estrecha viga exige un supremo alarde de equilibrio pues hay seis metros de caída libre hasta el túnel. Toma impulso y baja hasta la segunda viga, tres metros más abajo, se agazapa, salta y cae sobre la grava, sin ruido, con las rodillas flexionadas y el corazón latiéndole con fuerza. Abre los ojos en la oscuridad.

Vive a tres manzanas de todos los demás habitantes del túnel. A veces mira hacia el fondo y a lo lejos le parece ver agua en movimiento, como si alguien remara con decisión en una canoa; o como si su hija nadara hacia él con los brazos abiertos; o como si su mujer avanzara en la negrura, esbelta, con ojos de noche, perdonándole. Pero entonces la oscuridad se aclara y las visiones desaparecen.

Sentado bajo el chorro de luz que viene de arriba, junto al mural del *Reloj Blando* de Salvador Dalí, Treefrog deja que los copos caigan a su alrededor. Del bolsillo del abrigo saca una jeringuilla y la mira de cerca para ver bien la escala. La llena de aire hasta un cuarto y lame la aguja de tamaño dieciséis. Está tan fría que casi se le hiela la lengua al contacto con el metal. Deja una gota de saliva en la punta y saca del bolsillo una pelota de color rosa. Clava la aguja en la pelota y empuja el émbolo de plástico. Es como si penetrara en la piel de alguien. La pelota se infla y Treefrog palpa la nueva redondez. Perfecta. Con un bolígrafo negro marca el punto del pinchazo, busca en las profundidades del abrigo una segunda jeringuilla que está llena de pegamento y envuelta en un calcetín para que no se enfríe. Acaricia el cilindro con ambas manos.

Treefrog clava la segunda aguja en la marca de la pelota rosa y silba despacio mientras el pegamento entra en el caucho. Tardará media hora en secarse, pero con el aire y el pegamento la pelota botará mejor. Oye un gruñido abajo, en el túnel, y se vuelve pero no ve a nadie.

—Hoolaaa —le dice a la oscuridad—. Hoolaaa.

Saca otra pelota del bolsillo, retrocede hacia la vía y se coloca frente al *Reloj Blando*. Papá Love pintó ese mural hace años, mucho antes de que Treefrog llegara al túnel. El reloj —negro y gris, de tres metros de alto, pintado bajo la rejilla para que le dé la luz— tiene las mismas curvas que la cintura de una mujer. A su lado rasga la pared una línea ebria de frases rojas. El verano pasado bajaron unos críos con aerosoles. Treefrog los observó desde su nido. Llevaban las gorras de béisbol al revés. Iban muy juntos y tenían miedo. Tras rociar la pared dejaron los envases vacíos al borde del túnel. Pero no tocaron los murales de Papá Love. Incluso llamaron a la puerta de su chabola, pero el viejo no les abrió; no lo ha hecho ni lo hará jamás.

Dentro del ciclorama de nieve Treefrog lanza la pelota contra la pared, y su pelo negro y su larga barba se agitan a su alrededor. Le pega a la pelota primero con la mano derecha y luego con la izquierda; el juego tiene ciertas reglas: hay que nivelar el cuerpo, guardar el equilibrio, no golpear nunca a destiempo. Si le da dos veces con la mano izquierda tiene que darle otras dos veces con la derecha. Cuando le pega de lleno con la palma de la mano derecha, debe pegarle después con la palma de la mano izquierda. Concentra su atención en la pelota rosa que rebota en el mural. Lo que más le gusta es acertarle al corazón del *Reloj Blando*, donde la pintura culebrea cerca de las cuatro.

La pelota va y vuelve zumbando.

Treefrog entra en calor y sólo piensa en mantener la pelota en el aire, golpeándola desde abajo, desde arriba, con el pecho, con el muslo, pura sencillez, pura precisión, puro control, en el túnel, en el haz de luz, en la nieve.

Mantiene un ritmo perfecto y siente cómo el calor penetra en su cuerpo con holgura, con generosidad. Surge una gota de sudor en su axila. Lanza con demasiada potencia la pelota, que choca contra una grieta de la pared y gira sin control, pasa por encima de él y aterriza en la segunda vía. Se oye un tren a lo lejos, el 69 de Montreal, una avalancha de luces y acero. El ruido es fuerte, fuerte, cada vez más fuerte y adiós a la pelota porque el tren se le echa encima y Treefrog ni siquiera se vuelve a mirar; probablemente la pelota será arrastrada por el túnel enganchada al eje de un vagón o quedará reducida a la nada. El sonido del tren se pierde en dirección a Harlem y después hacia

Canadá. Treefrog se golpea la palma de la mano con el puño y oye a alguien que grita detrás de él:

—¡Eh!

Mira los haces de luz que se cuelan por las rejillas y ve a Elias que emerge de entre las sombras al fondo de las vías, con una manta encima de la sudadera.

—Dame un encendedor.

—Vete a cagar —dice Treefrog.

—Venga, tío, dame un encendedor.

—¿Para qué?

—Estoy helado, dame un encendedor.

—¿Se te ha vuelto a estropear la estufa?

—No, qué se me va a estropear. Es que me apetece un cigarrillo, joder.

Elias se aparta la capucha de la cara; tiene un corte largo y rojo en la mandíbula.

—¿Qué te ha pasado? —pregunta Treefrog.

—Nada.

—¿Te han rajado?

—Y a ti qué coño te importa, cabrón.

Treefrog se encoge de hombros.

—Sólo preguntaba.

—Pues no preguntes. No ha pasado nada, ¿vale? Nada. Dame un encendedor.

Treefrog saca la otra pelota del bolsillo y la pega de lado, con efecto, para que rebote en un ángulo de la pared. Alarga el brazo para dar el siguiente golpe y dice, como riéndose:

—¿Y qué me das a cambio?

—Un pitillo.

—Tres, dice Treefrog, y con la otra mano guía suavemente la pelota hacia la pared.

—Dos.

—Cuatro.

—Vale, tres, ¡joder!

—Pásamelos —dice Treefrog.

Elias deja caer la manta, hurga en el bolsillo de la sudadera y saca un paquete de tabaco mentolado. Sacude el paquete y saca tres cigarros.

Treefrog deja que la pelota pase por la grava describiendo ángulos raros y luego descienda hasta el mural de dos metros de altura que representa a Martin Luther King. Saca del abrigo seis mecheros de plástico, y, con tres en cada mano, dice:

—Elige tu veneno, tío.

En un solo instante desaparece de la mano de Treefrog un encendedor naranja y el paquete tiene tres cigarrillos menos y Elias ya va camino de su cubículo en la zona sur del túnel.

Treefrog se lleva el cigarro a la boca y enciende el mechero. Un trozo de nieve desprendida se le posa en la mejilla y entonces Treefrog dice en voz alta por segunda vez, para guardar la simetría, el equilibrio:

—Nieve subterránea.

El primer invierno que bajó hacía tanto frío que una vez la armónica se le congeló en los labios. Estaba sentado en la pasarela y no había calentado la Hohner. Se le pegó a la boca y al tirar se arrancó la piel.

Después, arriba, lo pillaron robando crema de cacao en la farmacia de Broadway. Se escondió la barrita bajo la lengua, pero un dependiente lo vio y se le plantó delante, empujándolo. Treefrog quiso marcharse pero el dependiente lo agarró por la melena y lo lanzó contra un estante de medicamentos para el catarro: los botes de pastillas cayeron al suelo con estruendo. Treefrog se incorporó y de un puñetazo le partió la nariz al dependiente, pero un policía que no estaba de servicio se le acercó por detrás, le puso la pistola en la sien y le dijo:

—No te muevas, hijoputa.

Treefrog sintió el frío de la pistola. Pensó en el sonido de la bala rebotando dentro de su cráneo y le pidió al poli que le apuntara a la otra sien. Pero el policía le mandó arrodillarse en el suelo con las manos en alto.

Al hacerlo Treefrog escupió la barra de cacao. Se había formado un grupo de curiosos. El dependiente recogió la barra con un papel. Mientras tanto, Treefrog calentaba la armónica en el sobaco.

Cuando llegaron los polis de uniforme y le preguntaron

su nombre, no pudo recordar cómo se llamaba de verdad, así que le aporrearon las costillas, le dieron una paliza, lo registraron para ver si llevaba armas y lo esposaron. La armónica se le cayó por la manga al suelo. Con sus zapatos negros pisotearon la Hohner. Quedó prácticamente inservible; el metal se dobló y se metió entre las lengüetas, formando un triste labio de plata. Le preguntaron su nombre una y otra vez, y él gritaba con los brazos en alto:

—¡Treefrog, Treefrog, Treefrog, Treefrog!

Pasó dos noches en el calabozo y la armónica aún olía a sobaco cuando se la devolvieron. Como no quería chupar su propio cuerpo no tocó la Hohner en una semana.

Acalorado por el juego de pelota, se quita el abrigo, lo posa en la grava y extiende los brazos como un crucificado. Mira hacia la rejilla; ahueca sus manos sucias y los copos caen sobre ellas y se deshacen. Se frota los dedos para quitarles el polvo del túnel, junta las manos y se lava la cara con el agua de nieve, dejando caer unas gotas en la lengua. Luego se restriega la nuca y siente que una gotita fría le baja serpenteando por el cuello de las camisas hasta enjugarse en la espalda de la camiseta térmica. Hace semanas que no se lava. Se pasa el agua fría por la nuez y abre las camisas una tras otra. Con un solo movimiento se saca la camiseta gris, la tira al montón de ropa que hay junto a la vía. Su pecho parece un tejido de puñaladas, quemaduras y cicatrices.

Lleva tantas mutilaciones en el cuerpo.

Clips calientes, tijeras romas, pinzas, cigarrillos, cerillas, filos..., todos han dejado su marca. La más llamativa está a la derecha de la barriga. Una vez Treefrog apuñaló a un hombre, le clavó la navaja entre las costillas; fue como pinchar un globo, la navaja entró y salió; el hombre dejó escapar un suspiro lento y triste, pero no murió; aquel hombre le había robado un pitillo. Aquello sucedió en los malos tiempos, los peores tiempos, y Treefrog creyó que debía apuñalarse las costillas del lado contrario. Se montó en un autobús de Nueva York y se clavó la navaja un centímetro, sólo para mantener el equilibrio. Tuvo que empujar el mango con los dos puños. Un calor peculiar le invadió el vientre y la sangre regó toda la parte de atrás del autobús. El conductor pidió ayuda por radio pero Treefrog se bajó dando tumbos, caminó por Broadway y se perdió entre los neones de Times Square. Más tarde, cuando regresó al túnel, le entró terror al pensar que tendría que compensar esa herida —¿debía apuñalarse el lado izquierdo?—, pero no lo hizo, sólo se apretó el costado con el pulgar y soñó que la hoja de metal penetraba en su carne.

Se frota con agua la parte superior del torso, aunque hace frío frío frío frío. Nota un hormigueo, la piel se tensa y los pezones se endurecen. Se pasa la nieve por los brazos venosos y por las axilas; casi se le ocurre aventurarse en la ingle pero no se atreve.

Coge la ropa y cruza la vía. El túnel es tan alto y ancho como un hangar.

De un salto Treefrog se sube a una columna y se agarra al asidero que él mismo talló con un cincel, mete el pie entre la columna y la pared, se eleva con las dos manos y ya está en la primera pasarela. Con un pequeño movimiento se planta en la segunda, camina con cuidado, poniendo un pie delante del otro, encendiendo un mechero mientras avanza, primero con la mano derecha y luego con la izquierda. Una llamarada barata lo envuelve. El pelo le tapa los ojos y apenas ve.

Llega al borde del nido —doce pasos y siempre doce— y entra en él balanceándose.

A la entrada hay un semáforo roto que encontró Faraday. Treefrog lo colgó de un gancho de la pared con alambre de espino, pero no hay rojo-amarillo-verde porque no quiere electricidad, de ninguna manera; es mejor que el nido esté a oscuras; le gusta así.

Saluda con la cabeza al semáforo y se acerca a la cama.

El centro del colchón está hundido por la impronta de su cuerpo y Treefrog se sienta a escuchar los sonidos del mundo de arriba: el tráfico en la autopista del West Side, los agudos grititos de los críos en el tobogán del parque, los graves rugidos de Manhattan. Treefrog saca su ropa de repuesto. Por la noche la guarda en el saco de dormir para que no se enfríe. Tres pares de calcetines, otro abrigo, otro par de guantes y una camiseta de repuesto que se mete en el bolsillo para luego ponérsela de bufanda. Una vez más baja desde su nido húmedo al barro helado del suelo del túnel. Le gusta columpiarse en los raíles metálicos mientras camina. Cinco minutos después pasa junto a los cubículos de cemento donde viven Dean, Elias, Papá Love y Faraday, pero todo está en silencio. Atraviesa los haces de luz, llega al hueco de la escalera, sube y se escurre por entre la verja de hierro.

Afuera, en el mundo, la nieve es tan blanca que le daña los ojos. Treefrog revuelve en los bolsillos hasta que encuentra las gafas de sol.

Cuando llega al río, la grulla ya no está. El hielo ha invadido el Hudson y el agujero que abrió a ladrillazos se ha vuelto a cerrar como una herida; sólo se ven en el borde unas maderas y un envase de plástico congelado. En el canal hay gabarras y el agua sigue fluyendo entre esporádicos trozos de hielo. Más al sur se ven, amarrados a los muelles, barcos donde vive gente; de las maromas cuelgan témpanos rotos.

La nieve azota la orilla del río en ráfagas furiosas.

Treefrog se coloca la camiseta de repuesto alrededor de la cara para protegerse de la ventisca. Cruza por el parque, por la curva de la autopista donde los coches son menos y circulan más despacio, y sube por el terraplén del túnel. Esquiva las bolas que le lanzan unos chicos y cuenta sus pasos mientras avanza a duras penas sobre una capa de nieve de quince centímetros. En el parque infantil de la calle 97 se acerca a una mesa que está encadenada a la valla metálica, la cubre con una bolsa de plástico azul y se sienta, lejos de los columpios.

Sobre la nieve juegan encantados varios niños. No se acerca por miedo a asustarlos. A ellos o a sus madres. Si lo miraran bien podrían reconocerlo, aunque antes tenía el pelo corto, rapado al cero, y no llevaba barba.

Desde la mesa se ve el parque: dos dinosaurios de fibra de vidrio para que se suban los niños, un tobogán curvo y plateado, dos toboganes más pequeños, dos laberintos para trepar, un puente colgante, un neumático suspendido, y seis columpios en una fila perfecta, tres para los niños pequeños y tres para los mayores.

El tremendo frío le muerde el cuerpo y el viento le congela los mocos sobre la barba.

Pero cuando levanta las gafas de sol y se las coloca en la cabeza ve a su hija. Es verano, hace tiempo, y ella tiene once años, lleva un vestido naranja, cuentas en el pelo, y los árboles están verdes, la luz es amarilla, el parque es un hormiguero, y la tierra está viva —eran los buenos tiempos—, y ella se columpia alegremente en el aire, con los brazos extendidos, y bajo el columpio los pies con sus zapatillas blancas, sus calcetines azules, la falda hasta la rodilla. Él está detrás, coge el columpio, la lanza más alto, y entonces mueve ligeramente las manos y siente en el cuerpo ese enorme vacío que conoce tan bien, y se aparta, sobresaltado por la visión.

Una punzada de hambre le atraviesa el estómago y se posa en el hígado. Necesita latas o botellas para canjear. Treefrog se levanta e infla la bolsa de plástico azul; hoy las latas estarán llenas de nieve derretida y pesarán mucho. Quizá debería comerse un bocadillo. O comprar pollo en el restaurante chino de Broadway. A lo mejor otra botella de ginebra si le sobra dinero. Le han dicho que en el norte, en Maine, los sitios donde canjean latas se llaman centros de redención.

Al salir del parque, Treefrog saluda a su hija con la mano a través de la cortina de nieve, se pone las gafas, se seca la escarcha de la barba y echa a andar, tiritando, por la calle 97, hacia Broadway, donde se transforma en un ser solitario que rebusca en los cubos de basura de Manhattan.

Cuatro

1916-32

Por las mañanas Nathan Walker cruza el túnel del East River para seguir cavando, y siempre se detiene un momento para hablar a solas con el hombre que está enterrado en el río, en un ataúd de arena. Los otros topos no le dicen nada. Walker pega con la pala en el techo de acero, que resuena fuerte y metálico.

—Eh, Connor —dice— eh, amigo.

Luego sigue avanzando hasta el final del túnel mientras el barro le salpica la espalda del mono roto. Bajo el Gran Escudo acaban de empezar a cavar: Vannucci ya está trabajando en firme con dos topos nuevos; Sean Power aún no se ha recuperado del accidente. Walker cruza la puerta del Escudo y se toca el sombrero para saludar a los nuevos. Ellos le devuelven el saludo con la cabeza; en sólo dos semanas se han creado los vínculos necesarios entre los zafreros. Walker empieza el día cavando en silencio pero al cabo de un rato nota que el ritmo se le mete dentro y deja escapar de sus labios la canción del túnel: *Señor, no he visto ponerse el sol desde que estoy aquí abajo; no, nunca he visto ponerse el sol desde que estoy aquí abajo.*

Eleanor O'Leary nace en casa diecinueve días después de la explosión, en el trigésimo cuarto cumpleaños de Maura. Carmela Vannucci es la comadrona. Saca al bebé con facilidad tierna y susurra oraciones en italiano. La niña tiene en la cabeza una mata de pelo rojo.

Maura se recuesta en la cama —las sábanas, ásperas al tacto, están hechas con sacos de harina pasados por lejía y aún conservan una leve fragancia de trigo— y piensa en su marido y en su reloj de bolsillo, se pregunta si seguirá funcionando bajo la arena del río. Por las noches Maura se duerme entre recuerdos, y un olor a trigo todavía más fuerte la despierta. A veces, en medio del sopor, piensa que está de nuevo en los campos ocres de Roscommon bajo un cielo cubierto de confeti de cisnes, pero cuando se levanta y se asoma a la ventana se encuentra con la mirada de gas de las farolas de Manhattan.

Pasan los días, Maura se recupera y empieza a recibir visitas, con un vestido oscuro sobre el camisón, incorporada en la cama. Pero no le cuenta a nadie que sueña con que el reloj de su marido le hace tictac en las costillas, con que los tirantes le sujetan los huesos y el minutero marca el goteo de su carne.

Al cabo de un mes Maura encuentra trabajo en una fábrica de pinceles que está bastante cerca del East River. El capataz le deja traerse a la niña. Maura limpia el polvo de la ventana de la fábrica y por el círculo mira afuera y se imagina a Connor surgiendo resucitado de entre las aguas. Saldrá volando con la pala en las manos y le gritará al sol. Los tacones de sus zapatos lanzarán destellos. Dará un salto mortal en el aire y luego descenderá con el géiser hasta el río, se agarrará a una tabla flotante. Nadará hasta la orilla con una sonrisa en los labios y ella irá a su encuentro por el muelle y lo abrazará y lo besará. Él acariciará la cara de la niña que aún no conocía y dirá: «Dios, Maura, qué preciosidad».

Maura se pasa el día imaginando esta escena mientras va metiendo cerdas en los pinceles. Tiene callos en los dedos de tanto trabajar. Cuando acaba su turno baja las escaleras con el cochecito en brazos; le ha salido músculo de cargar con el peso. Siempre lleva el recordatorio en el bolsillo, la cara de Connor junto a la cadera. Al llegar a casa coloca el recordatorio sobre el piano y toca unas notas. Pasea la vista por la habitación y espera a que Connor le ponga las manos sobre los hombros.

Nathan Walker la visita los domingos por la tarde, consciente de que, si viniera de noche, el color de su piel provocaría demasiados cuchicheos. Al pie de la escalera se quita los zapatos para que no crujan los escalones de madera, sube los cuatro pisos en silencio, deja el tabaco de mascar en un tiesto y llama a la puerta.

Maura mira por el pasillo para comprobar que nadie lo ha visto. Le tira del brazo para que entre. Él no levanta la vista del suelo.

—¿Comes bien, Nathan?

—Sí, sí.

—¿Seguro? Estás como un palillo.

—Como bastante, señora.

—Bueno, a mí me parece que estás un poco flaco.

—De verdad que no me falta de nada.

—Tengo patatas.

—No, gracias, señora, acabo de comer.

—Venga, hombre.

—Bueno, señora —dice—, si se van a estropear...

Maura también baja la vista, avergonzada por el festín que ha preparado. Tras las patatas con carne y el té con pastas, deja que Walker sostenga a Eleanor en sus enormes brazos. A Maura le resulta extraño ver al joven con su bebé, es tan grande que la niña parece minúscula. Y ese contraste de color. Le preocupa, y no le quita ojo. Le han contado cosas de los de su raza, pero ella sabe que Walker es tierno: a veces mece a Eleanor hasta que se le duerme en las rodillas, y cuando le da de comer hace como si la cuchara metálica fuera un zepelín que surca el cielo entre los dos. Antes de irse Walker siempre deja un dólar sobre la chimenea, y Maura O'Leary guarda el dinero en una caja de galletas en la que pone «Eleanor».

Walker sale de la casa deprisa, a hurtadillas.

Después siempre necesita sentarse al fondo de un cine y, durante la proyección de *Aventuras de Tillie* o *El romance de Charlot,* las cabezas le impiden ver cómo balancea el bastón Charlie Chaplin. Es curioso, pero Walker siente que sólo en los túneles la oscuridad los hace a todos iguales. Los topos formaron el primer sindicato integrado del país; sólo bajo tierra el color desaparece y los hombres se convierten en hombres.

Ni siquiera entre las sombras del cine puede dejar atrás su propia piel como las serpientes.

Cuando Walker tenía diez años y vivía en los pantanos de Georgia, cogió una culebra de agua y la tuvo cinco horas al sol en un embarcadero destartalado. Le habían dicho que se deshidrataría. Al principio la culebra luchó frenéticamente por llegar al agua, pero él la agarraba por la cabeza o la cola y la arrastraba hasta el embarcadero. Sabía que la culebra no era venenosa por lo que dice el viejo refrán: rojo y amarillo matan al chiquillo, rojo y negro son buenos para Pedro. No quería matarla sino dejarla morir de calor, pero la culebra seguía coleando. Empezó a ponerse el sol en el cielo de Okefenokee. En su frustración el niño le pisó el cuello a la culebra y le clavó la navaja. Tiró al agua las entrañas calientes y se llevó a casa la piel para colgarla de la pared. La casa estaba hecha de troncos, pero su habitación era de hormigón de escoria. Hizo mucho ruido al clavar los clavos. Cuando terminó de colocar la culebra extendida sobre la cama, entró su madre y le preguntó de dónde la había sacado. Nathan se lo contó y ella le dio unos azotes por no tener más respeto.

Le dijo que todas las criaturas merecían el mismo trato, que ninguna era más fuerte que las otras, que Dios las hizo a todas iguales. Todas llegaban al mundo sin nada y dejaban el mundo con menos aún. Sólo podían ser felices gracias a la fe en Dios y a la bondad del hombre.

—Como lo vuelvas a hacer, te muelo a palos.

Aquel domingo, después de la iglesia, el predicador le mandó que reparara el daño que había hecho. Desde entonces guardaba otra culebra en una caja, la trataba con cuidado, le daba de comer ratones, y verano tras verano observaba perplejo cómo mudaba, las capas de piel limpia que quedaban en la caja; casi igual que los hombres que ve hoy, diez años más tarde, en las calles de Nueva York, cambiando las ropas de civil por uniformes militares, de camino a Europa para luchar en la Gran Guerra, algunos son colegas de los túneles, llevan el uniforme nuevo bien planchado, la gorra ladeada incómodamente sobre la cabeza. Le han contado que en el frente, bajo los sangrientos crepúsculos de Francia, los topos funcionan bien en las trincheras; cavan más deprisa y más rápido y más fuerte y más hondo que nadie.

Una tarde de domingo, al final de su visita, Walker le dice a Maura:

—A veces su marido nos hacía un truco, señora. Estaba cavando en el túnel con los demás y... Resulta que tenía una bala que había encontrado en la calle o no sé qué. En fin, que estábamos al principio del túnel y Connor no llevaba camisa ni nada. Casi nunca llevamos camisa, ¿sabe? Y entonces se ponía a gritar: «¡Mirad esto, chicos!». Tenía esa forma tan rara de hablar, como todos ustedes. *Tomahte. Pataita.* Algo así. Entonces el bueno de Connor se doblaba y se metía la bala en el estómago. Justo dentro. ¡No se le notaba nada! ¡Llevaba la bala en la barriga todo el día y no se le caía ni una vez! ¡Trabajando y cavando! Y los demás nos moríamos de risa.

»Así que entiendo lo que dicen ustedes, señora, porque nosotros también lo echamos de menos, también para nosotros rompía la oscuridad; eso es lo que hacía el viejo Connor, rompía la oscuridad pero que muy bien.

La mañana de la inauguración, en 1917, Walker avanza con su sombrero rojo por los adoquines de Montague Street, en Brooklyn. Sonríe al ver que casi todos los topos han venido también con la ropa de trabajo: con las camisas andrajosas, los monos y sus gorras preferidas.

Muchos no se conocen porque trabajaban en turnos distintos. Han traído a sus mujeres e hijos, que llevan en la mano velas apagadas. Las familias bajan los escalones de la boca de metro y se acercan lentamente al andén. Llegan hasta el jefe, William Randall, que permanece de pie junto a la cabeza del tren. Randall espera a que los flashes de los fotógrafos le pillen sonriendo. Es la primera vez que baja, y les cuenta a los reporteros y a los dignatarios lo orgulloso que está de su túnel. Lo que más desea en el mundo es cortar la cinta roja para que salga el primer tren. Mientras habla, Randall se atusa el pelo para salir en la foto. Huele a jabón de afeitar y a brillantina, y su aroma desprende una arrogancia nunca vista en el túnel.

Pero, en vez de meterse tras la cubierta negra de la cámara para captar la sonrisa de Randall, los fotógrafos se vuelven a mirar al rosario de hombres, mujeres y niños que desciende hasta el andén.

Mientras las familias avanzan paralelas al tren, el túnel queda sumido en la oscuridad: los topos han cortado la electricidad por una hora. Se encienden cerillas y la luz de las velas ilumina los rostros de los obreros, que siguen caminando. Randall chilla indignado y habla a gritos con un grupo de hombres trajeados. Éstos levantan las manos en ademán de súplica y dicen:

—No podemos hacer nada, señor Randall.

Al final de la fila de trabajadores, Walker sonríe.

Uno a uno, los topos y sus familias pasan por debajo de la cinta roja situada frente a la cabeza del tren. Los hombres ni siquiera miran a su jefe. Randall trata de detenerlos, pero se encuentra como rodeado por las aguas.

Los hombres se llevan la mano al sombrero para indicar a los fotógrafos que no los acompañen, que los dejen en paz un rato; ha llegado su momento y desean estar tranquilos.

Alguien silba en voz baja y los topos entran en el túnel con las velas.

—¿Tú construiste todo esto, papá?

—Bueno, algunas partes.

—Caray. ¿Cómo es de largo?

—Seiscientos metros o así.

—¿De verdad, papá?

—Más o menos.

—Está oscuro.

—¿Y cómo coño quieres que esté un túnel?

Walker ve a dos chicos jugando con una pelota de béisbol. Escucha el golpe de la pelota contra los guantes. Sonríe para sí y piensa que probablemente éste es el primer lanzamiento subacuático del mundo. Se mete entre los chicos y esquiva la pelota. Los chicos lo aclaman.

—Esa bola llevaba efecto —dice Walker, y se adentra en el túnel.

Algunas mujeres, incluida Carmela Vannucci —de constitución pesada, con la mata de pelo recogida en la nuca—, llevan rosarios que les gotean por los dedos. Murmuran plegarias a santa Bárbara, patrona de los mineros. Hay cierta melancolía en la actitud de estas mujeres —rezan por los muertos del túnel— y también alivio al ver que sus hombres no les han sido arrebatados. Con largos vestidos almidonados y bonetes sobre la cabeza, las esposas bordean la vía cogidas del brazo de sus maridos.

A la luz de las velas, Walker encuentra a Sean Power, que avanza cojeando con su sobrino de la mano. Power se vuelve y le acaricia el pelo al muchacho.

—Te presento al señor Walker.

El chico extiende una mano mugrienta.

—Hola.

—El señor Walker estaba presente el día que Dios se tiró un pedo —dice Power.

—¿Eh? —dice el chico.

—El día que el reventón nos echó del túnel.

El chico ríe entre dientes, pero sigue aferrado a la mano de su tío. Walker camina detrás de ellos. Escucha como su compañero le indica al muchacho ciertas partes del túnel.

—Ahí se sentaba el capataz del ojo de cristal —dice Power—. Un día se le incendió el pelo.

—¿Y se le derritió el ojo?

—Claro que no —dice Power—. Y aquí se quemó un soldador. Tomoceweski. Una bola de fuego. Olía a rosbif.

—¿De veras?

—Pero los médicos le salvaron el pellejo.

—¿También ése tenía un ojo de cristal?

—No.

—Qué pena.

Se paran a mirar la capa de cemento gris que cubre el techo. Power se apoya en el bastón y saca del bolsillo una petaca de bourbon. Da un trago y se la pasa a Walker.

—Tío, ¿ahí encima está el río?

—Sí, justo encima de nosotros.

—¡Caray! ¿Y se puede pescar?

—Nada de bromitas —dice Power. Mira, justo aquí un tal Sarantino se partió el dedo. Lo metió en la pernazón y por poco se queda sin él. Acababa de limpiarse el sudor de la frente. Se le resbaló el dedo. No te imaginas el calor que hacía siempre.

—Ahora hace frío, tío.

—Ya sé que ahora hace frío, pero entonces esto era un horno.

—¿Puedo poner un centavo en la vía?

—¿Para qué?

—Para que el tren lo aplaste al pasar.

—No.

—¿Por qué no?

—Cuando pase el tren ya nos habremos ido.

—Mmmm.

—Ahora silencio.

—¿Y eso?

—Van a rezar.

—¿A rezar, tío Sean?

Power señala a Walker.

—Sí, a rezar.

—¿El negro?

—No es un negro, hijo, es un topo. —Power tose—. Ahora calla, hijo, y escucha.

Unos cuantos hombres con sus familias se apartan y forman otros grupos para rezar.

—Venga, Nathan —dice Power—. Suéltanos algo santo.

Walker junta las manos, les pide que inclinen la cabeza y que, en vez de rezar, recuerden en silencio a todos los muertos.

Walker separa las manos y se lleva el puño al corazón. Vannucci está inmóvil. Power cierra los ojos. Sólo interrumpe los dos minutos de silencio el sobrino de Power, que restriega los pies contra las vías hasta que su tío le da un cachete. El chico baja la cabeza avergonzado.

Entonces guardan silencio como si hubieran olvidado algo muy importante y luego lo hubieran recordado y revivido todo de golpe.

Cuando la oración concluye con un amén en voz alta, Power baja por el túnel, dando tragos a la petaca de plata mientras camina. Su cojera es ahora más pronunciada y le agrada que las esposas de los otros lo miren con compasión.

Vuelven a empezar los lanzamientos de béisbol. Los niños

comparten una botella de zarzaparrilla: está muy buena y hacen gárgaras antes de tragar. Algunas mujeres dejan flores al lado de la vía y se encienden más velas junto a los ramos. En el centro del túnel los hombres se estrechan la mano, los soldadores buscan a otros soldadores, los aguadores charlan con otros aguadores. Los zafradores se conocieron el día en que se unieron las dos mitades del túnel. Ese día estrellaron botellas de champán contra el Gran Escudo. Los hombres comparten cigarros y, como ya no hay aire comprimido, los pitillos duran mucho.

El sobrino de Power corre por el túnel para jugar con los otros chicos.

Al cabo de un rato los tres zafradores se quedan solos. Walker tiene a la altura de los ojos lo que antes era el lecho del río, el lugar donde se quedó atascado antes de que la explosión lo liberara. Extiende la mano e intenta agarrar el aire, como si quisiera guardarlo, saborearlo, detenerlo, y así recrear el momento. Vannucci está a su lado. Encima de ellos, no saben muy bien dónde, yace el cuerpo de Connor O'Leary.

—Ojalá Connor pudiera ver cómo vuela esa pelota —dice Power—. Le encantaría, coño. Se volvería loco.

—Seguro que sí.

Se quedan mirando fijamente al techo, en silencio, con las manos en los bolsillos.

—¿Sabéis por qué los piratas llevaban pendientes de oro? —dice Walker.

—¿Por qué?

—Para poder comprarle a Dios un terrenito.

—Qué tontería más grande —dice Power.

—Tú dirás lo que quieras, pero es verdad.

—Espero que no me entierren en una tumba de agua —dice Power—. Por lo menos que sea de bourbon.

Walker se acerca a la pared del túnel y dice:

—¡Eh, venid aquí los dos!

Al aproximarse, los zafradores ven que Walker rebusca en el bolsillo y saca un anillo de oro. Walker lo acaricia un momento con el pulgar y el índice, se lo acerca a un ojo, mira por el agujero y luego tira el anillo a la vía. Los tres zafradores observan cómo rueda y se detiene sobre los guijarros.

—Maura O'Leary me ha mandado que lo deje aquí —dice Walker.

—¿Qué?

—Quiere que esté aquí.

—Bueno, no me lo puedo creer —dice Power—. ¿Te lo dio para que lo tiraras?

—Mm.

—Es suyo, ¿no?

—¿Es el anillo de Maura? —dice Ruibarbo, el italiano, que ha aprendido un poco de inglés desde el accidente.

—Claro. La alianza. Se la quitó esta mañana y me la dio. No se sentía capaz de bajar al túnel. Me pidió que lo hiciera yo, que lo dejara aquí para Connor. Para que pueda comprarle a Dios un terrenito.

—¡Que me aspen! —dice Power—. Eso sí que es una mujer como Dios manda.

—Y que lo digas.

—¿Qué tal está... cómo se llama? La chica.

—Eleanor —dice Walker—. Esa niña crece que da gusto.

—¿En serio?

—Dentro de nada empezará a andar.

Permanecen de pie callados, cómplices, y asienten tímidamente; luego apartan la mirada.

—¡Santo Dios!, mirad eso —murmura Walker.

—¿El qué?

—Mirad las velas —dice en voz baja.

—¿Qué velas?

—Mirad cómo se mueven las velas.

Al fondo del túnel, los chicos han guardado la pelota y lanzan al aire las velas encendidas. Una por una las llamas se apagan y vuelven a encenderse al son de las cerillas, proyectando sombras en la pared. El sobrino de Power estira el brazo para cazar una vela. Walker contempla las luces que bailan adelante y atrás en la oscura lejanía. El resplandor trémulo ilumina a los obreros y a sus familias. Poco a poco las llamas se extinguen. Randall permanece inmóvil a la entrada del túnel, furioso. Uno de los topos corta de un tijeretazo la cinta roja al pasar. Randall vuelve a atarla con manos temblorosas. Parpadean las últimas luces amarillas. Alguien lanza la vela final, que desaparece. Walker se agarra los muslos a través de los bolsillos raídos, tose, y dice en voz baja a sus dos amigos:

—Esas velas son la cosa más bonita que he visto en mi puta vida.

—Parecían luciérnagas.

—¿Qué son luciérnagas?

—¿Nunca has visto una luciérnaga?

—No. ¿Cómo son?

—Vuelan así. *Tintín.*

Eleanor repite el sonido:

—*¿Tintín?*

—Bueno, más o menos. Pero no hacen ruido. Sólo tienen luz. Sobre todo cuando salen de la hierba. La luz casi no se ve cuando bajan. Así es la cosa. Y a veces puedes coger una y clavarla en un espino y sigue brillando horas.

—*Tintín.*

—*Tintarú.*

—Qué raro es usted, señor Walker.

—Vaya, muchas gracias.

—*Tintín.*

—*Tintarú.*

Trabaja en distintos túneles de Manhattan, unas veces cavando, otras barrenando, otras peleando de nuevo bajo el agua, otras acarreando bloques, sacos o cemento o escombros; siempre donde hay más riesgo, a la cabeza del túnel, el primer topo. Trabaja una semana sí y otra no, año tras año, con una paga decente y unos dólares por plus de peligrosidad. No hay más resurrecciones espectaculares, ni falta que hace: con una nueva vida basta. El cuerpo de Walker no cambia, los poderosos brazos, la dura caja torácica, los músculos tensos. Después del trabajo le gusta volver a casa en metro. Como siempre, cuelga las botas del picaporte. Lava la ropa en cualquier fregadero. Walker apenas se compra nada, ni siquiera camisas. Las botas de trabajo son el único lujo que se permite; un par nuevo todos los años. Tumbado en la cama escucha toda la música que ponen en la radio y casi nunca se molesta en sintonizar el dial a menos que esté seguro de que va a encontrar jazz. No le gustan nada los jovenzuelos que cantan ahora. No intenta comprar alcohol ilegal pero acepta con gusto un trago si se lo ofrecen, sobre todo cuando se encuentra a Sean Power: whisky, grapa, sidra, cerveza de contrabando, matarratas de túnel.

Más bien feliz, más bien infeliz, más bien solitario, más bien solo, Walker suele reírse a carcajadas sin razón aparente, como todos los que pasan mucho tiempo consigo mismos.

De vez en cuando, en el túnel, se mete en peleas que no ha provocado él, pero sólo interviene si no hay más remedio. Sigue teniendo buena pegada, le echa músculo a la cosa. A veces en la calle los polis lo tumban y se deja, porque sabe que lo mejor es callarse, que lo harán polvo si abre la boca. Guarda sus ahorros en un banco para negros; le dan menos intereses pero por lo menos es su gente y eso le da seguridad. El día que cumple veinticinco años tira la casa por la ventana y se compra un fonógrafo Victrola en una tienda de Harlem propiedad de un trompetista famoso, paga dos dólares más que en cualquier otro sitio, pero no le importa. Que gire. Que suene. Dos años después se compra un modelo mejor con una aguja especial. Se lo lleva a casa y le da a la manivela con cuidado. La música de jazz estalla a su alrededor y Walker danza frenético y solo por toda la habitación.

La mujeres vienen y se van, pero la mayoría se van: no soportan la idea de que Walker puede morir en los túneles, y además él es tímido y callado y, aunque es guapo, se empeña en llevar siempre puestos un mono y ese ridículo sombrero rojo.

Su habitación es lo único que cambia con los años: el hotel de Brooklyn; un ático al sur de Manhattan en uno de los últimos bloques viejos de Five Points, con la claraboya cubierta de cagadas de pájaro; su apartamento junto a un matadero de Hell's Kitchen, entre insultos proferidos con acento irlandés; una casa de madera cerca de Henderson Street, en Jersey City, donde el olor del licor de contrabando se cuela desde la chabola de al lado; otra vez en Manhattan, en una pensión para negros que hay en la esquina del bar del Hotel Theresa; luego, más al norte, en una habitación sin agua caliente de la calle 131. La única constante en su vida es la visita dominical a Maura y Eleanor O'Leary. Walker nota el paso de los años por el polvo de los túneles que se va acumulando en sus pulmones; por las arrugas que aparecen en los ojos de Maura O'Leary; por la curiosidad cada vez mayor que demuestra Eleanor cuando se inclina y le roza el codo mientras él le cuenta historias.

—Bueno —dice—. Pues resulta que el primer túnel de la ciudad se construyó allá por los años sesenta del siglo pasado. El encargado era un tal Alfred Ely Beach, un hombre de negocios. Un... ¿cómo se llama? Un empresario. Con pajarita. Todavía más gordo que Randall. Y al señor Beach se le ocurrió que a lo mejor el tren podía pasar por debajo del suelo en lugar de por encima. Se acabaron los trenes al aire; sólo bajo tierra. Y hasta entonces no se le había ocurrido a nadie en toda la ciudad, sólo al tal señor Beach. Era más listo que la leche; perdón, señora, pero así es.

Walker se lleva la mano a un sombrero inexistente y las dos mujeres sonríen.

—Así que pidió permiso para cavar un túnel debajo de Broadway, junto al Ayuntamiento. Justo debajo de sus narices. Pero no le dan el permiso de ninguna manera, no hay forma de que se lo den. El tren elevado da mucho dinero. No quieren arruinar el negocio. Son los años sesenta del siglo pasado, como les digo. Empiezan a decir que el viejo Beach está loco. Y a lo mejor es verdad. Pero sigue adelante de todas maneras. Es de los que saben que cuando una cosa vale la pena te puede partir el corazón. Así que con unos cuantos obreros se pone a cavar en secreto justo debajo de la tienda de ropa de Devlin, ahí abajo, en Murray Street. Por la noche sacaban la arena escondida entre la ropa. Bajaban carretadas por toda la calle mientras la gente dormía. Sólo el equipo sabía lo que pasaba. El caso es que al capataz lo llamaban la Solitaria, porque una vez le abrió la tripa a un obrero que andaba por ahí contando lo del túnel.

Sobre la mesa de la cocina humean las tazas de té mientras Walker habla.

—En fin, que pusieron frescos y azulejos y muchas pinturas bonitas e hicieron un túnel precioso. O sea, estupendo. De veras. Y justo a la entrada, en la sala de espera, colocaron una fuente, una fuente enorme que echaba agua hacia arriba. Nunca se había visto cosa igual. Y el viejo Alfred Ely Beach decidió traer un gran piano para recibir a los clientes. Me imagino que sería como éste de aquí.

Indica con la cabeza el piano de Connor O'Leary, que está al otro lado de la habitación.

—Y entonces el viejo Alfred Ely Beach hizo pasar el primer tren por el túnel. ¡Vaya día! Dicen que contrató a una señora, vestida de fiesta, para que bajara a tocar el piano, y todos los clientes llegaron y vieron la fuente y oyeron la música y seguro que creyeron que se habían muerto y estaban en el cielo. Bueno, pues aquél era un tren a presión neumática, con dos enormes ventiladores a cada lado. No lo sé seguro, pero me imagino que recorrería unos cuatrocientos metros o así. Siguió funcionando unos años pero no daba dinero, y el viejo Beach ya había perdido hasta la camisa, así que decidió cerrar el quiosco. Lo tapió con ladrillo. En mil ochocientos setenta y pico. Pasó el tiempo y ya nadie se acordaba de que había habido un túnel allá abajo. Hasta se olvidaron de marcarlo en los mapas.

Walker mira dentro de su taza como sopesando las palabras.

—Siga —dice Eleanor.

—Y aquí viene lo más raro. Cada vez que lo pienso me barrena la cabeza, pero es cierto.

—Siga, siga.

Walker da un sorbo al té y echa otro azucarillo en la taza.

—Por muy raro que parezca es tan cierto como que estoy aquí sentado. Me enteré la semana pasada. Un hombre me lo juró y el viejo Ruibarbo también asegura que es verdad. Estaban cavando otra vez debajo de Broadway, ¿no? Recuerden que hace sesenta años. Y ya nadie se acuerda del viejo túnel. Están dinamitando. Haciendo excavación y relleno, tapando la calle con planchas de acero para que las piedras no salten por los aires. Así que plantan la dinamita y despejan el túnel y uno de ellos enciende la mecha. Salen fuera, a la calle, a esperar la explosión. Casi sin hablar. Cansados, me imagino. Entonces la dinamita va y hace su trabajo. ¡*Boom*!

Eleanor da un bote en la silla.

Walker se ríe.

—Los hombres bajan la escalera y entran en el túnel. Se tapan la boca con la bufanda para no respirar polvo. Delante va un ingeniero para comprobar si hay peligro de que les caigan piedras encima. El túnel tiene muy buena pinta, y todos empiezan a sacar cascotes. Son cinco. Apartan los pedruscos. Empiezan a colocar los soportes del techo. Y de repente uno de ellos va y grita: «¿Esto qué es?». Y se queda parado con un trozo de azulejo en la mano. Y todos piensan, joder. Perdón, pero eso es lo que piensan. Joder, coño, ¿de dónde sale este azulejo? Y entonces otro de los muchachos también encuentra un azulejo y luego un trozo de esas figuras que hay en los edificios, ¿cómo se llaman?

—Gárgolas —dice Maura.

—Gárgolas, eso es, encuentra un trozo de gárgola, y todos gritan lo más alto que pueden: «Joder». Perdone, señora, pero seguro que hablaban así.

Eleanor, que tiene catorce años, se inclina hacia delante con los codos sobre la mesa y la cara entre las manos.

—Entonces los hombres entran a por más piedras pero se encuentran con que no hay nada. ¡Nada de nada! Pasan a rastras por el hueco del túnel y ¡ven que se pueden levantar y estirarse! Ellos que están acostumbrados a andar todo el día agachados de acá para allá, ¡están de pie! ¡Y rodeados de azulejos y pinturas, y con una vía de tren a los pies! Entonces los cinco echan a andar sin poder dar crédito a sus ojos. Más adentro encuentran la fuente; ya no echa agua, claro, pero allí sigue, y aún más allá ¡el gran piano! En serio. ¡El piano! Lleno de polvo. Seguro que casi les da un ataque. Y uno de los obreros levanta la tapa del piano y se pone a tocar, y todos se acercan y alumbran las teclas con los faroles. Ninguno de ellos sabía música y no sé qué canción cantarían, pero da igual. Se quedaron en el viejo túnel hasta que bajó el inspector y se los encontró allí gritando y riéndose y cantando al son del piano.

Las mujeres permanecen sentadas, sin habla, el té ya está frío, y en la boca de Eleanor se dibuja una sonrisa.

—¿Un piano bajo tierra? —dice—. ¡Santo Dios!

—¡Eleanor! —dice Maura—. Te he dicho mil veces que no hables así.

—¿Así cómo?

—Santo Dios.

—Perdona, mamá.

Guardan silencio hasta que Walker dice:

—Pero qué increíble, ¿verdad?

Maura asiente:

—Desde luego.

—Es como para volver loco a cualquiera.

—Y que lo diga.

—Un piano bajo tierra.

—Dios mío de mi vida —dice la niña.

Y los tres se echan a reír.

Recibe una nota de Eleanor: *A las seis debajo del cartel de cigarrillos Wills.*

Llega pronto, con un vestido de muselina amarilla que era de su madre. Los hombres se quedan mirando su melena roja. Ella aparta la vista y observa la calle. Cuando Walker aparece, Eleanor le coge la mano pero él la suelta enseguida y camina dos pasos detrás de ella, vacilante y nervioso, sin decir nada, a su sombra. La niebla tiñe las calles de gris y el humo de los coches espesa la bruma. En la boca del túnel, el capataz, un tipo con la cara acribillada por el acné, le advierte a Eleanor que es peligroso estar con un negro a oscuras.

—Nunca se sabe lo que pueden llegar a hacer, señora.

Walker se aparta, se mete las manos en los bolsillos.

El capataz la ayuda a bajar por el pozo y por el túnel, y le enseña el piano cubierto de polvo. Eleanor levanta la tapa para tocar unas notas y el capataz se inclina sobre ella, acercándole el farol a la cabeza. Furtivamente, le pone la mano en la cadera, abre los dedos y aprieta.

—¡Pero qué haces! —dice ella, retirándole la mano.

—Venga, mujer. Sólo un besito.
—¡Déjame en paz!
Se levanta y echa a correr por el túnel, pero no encuentra a Walker y sigue corriendo frenética por Battery Park hasta que lo ve tras el cartel, tímido y cabizbajo.
—Era verdad —dice ella.
—Pues claro que era verdad.
—Lo sabía.
—Entonces ¿por qué tienes esa cara de susto? —pregunta él.
Ella se mira los pies:
—Ese hombre intentó tocarme.
—¿Te hizo algo?
—No, pero deberías llamarle la atención.
—¿Qué?
—No puede hacer esas cosas. No está bien. Deberías llamarle la atención.
—¿Lo dices en serio?
—Claro que lo digo en serio.
—Soy idiota, nena, pero no tanto.
—¿Por qué no?
—Nena.
—¿Qué?
—Mírame bien la cara.
—Oh —dice ella—. Oh.
Eleanor se levanta y trata de besarle en la mejilla, pero Walker se aparta y murmura avergonzado:
—No debes hacer eso. No está bien.
Aunque una vez vio a un campeón de los pesos ligeros saliendo del Hotel Theresa con una actriz francesa. Ella llevaba falda corta, tacones altos y perfume, y sostenía con la punta de los dedos un elegante cigarrillo, largo y delgado. Delante del hotel, la mujer rozó con los labios la mejilla negra del boxeador. Los esperaba un coche. Cuando la pareja se fue, unas niñas que había en la calle imitaron la manera de fumar de la francesa con unos palitos de helado, y el perfume quedó flotando en el aire como un estigma.
—Es que no está bien —dice Walker.
Pero, aun así, sigue llevándola a pasear por el East River

durante años. Los desconocidos lo miran y él mete la barbilla en el cuello. Sabe lo que piensan. A veces hasta los suyos lo miran con odio. Camina a bastante distancia de Eleanor para que no se note que van juntos, y hasta deja de hacerle caso si la gente los mira demasiado.

Al borde del agua, Eleanor dice:

—Cuéntame otra vez lo que le pasó a mi padre.

—Bueno, pues era muy de mañana. Bajamos todos y nos pusimos a trabajar, todo normal. Estábamos cavando, como siempre.

—Mmm.

—Sudando y cargando y cargando y sudando.

—¿Y fue entonces?

—Sí. Yo tenía la pala levantada así. Y Connor estaba detrás de mí, no sé dónde. Y Ruibarbo también. Fue él quien gritó. Era la primera vez que decía una frase seguida en inglés. Casí me deja sordo: «¡Mierda! Aire fuera. ¡Mierda!».

Walker señala el centro del río.

—Salimos despedidos justo por ahí.

Cinco

EL TIEMPO PASA MUY DESPACIO

Frente al nido, cerca de la rejilla metálica, cuelga un témpano estático, una saeta helada de medio metro de largo que baja a explorar el suelo del túnel. Parece una estalactita, aunque Treefrog sabe que las estalactitas no son de hielo, sino de sedimentos minerales. No importa, para él será una estalactita. Se pregunta cuánto crecerá. Quizá tres metros, quizá cinco, quizá hasta el suelo. Saluda con la cabeza al trozo de hielo dentado.

—Buenos días —dice—. Buenos días.

El mundo aún guarda pequeñas sorpresas maravillosas.

Ella llega la mañana de la tercera nevada.

No trae más que un bolso negro. Treefrog la observa embelesado desde la seguridad de su nido. Ella camina bajo la pasarela, envuelta en un enorme abrigo de piel, con los botones desabrochados, como un animal abierto en canal del cuello al ombligo. El abrigo está viejo y andrajoso pero aun así es bonito. Debajo lleva una minifalda roja y zapatos de tacón. Tiene el pelo lleno de cuentas multicolores, bajo las que sobresalen algunos mechones repugnantes, como si no se hubiera lavado en años. Camina por entre las vías y, cuando llega a la rejilla que está frente al nido, se detiene en medio de la fría claridad azul que entra por arriba. Incluso desde esa altura se ven los churretes de rímel seco que le corren por la cara. Tirita de frío y se envuelve en el abrigo.

Se parece tanto a Dancesca.

Se acerca a la pared del túnel, junto al mural del *Reloj Blando*, mira furtivamente a su alrededor, se pone en cuclillas y se levanta el faldón del abrigo para no mancharlo.

Treefrog no quiere verla mear, así que abre con sigilo la cremallera del saco de dormir y posa los pies en el suelo, procurando no pisar las cagadas de rata. Se calza las botas, ata los cordones con los dedos entumecidos. Al borde de la cama *Castor* rebulle inquieto y Treefrog lo acaricia con las dos manos. *Castor* arquea el lomo y se arrellana a su lado.

Cruza rápidamente el nido y llega a la pasarela, y antes de saltar toca el semáforo: calma, no te vayas a estrellar.

Las vigas están heladas; siente el frío a través de los guantes mientras vuela hasta el suelo, veintiséis metros en total. Cae sobre la grava del túnel sin hacer apenas ruido y ve que la mujer se levanta y se ajusta la falda, con un charco de pis humeante a los pies. Mira en su dirección y olfatea el aire, pero Treefrog desaparece en las sombras.

—¿Quién anda ahí? —dice la mujer.

Treefrog se hunde aún más en la oscuridad.

—¿Quién coño anda ahí? ¿Elias? ¿Eres tú?

Treefrog respira dentro del abrigo para tapar la nube de su aliento.

—No juegues —dice.

Casi oye los latidos de su propio corazón.

—¿Quién anda ahí? ¿Elias?

La mujer rebusca en el bolso y por un momento Treefrog piensa que acaso tenga una pistola, que podría regar de balas el túnel, que quizás él acabaría con un tiro en la cabeza, o en el corazón, o en los dos sitios, que ella podría ponerse la pistola en la sien. Pero la mujer saca un paquete de tabaco y ladea la cabeza, enciende un cigarrillo. El abrigo se abre revelando una camisa ajustada, los pezones puntiagudos y tensos por el frío. Da un paso y los senos se bambolean levemente. ¿Cuánto hace, piensa Treefrog, que no baja una mujer a los túneles? Treefrog observa que, mientras da frenéticas caladas al cigarrillo, ella pone los ojos en blanco. Se queda quieto en las sombras y cuando la mujer echa a andar le tira un beso.

Pasa de la luz azul a la larga penumbra y vuelve a la luz y luego a una negrura todavía mayor, donde sólo se ve avanzar el contorno de su figura arrebujada en el abrigo. El túnel es como una iglesia incierta, que deja entrar la luz en lugares estratégicos mientras el resto permanece en tinieblas. Al otro lado de una rejilla ladra un perro y la mujer se detiene, levanta la vista, saca un espejito y se pasa la mano por las mejillas —debe de estar llorando— y Treefrog se imagina las manchas de rímel ensombreciéndole el rostro.

La sigue sigilosamente por el mismo lado de la vía.

La mujer pisa la tierra compacta. Sus tacones dejan huellas. Treefrog se limpia los mocos con la mano y levanta la cabeza al oír un ruido. A lo lejos surgen dos puntos de luz: el tren que se dirige al norte. Mira a la mujer que va delante. Camina con la cabeza baja. A Treefrog le da un vuelco el corazón. El tren suena cada vez más cerca y de repente se le seca la garganta.

—No —susurra—. No.

Ella levanta la cabeza y mira fijamente los faros que se aproximan. Se acerca a la vía. Retumba la sirena del tren y las ruedas del vagón echan chispas y el ruido es ensordecedor y Treefrog cree que la mujer se va a poner delante del tren —a recibirlo en el pecho como una bala gigante— y grita: «¡No!», pero su grito se ahoga en el estruendo de la máquina. Se tapa los ojos y cuando los abre de nuevo ella está tan tranquila al lado de la vía, mirando las ventanas del Amtrak que pasa disparado junto a ella.

Treefrog se sienta en el suelo y se lleva la mano al corazón y cierra los ojos y dice en voz alta sin dirigirse a nadie:

—Gracias, gracias.

La mujer continúa avanzando en medio del tremendo frío. Treefrog la sigue a una distancia prudencial hasta llegar a los cubículos de la calle 95. Los cubículos —los viejos búnkers de cemento de los trabajadores del ferrocarril— forman una larga hilera.

Ella ni se inmuta cuando Faraday sale de su celda solitaria y se le queda mirando. Faraday, con su mugriento traje negro, silba entre dientes, pero ella no hace caso y agarra el bolso como si fuera un arma.

—Eh, nena —dice Faraday.

—No soy tu nena.

—Pues lo pareces.

—Que te follen.

La voz suena aguda, chillona y desigual, y Treefrog está seguro de que solloza.

—Sí, por favor —dice Faraday—. Fóllame, por favor.

Ella cruza el huerto de desperdicios que hay frente al cubículo de Dean, el *Basurero*. La luz se derrama tras la mujer, que avanza de puntillas por los montículos de heces humanas y las revistas rotas y los envases vacíos y las agujas hipodérmicas con burbujas de sangre en la punta, como amapolas que brotan en un prado —con los tacones negros parece un ave oscura y patilarga—, por las botellas rotas y los excrementos de rata y un cochecito de niño y televisores destrozados y latas aplastadas y cajas de cartón inservibles y botes hechos añicos y cáscaras de naranja y ampollas de crack y un oso de peluche sin ojos, con la panza roída por las ratas. Continúa avanzando por entre todos los restos de la ruina humana.

Dean sale del cubículo. Lleva unos quevedos que encontró en la basura, se los ajusta y la observa. Se humedece los labios y sonríe pensando que algún día quizás la encuentre a ella también en la basura.

La mujer se engancha el pie en un trozo de periódico, que se le enrosca en el tobillo, y arrastra la página unos veinte metros. Treefrog —oculto entre las sombras— se imagina los titulares bajándole por los tobillos y recorriendo los túneles eternamente, pero ella sacude el pie para deshacerse del papel, y dando tumbos se dirige a la casa de Elias. Seguro que ya ha estado aquí antes, piensa Treefrog, por su forma de moverse, sin mirar nunca atrás.

La mujer se detiene frente al cubículo de Elias en un trozo de suelo limpio y sin basura. Papa Love ha plantado un arbolito en la tierra compacta, y ella frota con las manos sus ramas marrones y muertas. Coge aire, se sitúa bajo la luz y grita:

—¡Elias! ¡Eh, Elias!

Recorre con la vista toda la hilera de cubículos de cemento.

—¡Elias! —grita de nuevo.

Treefrog sabe que está llorando y quiere alargar la mano para tocarla, pero, justo cuando emerge de las sombras, Elias sale del cubículo. Se restriega los ojos y la ve al otro lado de la vía, junto al árbol. Treefrog se oculta de nuevo en la penumbra.

Elias cruza la vía y toma en sus brazos a la mujer, y ella se derrumba sobre su hombro entre sollozos. Le baja la capucha de la sudadera y le pasa los dedos por la cicatriz de la cara. Elias la lleva hasta el cubículo y de una patada abre la puerta, que oscila como borracha sobre la única bisagra.

Treefrog se sienta fuera a esperar.

Al cabo de una hora, Elias sale del cubículo y mea contra la pared como un perro que marca su territorio. Estira los brazos encantado. Treefrog da media vuelta y cruza el túnel en dirección a su nido solitario. Saca la foto de Dancesca y su hija, la tira al aire y la atrapa con las dos manos antes de que caiga al suelo.

Sabañones. Las manos están tan hinchadas por el frío y la humedad que los guantes parecen a punto de estallar.

Más tarde averiguará que se llama Angela. Antes vivía en otro túnel, en el centro, entre la Segunda Avenida y Broadway-Lafayette, en una estación de metro, cerca del andén, con trenes pasando cada pocos minutos, sin la luz de las rejillas, sólo ruido: un túnel asqueroso, el túnel más asqueroso, el peor de Manhattan.

Pasó allí seis meses, durmiendo en un colchón empapado por la lluvia. Las ampollas de crack se le hacían añicos en los bolsillos de los vaqueros. Una noche puso el colchón en un agujero tapiado al borde de la vía, a sólo metro y medio del tren. Para ella el ruido ya no existía; era como el ritmo de su propia respiración. Mamaba el polvo de acero que flotaba en el aire. Mientras dormía, cuatro hombres entraron por la boca de metro de Broadway-Lafayette. Llevaban cadenas de bicicleta. La despertaron a patadas y la levantaron por el pelo. No los había visto en su vida. Uno de ellos le metió un calcetín en la boca para que no gritara. Le rasgaron la camiseta y le ataron los brazos con las cadenas, tan prietas que dejaron una pulsera de aceite en las muñecas, la acostaron y se turnaron. Le dijeron al oído todas las obscenidades del mundo.

Angela sintió arcadas; le sacaron el calcetín y tras él salió un chorro de vómito, pero siguieron. Después ella se quedó callada. Uno de ellos le lamió la oreja y con los dientes le robó el aro de oro. Se inclino y sacó la lengua para mostrarle el arito de oro. Ella no tuvo fuerzas para escupirle a la cara.

A cuatro patas les suplicó que se apiadaran de ella, con los ojos cerrados para no verlos. Cuando por fin la dejaron, cada uno le arrojó cincuenta centavos para que se comprara caramelos —una chocolatina, dijeron— y salieron del túnel entre carcajadas.

Angela estuvo dos días sin poder andar. El colchón apestaba. Usaba como almohada un elefante de trapo rosa, ribeteado de sangre. Los viajeros de los trenes pasaban disparados, meras sombras en las ventanas. Ella contemplaba las sombras, las veía esfumarse y con la mano daba vueltas al aro que le quedaba en la otra oreja.

La encontró un hombre llamado Puzzle, que le dijo:

—Mierda, Angie, mataré a los hijos de puta que te hicieron esto.

Puzzle se agachó y la abrazó muy fuerte y olía mal, pero aun así ella le dejó que la abrazara. Tenía los brazos fibrosos. Luego le trajo café caliente y un bocadillo que fue incapaz de comer. Se quedó de pie frente a ella retorciendo la lengua; lo llamaban Puzzle porque tenía la mente hecha pedazos.

—Déjame sola, Puzzy.

—No.

—No quiero hablar con nadie.

—Si te quedas aquí te vas a morir, tía.

—Qué bien suena eso.

—Venga, chica.

—En serio, suena genial, me gustaría morirme, suena a fresas, suena delicioso.

—Te has vuelto loca.

Puzzle la dejó sola y se fundió con la oscuridad amarillenta

—en el túnel punteado con luces eléctricas— y Angela salió por la alcantarilla de emergencia a una isleta de la calle Houston, tropezando en la nieve, con el cuerpo achicharrado y la cabeza a punto de estallar. Se sentó a llorar bajo una marquesina de autobús hasta que un adolescente con un aro en la nariz le tuvo lástima. La agarró por el hombro y la llevó a una comisaría del Bowery. A ella le sorprendió que oliera a colonia. Era algo ajeno, profundo y dulce y prolongado.

Un policía la hizo pasar a una pequeña sala de interrogatorio donde brillaba un flexo muy potente. En la habitación no hacía frío. Se sentó dejando caer las manos y pidió que apagaran la lámpara; le hacía daño a la vista. Otro poli dobló el cuello del flexo y una luz amarilla se le quedó grabada en la retina. No aguantó más de diez minutos en la silla. Quiso poner una denuncia, pero los polis le dijeron que se lo merecía, eso te pasa por puta, así es la vida, tú te lo buscaste, tía, ¿por qué llevas minifalda y braguitas transparentes?

—Yo no soy puta.

—Mira, no somos idiotas. Seguro que llevas tanga.

—No me mires el culo.

—Tranquila.

—No me mires las piernas, ya te he dicho que no soy puta.

—Mmm.

—¡Que no! Soy bailarina.

—¿Bailarina?

—Sí, ¿pasa algo?

—¡Bailarina! Mueve la cosita para nosotros.

—Sois un par de hijoputas.

—¡Bailarina!

Y ella tartamudeó: «No soy puta».

Abrió de un empujón la puerta de la sala de espera, y el chico del aro en la nariz ya no estaba, pero su aroma seguía allí; se llenó los pulmones con él. Uno de los policías la siguió hasta la salida y le dijo: «Yo te creo, tía». Le sonrió y dijo que sentía lo que había ocurrido, que se pasaría por el túnel, redactaría un informe, que volviera al día siguiente; y le dio veinte dólares de su bolsillo. Ella bajó la cabeza, se guardó el dinero en el bolso, salió de la comisaría y atravesó el Greenwich Village aturdida, hasta que se acordó de su viejo amigo Elias que vivía al norte, así que tomó el metro en Astor Place, cambió en Grand Central, volvió a cambiar en Times Square, fue hasta la 72, bajó por la calle hasta Riverside Park y entró por el agujero de la valla de alambre del túnel de ferrocarril, empolvándose al andar con lo que quedaba en las ampollas de crack, rebañando los tubos con el dedo. Y llegó al túnel con sus tacones negros. Si en ese momento Treefrog hubiera trasladado a un mapa los latidos de su corazón, los contornos estarían tan juntos que las líneas casi se fundirían en la más clara y fina de las gradaciones.

Treefrog regresa al nido y se acuesta con *Castor* al lado. En el túnel uno pasa muchas horas de invierno durmiendo... No se oye ni una pizca de ruido. Saca de la mesilla la marihuana que le queda y se lía un porro pequeño, lo coge entre el pulgar y el índice y aspira fuerte.

Sobre su cabeza cuelgan los calcetines tendidos en la larga cuerda multicolor de corbatas —corbatas azules, rojas, cachemir, rotas, magenta, incluso una de Gucci—, todas atadas con nudos perfectos. Las corbatas forman un arco que cruza el nido, en total son dieciséis, todas rescatadas de los contenedores de basura. En algunos sitios la cuerda está clavada al techo del túnel para que no baje demasiado. Treefrog se quita los zapatos y tiende los calcetines empapados de sudor. Al cabo de una hora se cubren de escarcha y es como si los pies de otro hombre se agitaran en el aire.

—Eh —dice—, eh.

Se dirige a la cueva de atrás con la vela y mete la mano en la estantería donde guarda los mapas. Tiene cientos de gráficos pequeños y un mapa gigante en una hoja de papel de dibujo, cuidadosamente enrollado y atado con un cordón de zapato. Treefrog cubre el suelo con una bolsa de plástico para que el papel no se manche de tierra. Desata el cordón y desenrolla el mapa. Odia tener que usar la goma de borrar, pero es necesario cuando hay una nueva lectura. Aquí la mesilla de noche, elevada como una meseta. Un collado en lugar del colchón. Montículos circulares que representan las elevaciones del suelo. Una cueva que es el gulag. Todas las alturas marcadas con incrementos mínimos. Borra un contorno meticulosamente y lo ensancha para indicar la nueva lectura que hizo en la pared de la cueva la mañana después de que llegara la mujer; acaso se equivocó, porque las manos le temblaban después de verla.

Se muerde los guantes para descongelar los dedos, para que les llegue sangre, trabaja durante horas y luego se queda dormido. Una rata cruza sus genitales de puntillas y entonces se despierta y ve con disgusto la huella de la bota en un extremo del mapa.

Sale de la cueva y se frota los ojos para despejar el sueño y se sienta en el borde de la cama.

En una enorme bolsa de plástico guarda todas las hojas del otoño.

Las hojas son marrones y frágiles al tacto, aunque los bordes están un poco húmedos porque han empezado a pudrirse. Treefrog las frota con las manos enguantadas, desmenuza unas cuantas y las esparce uniformemente por la chimenea: un círculo de piedras con una cúpula de ceniza vieja en el centro. Rasga un *New York Times* amarillento en tiras estrechas y las enrosca alrededor de las hojas. Junto a la mesilla —ha calzado una pata con libros pero la mesa sigue cojeando un poco— está la pila de leña.

Rompe ocho palitos con los dedos, hace un cono con ellos en torno al papel de periódico, y coloca encima unas ramas más grandes.

Cuando el fuego está encendido y va creciendo, Treefrog mete la mano en el gulag y saca un poco de jamón envuelto en papel de aluminio. Parte una de las lonchas para *Castor*, en ricos pedacitos, lo justo para tenerlo contento y no quitarle el hambre. Pone leche en una cazuela y coloca la cazuela en una parrilla sobre las llamas. ¡Prometeo Treefrog, el ladrón del fuego! ¡Baja, águila preciosa, y consume mi hígado eternamente!

Toca la cazuela con el pulgar derecho y luego con el izquierdo, se sienta otra vez, apoyado en el colchón, y espera.

Mientras se calienta la leche acaricia a *Castor*, le quita una bola de barro de la barriga, se la pasa de una mano a otra. El gato tiene la cabeza vuelta hacia la cazuela y cuando la leche empieza a burbujear Treefrog la vierte en un bol pequeño.

Castor lame la leche con delicadeza, mira el plato de jamón, y olisquea el aire.

—Gatito bonito, gatito bonito.

Treefrog coge la botella de ginebra. Da un buen trago, luego casca un par de huevos en una sartén, con cuidado. Se le cae un pelo de la barba y lo retira de la yema con el dedo derecho, imita el movimiento con el izquierdo. Pone una loncha de queso sobre los huevos para que se derrita. Treefrog se toma el desayuno en la pasarela, usando como plato un tapacubos. Contempla el túnel y recuerda cuando la mujer se acercó a la vía. Estaba tan encantadora, con su abrigo de piel y su minifalda roja. Unas piernas preciosas, largas, de revista. Le recordaba tanto a Dancesca. Treefrog sonríe y deja que un trozo de pan se le reblandezca en la boca.

Un coro en Park Avenue. Navidad. Cantaba un coro. Entraron juntos. Nunca habían estado en una iglesia católica, pero les gustaba lo que cantaban; por eso entraron. Dancesca se atusó el pelo. Llevaba a Lenora en brazos. La niña tenía seis meses. Era en 1976. Aún le cabía entre la mano y el codo. Él llevaba el pelo corto y no tenía barba. Se bajó la cremallera del anorak y le tocó la mano. Ella asintió. Se sentaron en uno de los bancos de atrás. La música era elevada y hermosa. El cura bebía vino de un cáliz. El coro seguía cantando. A su alrededor empezaron a vaciarse los bancos. La gente caminaba hacia el altar. Dancesca y él se miraron, nerviosos de repente, no conocían bien la ceremonia. Se unieron a la fila y llegaron al altar e hicieron lo mismo que los demás. Él sacó la lengua y el cura posó el pan con cuidado. Le tocó la frente a Lenora y sonrió. Al volver por el pasillo notó que la extraña oblea se ablandaba y se le pegaba al paladar. Metió el dedo y arrancó un poco de pan. Se le quedó un trocito en el dedo. Se lo puso a su hija en la boca. Una vieja con un pañuelo en la cabeza se le quedó mirando, con los ojos como platos. Sintió que de repente se le encendían las mejillas. Había hecho algo malo pero no sabía qué. Pasó el resto de la misa con la cabeza gacha, apretando a la niña contra su pecho, acunándola. Al terminar la misa salieron de la iglesia, cabizbajos, avergonzados, pero al alejarse un poco, al subir por Park Avenue, Dancesca se echó a reír y la explosión de sus carcajadas lo rodeó. Junto a una hilera de parquímetros le entregó la niña a Dancesca. Se subió a un parquímetro —era su truco favorito— y se balanceó sobre un solo pie. Se sentía estupendamente, ridículo y vivo. Aún notaba el sabor del pan en la boca. Caminaron juntos hasta el apartamento, metieron la llave en la puerta, se detuvieron junto a la estufa, se abrazaron y se besaron, con la niña dormida apretujada entre los dos.

Cuando amenaza el mediodía, Treefrog se levanta de la cama, coge una lata roja de café y se la pasa de una mano congelada a la otra. No queda agua en el frasco amarillo, así que se deja caer sobre la grava y pasea por entre las vías.

Al fondo del túnel pasa frente los cubículos. Diferentes pintadas cubren las puertas como telarañas. ELIAS ES EL REY. MARINEROS A LA MAR. GLAUCON ESTUVO AQUÍ, 1987. A JODERSE. En la puerta de Faraday, bajo el inodoro colgante, pone: SÓLO QUIERO APOYAR EL CULO, TIRARME UN PEDO Y PENSAR EN DANTE.

Treefrog se detiene y le tira un beso a la puerta de Elias, donde probablemente la mujer sigue durmiendo.

Bajo la calle 94 hay una cocina gigante con una parrilla portátil en medio. EL RUISEÑOR NO CANTA. LLCOOLJ. ¡TROGLODITAS! PIENSO, LUEGO ANDO. PUTA MILI. NY ES UNA MIERDA. Una gabardina se seca tendida en un largo cable de acero. Todo está oscuro, puntuado por los haces de luz que salen de las rejillas. La luz se derrama, azul, blanca y gris, sobre las pintadas y los murales que Papa Love ha dibujado en las paredes del túnel. Hay un mural cada cien metros, y las ratas corretean bajo las caras de Martin Luther King, John F. Kennedy, Miriam Makeba, Mona Lisa con un pene en la boca, Huey Newton crucificado entre dos ladrones blancos, Nixon y Johnson. Hay un petroglifo de un bisonte con USDA BEEF escrito en el costado. Le han pintado unas ubres gigantes y rosadas.

Campos de latas, botellas y agujas se extienden bajo las pinturas.

Treefrog se sube el cuello del abrigo y recorre cien metros de túnel, dejando atrás los cubículos y las chabolas. Sabe qué hora es por el ángulo que describe la luz, y también por los trenes.

Llega a la escalera metálica y trepa hasta la verja, catorce pasos y siempre catorce. Dean ha dejado el carrito del supermercado atado a la verja con un alambre de espino: cuatro diminutos ositos de trapo cuelgan a un lado del carro, junto a las barras y estrellas manchadas de barro. Dentro del carro hay cuatro latas de Pepsi abolladas, pero Treefrog no las coge; para qué buscarse problemas por sólo veinte centavos.

A través de la verja, del encaje de forja, observa el terraplén cubierto con medio metro de nieve. Todo está en silencio, no hay casi coches, ni siquiera en la curva de la autopista del West Side. Hay muchos accidentes en esa curva y a Treefrog le gusta recoger los tapacubos de los coches antes de que se los lleve la grúa.

Treefrog se sienta en los escalones metálicos, saca la lata de café vacía por entre la verja, y coge un poco de nieve y la aplasta con los puños enguantados: primero el derecho, luego el izquierdo.

Bajo la capa de nieve fresca encuentra hielo duro. Debería echar agua en la pasarela; así se congelaría y seguro que nadie se acercaría al nido, resbalarían y se romperían la crisma y lo dejarían en paz para siempre.

Se guarda la lata de nieve en el bolsillo del abrigo y regresa por el túnel, trepa hasta la pasarela —sabe que nunca se caerá; puede hacerlo hasta de puntillas— y, ya en el nido, enciende otra hoguera. Casi no le quedan madera ni hojas, así que usa más que nada periódicos.

Las llamas ascienden rápidamente.

Pone la nieve en un cazo ennegrecido y saca del gulag una bolsita de manzanilla. El gulag está encima de la cama, mide metro y medio de alto y treinta centímetros de hondo; lo construyó el segundo año que pasó bajo tierra. Le llevó semanas cincelarlo y alisarlo hasta dejarlo perfecto. Colocó en el centro la bandejita de acero de un tostador para que no le entrara polvo a la comida, y colgó de la puerta un pañuelo rojo. Puso clavos en la pared y luego los afiló meticulosamente con una lima:

así las ratas se destrozarían las patas con las puntas si saltaban para robar comida. Como nunca ha saltado ninguna, suele usar los pinchos para colgar los calcetines.

Pone el cazo al fuego y regresa al saco de dormir, escucha el silbido del viento que sopla desde el sur, espera a que hierva la nieve gris de Manhattan. El tiempo pasa muy despacio, piensa, si es que pasa.

Por la tarde, cuando la nieve amaina un rato, Treefrog camina por Broadway con una bolsa llena de latas y la ve sentada bajo el toldo de Symphony Space.

Tiene el brazo extendido y sostiene unos veinte vasos de papel apilados. El vaso de arriba casi se inclina suplicante hacia la calle. Treefrog se ríe al verlo y la oye decir a los que pasan:

—¡Por unas monedas bailaré en su boda!

Hasta cuando nadie le da dinero y su cuerpo se escurre y se le cansa el brazo y se le espatarran los pies y se le nubla la vista y en las comisuras de los labios aparecen dos surcos profundos y doloridos, sigue sonriendo y diciendo:

—¡Por unas monedas bailaré en su boda!

Escucha tras la puerta hasta asegurarse de que Elias no está: es fácil saberlo, porque la radio está apagada y Elias siempre necesita ruido, hasta cuando duerme.

Treefrog avanza despacio, espera, llama con la mano y la oye protestar.

—Eh.

Un largo silencio y un crujir de mantas, y Treefrog empuja la puerta con el pie y vuelve a rascar la madera. Ella protesta otra vez, pero se revuelve en la cama.

—Fuera.

—Soy yo.

—¿Quién?

—Treefrog.

—¿Quién eres?

—Yo.

—Fuera.

—Eh, ¿dónde está Elias? ¿Cuándo vuelve?

—No me toques.

—No te toco. ¿Tienes un cigarro?

—No.

—¿Hoy es miércoles o jueves?

—Fuera.

—Es viernes, ¿verdad?

Entra y ella está sobre el colchón en medio de una oscuridad fabulosa; ni siquiera distingue su silueta. Se habrá ido la luz. Enciende el mechero con una mano, luego con la otra, lo acerca a donde sabe que está la cama. Ella se tapa los ojos con el brazo y dice:

—¡Fuera!

Se nota que ha estado llorando, tiene el labio superior pegado a los dientes, los puños cerrados, los ojos enrojecidos.

Parece un bocadillo triste entre tantas mantas.

Treefrog se guarda el encendedor en el bolsillo, se sienta a oscuras en una silla de mimbre que hay junto a la cama, pone los pies sobre un televisor desvencijado con la pantalla rota de un puñetazo, y la oye rebullir bajo las mantas. La silla tiene dos patas más cortas que las otras, así que Treefrog se mece en diagonal.

—¿Cómo te llamas?

—No me hagas daño.

—No te voy a hacer daño. ¿Cómo te llamas?

Tras un largo silencio contesta:

—Angie.

—Hay una canción que se titula así.

—Si Elias te encuentra aquí me matará.

—Sólo quería saludar.

—Ya has saludado. Ahora lárgate.

—Me recuerdas mucho a alguien.

—Te he dicho que te largues.

—Sólo quiero un cigarrillo.

—Tengo una navaja —dice—. Si te acercas más te mato.

—Te vi esta mañana —dice él—. Y también arriba, en Broadway. Con los vasos de café. Me gustó. Una pila grande y alta de vasos de café. No lo había visto nunca.

—¡Fuera!

—Eres exacta a una amiga mía. Te confundí con ella. Eh. ¿Por qué lloras?

—No lloro. Cierra el pico y lárgate.

—¿Qué le pasa al zumo? —pregunta él.

—¿El qué?

—¿Qué ha pasado con la luz?

—Elias te matará si no te largas. Me dijo que no dejara entrar a nadie.

—Tendréis que llamar a Faraday para que arregle la luz.

—¿Ese blanco hijoputa tan feo que lleva traje? —pregunta ella.

—Sí. Engancha a todo el mundo. Saca la corriente de los postes de arriba. Baja el cable. También va a los otros túneles. Sabe piratear la luz del tercer carril. A veces reduce la tensión con transformadores. Se le da genial el zumo.

—Elias lo matará a él también, porque me silbó. Oye, ¿cómo dijiste que te llamabas?

—Treefrog.

—Es el nombre más raro que he oído en mi puta vida.*

—Toco la armónica.

—¿Y eso qué tiene que ver?

—Todos me llaman así. Pero a mí no me gusta.

La oye subirse las mantas hasta el cuello.

—Me cago en la puta —dice—, qué frío. —Se escucha un correteo al fondo y ella se incorpora a toda prisa.

—¿Qué es eso?

—Una rata.

—Odio las ratas.

—Pues tráete un gato.

Tirita.

—A Elias no le gustan los gatos.

—¿Necesitas más mantas?

—Sí.

—Tengo unas cuantas de sobra —dice Treefrog—. En mi

* Treefrog: rana arbórea con ventosas adhesivas en la punta de los dedos que trepa por los troncos con gran facilidad.

casa. Primero dame un pitillo. Te cambio la manta por un pitillo.

—No tengo.

—Te vi fumar esta mañana.

—¿Me prometes que me darás una manta?

—Sí.

Un cigarrillo le aterriza en el regazo y Treefrog busca un mechero en el abrigo, lo enciende, aspira el humo a fondo, sigue meciendo la silla en diagonal, a oscuras.

—Gracias, nena.

—No me llames así.

—Gracias, Angela.

—Angie.

—Me gusta más Angela.

—Eres un gilipollas —dice—. Me cago en la puta, qué frío. ¿No hace frío? ¿No tienes frío? Yo sí.

Treefrog se levanta de la silla de mimbre.

—No te muevas —dice—. Ahora te traigo una manta.

Se dirige a la puerta; en el túnel una luz menguante entra por la rejilla.

—Está nevando —dice al cabo de un momento.

—Ya sé que está nevando, joder.

—Me gusta cuando nieva. Como cae por las rejas. ¿Lo has visto?

—Tío, tú estás loco. Hace frío. La nieve está fría, por si no lo sabes. Hace frío. Nada más. Frío. Esto es un infierno. Es un puto infierno frío.

—Un cielo de infierno —dice él.

—¿Pero qué dices ahora, gilipollas?

—Nada.

Baja por el túnel sacudiendo los brazos para ahuyentar al viento que sopla desde el lado sur. En el nido están las mantas de repuesto, en enormes bolsas de plástico, junto a los libros y los mapas.

Angela, piensa mientras regresa al cubículo con una manta para ella. Un nombre bonito. Seis letras. Buena simetría. Angela.

Una tarde la ve junto a la verja del túnel, tan colgada que los ojos le dan vueltas en las cuencas. Ella le tira de la manga y le cuenta en voz baja que antes bailaba en un club de Dayton, Ohio.

—Un antro de mierda, en las afueras de la ciudad. Me pintaba la cara con el mejor maquillaje. Había dos escenarios, con una chica en cada uno. Una noche estaba actuando y vi entrar a mi padre, ¿te lo puedes creer?; va y se sienta en una mesa al fondo del club. ¡Mi puto padre! Se pide una cerveza y empieza a darle la vara a la camarera porque había pagado cinco dólares y le habían puesto un vaso de plástico. Allí sentado, mirándome mientras bailaba. Me dio miedo, Treefy. Creí que se iba a subir al escenario y me iba a sacudir como hacía siempre. Casi no podía bailar del miedo que tenía. Y todos aquellos tíos abucheando y silbando. Y entonces miro hacia abajo y mi padre había movido la silla; está mirando al otro escenario, a la otra chica. Relamiéndose. Y entonces me decidí. Bailé como nunca en la vida. Te juro que todos volvían la cabeza para mirarme, excepto él. Él no para de beber y de mirar fijamente a la otra chica y a mí no me mira ni una vez. Y cuando salgo al aparcamiento me está esperando y está borracho, y me dice, nena —tengo veintidós años y todavía me llama Nena— y luego me pregunta cómo se llama la otra bailarina y yo le digo, Cindy. Y me dice, gracias. Y se marcha en su viejo Plymouth gris y se asoma por la ventana y me dice, esa Cindy sabe bailar de veras. Eso me dijo. Esa Cindy sí que es una bailarina de verdad.

Esa noche sueña que ella le pisa el hígado. Delante tiene una pared de color marrón rojizo. Connor O'Leary, *Ruibarbo* Vannucci, Sean Power y Nathan Walker le han enseñado a cavar.

Angela sabe mantenerse en equilibrio con un pie detrás del otro y utilizar toda la economía de su cuerpo. Le corroe la pared del hígado, saca paladas y cubos de asco y enfermedad, es tan fina con la pala que él no nota nada. Angela le rebaña todos los restos y cuando acaba de limpiar una zona se inclina y la besa, y él siente un temblor por todo el cuerpo. La mierda sale y se acumula a sus pies y ella se la saca del hígado en cubos, y cuando la glándula está completamente limpia, cuando los cubos están vacíos, cuando él está curado, los dos bailan alrededor del hígado en éxtasis, con los ojos cerrados, giran y giran y giran. Las cuentas de colores se agitan en el pelo de Angela. Luego se oye un ruido como de ventosa y los dos salen disparados hacia arriba a través de su cuerpo, salen por la boca y ella está de pie frente a él, sonriendo, sin bilis, ni siquiera en las uñas, y alarga la mano y lo toca suavemente, avanza por su pecho, le tira de los pelos, y sus dedos siguen bajando hasta abrir el pantalón con una delicadeza espectacular; no siente ni una pizca de dolor en el hígado, es un sueño hermoso. De vez en cuando los sueños del túnel son impecables.

Seis

1932-45

Ruibarbo Vannucci y Sean Power montan un palomar en el tejado del edificio de Vanucci, en el Lower East Side, un palomar de madera con dos puertas correderas y el techo de rejilla. Como últimamente han robado pichones, Vannucci ha teñido los suyos con unos tintes de colores fuertes que compró en una fábrica textil. Les tiñe todo el cuerpo menos la cabeza, incluso debajo de las alas. Las aves, de un naranja chillón, revolotean por el cielo. En el barrio todos saben enseguida qué palomas pertenecen a Vannucci. Son como cáscaras de naranja voladoras que cruzan el cielo de Manhattan.

Sean Power decide pintar sus pichones de añil. Las plumas caídas forman un collage fabuloso en el tejado.

Una mañana de julio los dos hombres deciden hacer una carrera de palomas. Apuestan un dólar cada uno.

Nathan Walker y Eleanor O'Leary han accedido a llevar las palomas al otro lado del puente de Brooklyn y soltarlas junto al río. Van haciendo eses con la bicicleta. La melena de Eleanor flota tras ella como un torrente. Walker lleva las jaulas en la cesta de la bici. Forman un tándem extraño; el viaje tiene un aire de vals. Eleanor procura que las ruedas de su bicicleta no se salgan de la sombra y Walker juega a evitar esas mismas sombras. Ella suelta el manillar y extiende los brazos, se tambalea un poco pero sigue manteniendo la bicicleta fiel a las largas líneas oscuras. Al llegar al final del puente, Eleanor apoya su bici contra la de Walker. Extienden una manta sobre el cemento y antes de soltar las palomas meriendan: una botella de Coca-Cola, una tableta de chocolate, un poco de pan con queso.

Eleanor le toca la mano a Walker, señala a las palomas que están en las cajas —una naranja y otra azul— y ambos se ríen.

En mitad de la merienda, un transeúnte le escupe a Walker en la cara y le grita a Eleanor:

—¡Amante de negro!

Ella le saca la lengua y Walker se limpia el escupitajo con un pañuelo. Tira el pañuelo al agua. Lo ven bajar en espiral. Sin decir nada guardan las sobras de la merienda en la cesta, sacan dos botes de pintura y luego sueltan a las palomas en el aire.

Regresan pedaleando por el puente como locos, siguiendo con la vista a los pichones que luchan por la cabeza.

Walker va muy por delante, con las jaulas vacías en la cesta de la bici.

—¡Espérame! —grita Eleanor. Las palomas desaparecen en el cielo.

Cuando los ciclistas llegan a casa de Vannucci, los dos hombres están furiosos. Cada uno tiene en la mano una paloma recién pintada, mitad naranja, mitad azul.

Discuten cuál es la paloma de cada uno y quién es el propietario legítimo de los dos dólares. Walker y Eleanor se parten de risa en el tejado del edificio.

Los dos hombres miran de modo extraño a la pareja y vuelven a meter los pichones multicolores en el palomar.

—A tomar por el saco —dice Power.

—¿Qué saco? —pregunta Vannucci.

—El saco...

Y entonces también Power empieza a reírse bajo.

—El saco —dice, guiñándole el ojo a Walker—, el saco de patatas.

Eleanor pone sobre la mesilla de noche una foto de sus padres. Se la hicieron en una feria de Brooklyn, un verano de principios de siglo; al fondo hay una noria, estática en el cielo como una pulsera barata. Connor O'Leary tiene bigote. Maura lleva un vestido abrochado hasta el cuello, pero el tercer y el cuarto botón se le han abierto sin darse cuenta y se le ve el nacimiento del pecho. Están de pie junto a una de esas máquinas que sirven para medir la fuerza. La campana está arriba del todo, donde dice ¡FORZUDO EXTRAORDINARIO!, y Eleanor está segura de que es su padre el que acaba de dar el martillazo. Connor sonríe, con la panza llena y orgullosa, y los carrillos inflados. A Eleanor le gusta imaginárselo en esa misma postura cuando coge el metro todas las mañanas para ir a la mercería de Brooklyn Heights donde trabaja. En el túnel, a la ida y a la vuelta, saluda a su padre dormido. No se lo imagina agonizante ni congelado en una extraña ascensión, sino más bien erguido, ufano, de pie junto a una máquina de barro, posando, sonriente.

Se encuentran a oscuras, con confianza pero temblorosos. Una tarde en el parque ella le pide a Walker que le cepille el pelo. Él se coloca detrás del banco. Su cabello es largo y pesado. Cuando termina, ella se vuelve, se arrodilla en las tablas de madera y se inclina hacia él. Walker aún nota en las manos el peso de su pelo. Ella dice su nombre en voz alta: Nathan. Él la mira, y le parece que su voz acama las briznas de hierba.

Dieciocho años después de la explosión, Nathan Walker sale del túnel de un tren de mercancías en el West Side de Manhattan.

Las nubes raudas dan sombra y las calles están techadas con cintas de sol. Avanza con paso elástico, pese a que lleva todo el día cavando. El trabajo en los túneles del ferrocarril es más fácil que bajo el agua, aunque igual de peligroso, y los hombres mueren al explotarles cajones de dinamita en las manos: les destrozan el cuerpo y los pulgares vuelan tan alto que podrían hacer autoestop para llegar al cielo. A los treinta y siete años el cuerpo de Walker no ha cambiado mucho: sólo una leve inclinación en la cintura y una cicatriz nueva en la ceja izquierda, recuerdo de una revuelta durante la Gran Depresión, cuando un policía le atizó con la porra en la cabeza.

Una noche, al salir de una cafetería, se encontró sumido en

un oscuro mar de rostros. Los manifestantes llevaban pancartas. Gritaban algo sobre el desempleo y el recorte salarial. Walker se unió a los manifestantes en silencio, estoicamente. También a él le habían bajado el sueldo —los túneles estaban llenos de hombres desesperados por trabajar—, y conservaba su empleo únicamente porque Sean Power era el jefe del sindicato. Avanzó con la corriente de miradas. Al fondo de la calle se oyeron gritos y entonces le cayó la porra por detrás. Primero le aterrizó en la parte blanda del cráneo y luego Walker sintió en la frente un latigazo que le aplastó un ojo. Vio fugazmente al poli antes de caer y se encontró rodeado de cascos de caballos. Una de las patas acabó en su ingle. Sintió una punzada de dolor. Hecho un ovillo, Walker cruzó la calle a rastras y se quedó bajo el toldo de un estanco, con la sangre corriéndole por los labios. En el hospital tuvo que esperar cinco horas a que le dieran los puntos —el médico le abrió la costra con sus dedos bruscos— y le hicieron una sutura torcida, que le dejó un gusano zigzagueante en la ceja.

Camina hacia el norte, por el vertedero de Riverside Drive, pasando las chabolas, luego hacia el este hasta una tienda llena de esmóquines.

Al abrir la puerta suena una campana y un hombrecillo negro con pelo color granito sale de detrás de una cortina con un lápiz en la oreja. Observa el barro que cubre las botas de Walker, le echa una mirada burlona a su mono sucio y al sombrero rojo atado a la barbilla e inmediatamente se acerca a una hilera de prendas de alquiler baratas, pero Walker le indica las caras. Bajo la débil luz amarilla se prueba una amplia chaqueta negra con cuello de terciopelo brillante. Hace tanto que no se usa que tiene una bola de alcanfor en el bolsillo, pero es la única que queda de su talla, porque esa noche hay baile en Harlem y en todo el día no ha parado de entrar gente en la tienda. Walker paga el alquiler del traje y se compra una camisa nueva.

Al llegar a casa se lava el cuerpo en el lavabo de porcelana y se prueba la blanca camisa de chorreras. Los botones le parecen diminutos y extraños. La artritis ha empezado ya a mordisquearle las manos. Walker sabe cuándo va a llover por el dolor que siente en la punta de los dedos. No se abotona el cuello de la camisa, tapa el hueco con la pajarita.

No puede contener una risa callada al ver cómo se le chafan en la barbilla las chorreras de la camisa, al contemplar la extraordinaria blancura de la tela.

—¡Eres más guapo que la hostia, Nathan Walker! —le dice al espejo polvoriento, y luego salta al otro lado de la habitación encantado y nervioso, hace girar una tubería rota de la estufa, las rodillas protestan por la repentina violencia del baile, una cruz de plata se balancea en su cuello.

Le compró la cruz por dos dólares a la mujer que vive abajo, una adivina que siempre lleva un vestido rojo y dos plumas en el pelo. Lee el futuro en el tabaco de mascar. Los hombres, y también las mujeres, se inclinan sobre una taza metálica y escupen en ella, los hombres esputos grandes, las mujeres babas tímidas. Ella mira la forma del tabaco y receta remedios para la desesperación futura. Según ella, todos nos desesperamos tarde o temprano y por eso todos necesitamos un remedio, así es la vida; y el remedio sólo cuesta dos dólares curarlo, una auténtica ganga.

«Esta cruz —le dijo a Walker—, impedirá que el corazón se te suba a la boca cuando te pongas nervioso. Tienes que llevarla sobre la piel todo el día, pase lo que pase.»

Walker está de pie junto al piano que le han regalado. El instrumento está atado con un lazo blanco, así que no abre la tapa. Toca la suave cinta y luego pasa los dedos por la tapa del piano, acerca un taburete y se sienta —calzones y camisa blanca y cruz de plata— y finge que toca, moviendo los dedos en el aire, inventando el ragtime, hasta que suda tanto que tiene que quitarse la camisa. Se humedece los labios y entona una melodía cada vez más alto; alguien da patadas en el techo y ruge:

—¡A ver si se callan ya!

Al día siguiente, a Eleanor y a él los echan de cuatro restaurantes y les niegan la entrada en un cine a pesar de la ropa que llevan. En las calles la gente murmura a su paso. Los automovilistas frenan y les tiran pullas. En casa, en su apartamento de la calle 131, Walker tiene que inclinarse para pasar por la puerta. Cruza el umbral con Eleanor en brazos y ella le mete la mano en el bolsillo de la chaqueta.

Tiene cintura de avispa, como una adolescente. Walker le susurra al oído que podría llevar a diez como ella y Eleanor contesta:

—Ni lo pienses, soy la única que vas a tener en tu vida.

Le saca la bola de alcanfor del bolsillo y mueve la cabeza divertida, golpeándole el pecho cariñosamente. El tafetán blanco de su vestido largo cruje mientras camina por el pasillo hasta el baño común. Echa la bola de alcanfor al inodoro y tira de la cadena.

—Prepárate para mí, grita ella por el pasillo, entre el *gluglú* del agua.

—Estoy listo, cielo.

Regresa a la habitación y echa el pestillo. Ha traducido su rostro al quitarse el maquillaje. Sólo tiene diecisiete años pero parece aún más joven. Walker está sin chaqueta, de pie junto al piano, y le indica que toque. Ella dice que no con la cabeza, no, y lo aparta del piano, lo echa en la cama de matrimonio, donde caen ensayando muchas noches de ensueño.

—Así que estabas listo, ¡las narices! —dice ella, y sus manos desaparecen bajo la camisa, llegan a la espalda, lo abrazan muy fuerte.

Se mueven como dos claroscuros sobre la colcha, blanco y negro, negro y blanco, luego duermen con la frente empapada de sudor. Se acuestan de lado, abrazados; la cadera de ella es una colina de hueso rosado, la de él, otra colina de músculo marrón. Eleanor se despierta y le besa la cicatriz de la ceja. En la pared, el reloj de cuco da las ocho de la tarde. El deseo yace en la lengua de ella como el aliento de la mañana. Despierta a Nathan con un pinchazo juguetón en el estómago.

—Te quiero.

—Yo también te quiero —masculla él.

—No te vuelvas a dormir.

—Abre los ojos. ¿Has visto alguna vez bailar a una grulla?

—No.

—Primero posa un pie, luego el otro.

—Enséñame cómo.

—Grullas canadienses —dice—. Así. En Georgia las veía siempre.

Ella se ríe al verlo levantarse de la cama y bailar sobre el colchón.

Más tarde llaman a la puerta. Walker, en calzones, agacha la cabeza ceremoniosamente para pasar por el marco de la puerta. Se rasca la barriga mientras sus ojos se adaptan a la luz.

Allí están Vannucci, Power y la adivina, sonriendo nerviosos, con cuatro botellas de champán en la mano. La adivina entra como una exhalación, taconea con sus zapatos de lamé dorado, con las mangas de mariposa colgando. Power entra cojeando tras ella, empieza a sacar con los dientes el corcho del champán.

La calva de Vannucci asoma por la puerta abierta y luego desaparece, avergonzada.

Pero la adivina se sienta en la cama junto a Eleanor y destapa los pies de la chica, descubriendo sus dedos blancos. Eleanor se ruboriza y esconde el pie. La adivina se ríe y vuelve a agarrarla.

Walker, apoyado en el piano, logra ponerse el pantalón con un pie en el aire, mientras Power intenta empujarle y echarle champán en la ropa interior.

Vannucci es el único que espera fuera hasta que la pareja se viste del todo y entonces empieza la fiesta; el italiano, con la cara colorada, da vueltas frenéticamente a la manivela del fonógrafo. Se queda de pie junto al aparato mientras la aguja viaja por los surcos y emite notas solitarias, hermosas. Vanucci sonríe al escuchar el ritmo, chasquea los dedos, apura un vaso. Power se lleva a los labios una botella vacía imitando una trompeta. La adivina se remanga el vestido y enseña dos ligas muy rojas y unas medias con costura. Baila el cancán levantando los pies hasta el techo, tarareando la música; las canciones bajan lentamente de su garganta a sus caderas, y allí giran y giran.

—Eres toda una dama, tienes clase —dice Power.

—Gracias, rico. Parece que le has pegado al láudano.

—¿Por qué lo dices?

—Si no es que estás borracho.

—De eso nada.

—Entonces, ¿por qué no bailas?

—Tú lo has dicho.
—¡Está como una cuba!
—De eso nada.
Todos callan cuando Maura O'Leary aparece en la puerta. Todavía de luto, con el pelo recogido en un moño y cuello de encaje, dice que no se va a quedar. Suspira y echa una ojeada a la habitación, ve el piano en un rincón, lleno de botellas y con un puro encendido en el borde, del que ascienden rizos de humo.
—Bueno, bueno, bueno —dice.
—¿Señora?
—Se acabó lo de señora. No tienes por qué llamarme señora.
—Vale —dice Walker.
—Maura es más sencillo. Llámame Maura.
—Vale. Sí.
Ella suspira.
—Nunca pensé que llegaría a ver esto, nunca creí que vería una cosa así.
—Yo tampoco.
—No digo que sea lo mejor.
Desde el otro extremo de la habitación Sean Power eructa y dice:
—No tiene nada de malo.
—Nadie te ha preguntado, dice Maura.
—Tampoco a mí.
—Quiero decir —dice ella—, que en algunos sitios es ilegal.
—En Nueva York no —dice Power.
Maura se palpa el encaje del cuello, juguetea con él un buen rato.
—En otros sitios meten a la gente en la cárcel. En otros sitios os matarían.
—Que sea ilegal no quiere decir que esté mal.
—Bueno, eso es verdad —dice Maura.
—Así que ¿estamos de acuerdo? —dice Power.
—Quizás nos pongamos de acuerdo para no estar de acuerdo.
—Ya sabía yo que coincidiríamos en algo —murmura Power.
—¡Cállate Sean! —dice Walker—. Deja a la señora que diga lo que quiera.
El silencio impregna la habitación. Power le da un lingo-

tazo a la botella de champán y se la pasa a Vannucci, que no bebe. La adivina se acerca a la ventana, mira afuera.

—Nos queremos, mamá —dice por fin Eleanor.

—No siempre basta.

—A nosotros nos basta.

—Sois jóvenes.

—¡Aquí Walker no es que acabe de salir del cascarón precisamente! —dice Power.

Maura echa otro vistazo a su alrededor y dice:

—Y tampoco sé lo que opinaría Connor de esto, pero para saberlo tendré que esperar a subir al cielo. No sé si se alegraría. No sé si me alegro yo tampoco. No sé si alguien se alegra.

—¡Yo me alegro! —grita Power.

Walker le lanza una mirada rápida a su amigo y cambia de actitud:

—No queremos que se disguste, señora.

—Tenéis que recordar —dice ella—, que lo vais a pasar mal hasta cuando lo paséis bien.

—Ya lo sabemos. Gracias, señora. Maura.

—Bueno. Ya dije lo que tenía que decir.

—Gracias.

—Ahora me gustaría beber algo, por favor.

—Perdón. ¡Qué maleducado soy! —dice Walker.

Maura moja los labios en una copa de champán.

—Supongo que tengo que desearos buena suerte a los dos.

Posa la copa y se vuelve para irse, pero en la puerta baja la cabeza y dice:

—A lo mejor estáis bien juntos. A lo mejor os va bien.

—¿Crees que lo dice de corazón? —pregunta Walker cuando se cierra la puerta.

—Claro que sí —dice Eleanor—. Nos regaló el piano, ¿no?

—Es una mujer estupenda. La más estupenda de todas.

—Bueno, hala —dice Power meneando el bastón—. ¡A bailar!

—¡Eres el tullido más bailón que he visto en mi vida! —dice la adivina apartándose de la ventana y meneando las caderas.

—No lo sabes tú bien.

Y entonces Power ruge:

—¡Qué empiece la juerga, chicos!

Brindan por una vida larga y feliz y, al ritmo de la trompeta imaginaria de Sean Power, los recién casados se marcan un baile loco, todo brazos y piernas, encima del piano, hasta altas horas de la noche. Walker le guiña el ojo a Eleanor y se pone a la pata coja y estira los brazos.

Por la ventana de la habitación entra a saludarles una sucesión de ladrillos que dejan cristales en el suelo y un boquete en el marco; arreglan el agujero pegando con cinta adhesiva un trozo de plástico que se agita al viento. Uno de los ladrillos viene envuelto en un papel que dice NO SE PERMITEN PINGÜINOS. En otro pone FUERA. Otro dice simplemente NO.

Walker paga los desperfectos de la ventana y alquila un piso más arriba, para que no puedan llegar a él desde la calle ni con piedras ni con rocas. Sabe que en cualquier otro sitio sería aún peor; en otras zonas de la ciudad acabarían muertos. Se siente como exiliado en el aire, pero sabe que Eleanor estará a salvo en el exilio.

El matrimonio le da todo lo que lleva aparejado: templanza y amargura, amor y desafecto, fecundidad y aridez, perspectiva y la sorpresa de su propia decisión irrevocable. Por eso se olvida de los tirachinas y sube todas sus cosas al nuevo piso, incluso el piano.

Esta habitación es más amplia; la luz del sol deja ver agujeros en el suelo de madera, papel amarillento despegado de las paredes, manchas de óxido en el fregadero de la cocina. Siguen compartiendo el baño con los demás inquilinos; llegan a él por un pasillo que cruje bajo sus pies.

Una mañana, Eleanor tira el cepillo de dientes que había olvidado en el lavabo. Ha visto legiones de cucarachas reptando por el baño.

El vecino de al lado toca la corneta y las notas graves suenan a cualquier hora de la noche. Toca con un ritmo sincopado y se despierta a las horas más raras. Y por la mañana, cuando pasan junto a su habitación, sisea bajo la puerta:

—Pingüinos —dice—, putos pingüinos.

Eleanor ha inventado una forma especial de andar por su casa —lo llama el «paso antártico»— y se ríe cuando lo hace: los pies planos y el culo empinado, los codos pegados a la cintura y las manos aleteando a los lados. Pero por la noche se arrebuja en la cama y llora pensando que pueden caer sobre la cama lonchas de cristal y abrirles la carne desnuda. Y por eso Walker le cuenta cosas que la ayudan a dormirse, cosas que imagina y recuerda y, al recordarlas, las imagina.

—No era más que una tonteria, ¿sabes?, pero quería hacerme una cartera de piel de caimán. Había visto a montontes de niños en la escuela con carteras de caimán. Así que se lo conté a mi madre. Ella tenía una escopeta y le pedí que me la prestara. Le dije que iba a matar un caimán yo solo para hacerme la cartera. Y ella dijo: «No debes dispararle a un caimán, mira que te lo he dicho veces, Nathan, no está bien hacer daño».

Y yo voy y le digo: «Mamá, pero si es lo mismo que una vaca». Y entonces me mira con la mirada de mamá y sonríe. «¡Lo mismo que una vaca!», dice.

Con aquel vozarrón. Tuvo el mismo vozarrón toda la vida.

Bueno, pues al día siguiente me lleva en la canoa, y remo yo. Justo cerca de un sitio que se llamaba la isla de la Vaca. Esperamos mucho rato junto al pantano, ella y yo, y no se ven más que ojos de caimán. Y hay un caimán echado en el barro, muy quietecito. Entonces llega una garza volando a ras del agua y se posa cerca. El caimán sacude la cola y del golpe deja a la garza en el sitio. Y va y se la come. Y entonces mi madre se vuelve y me dice: «A ver, hijo, ¿alguna vez has visto a una vaca hacer eso?».

Los domingos por la mañana asisten juntos a un servicio de la iglesia baptista del sur, en un sótano cerca de la plaza de San Nicolás. Si la calle está tranquila van de la mano. Pero si oyen venir un coche por detrás, o una ventana que se abre, o voces a la vuelta de la esquina, se sueltan y se separan como dos ríos. A Eleanor le gusta llegar un poco tarde para que al abrir la puerta la salude el gospel con su gran fuerza ascendente. Allí se siente a gusto. La voz del predicador sube y baja, es un paisaje agreste de vocales y consonantes. A veces levanta las manos al cielo y al acabar el servicio besa a todas las mujeres en la mejilla, incluso a Eleanor.

Una mañana, al final de la primavera, Eleanor recibe el bautismo en una bañera de agua fría junto a las escaleras del sótano. El coro, con túnicas blancas ribeteadas de oro, canta de pie a su alrededor. El predicador se remanga. Los aleluyas ascienden mientras remoja a Eleanor en el agua. Avergonzada al notar que el vestido blanco se le pega a la piel —con la humedad se le ve el corsé— cruza los brazos para cubrirse el pecho, pero el predicador le dice al oído: «Pareces un ángel, extiende las alas». Ella se incorpora en la bañera y se ríe. El cántico del coro vuelve a resonar, y más tarde los feligreses mastican ensaladilla y sándwiches bien cortados.

Regresa a casa con Walker en medio del calor, y cuando mete la llave en la cerradura el vestido ya está casi seco.

En la iglesia católica a la que iba antes la gente murmuraba misteriosamente en los bancos, aunque Walker nunca la acompañaba. El cura, con rostro enrojecido, la señaló con el dedo, lleno de resentimiento, de acritud, con los ojos entornados. Le prohibió asistir a misa cuando Eleanor le dijo que seguro que Jesús tenía la piel mucho más oscura que en los crucifijos.

Eleanor se sienta en la escalera de incendios para que nadie la vea. Se baja un tirante del vestido de verano y pone la cara al sol con la vana esperanza de conseguir algo que se parezca un poco al color de su marido. Hace un rato, en una tienda de la calle 125, el dueño no la dejó probarse un sombrero. Frunció el labio con disgusto. Le dijo que había oído hablar de ella, que todos los que vivían con negros se convertían en negros. Le dijo que no quería pelos de negros en sus sombreros. Era malo para el negocio. Las palabras se le volvían espuma en la comisura de los labios y entornaba los ojos. «Puede comprarlo —dijo—, pero no se lo puede probar.»

Eleanor dejó el sombrero en el mostrador sin decir nada y se fue a casa a sentarse en la escalera de incendios.

Ahora, con la cara al sol abrasante, se baja el otro tirante del vestido. Debajo de la escalera, unos niños sentados en cajas limpian zapatos bajo un sol de justicia.

Walker no puede evitar reírse al verla con la piel quemada.

—Eso no es nada bueno para lo que llevas en la barriga —le dice.

Le pone crema en la espalda enrojecida y en el cuello.

—Seguro que es niño, dice él.

—¿Por qué lo dices, cielo?

—Me lo dijo la adivina.

Eleanor se ríe.

—Según el tabaco escupido será niño.

—¡Y un buen lapo que eché!

—¿De veras crees que será niño?

—Me importa un bledo —dice Walker—. Por mí como si es un canguro.

—Saltaría por todo Harlem.

—Saltaría y brincaría y bailaría.

—¿Alguna vez tienes la sensación... —pregunta ella mientras él le frota los hombros—, la sensación de que al bajar la calle te destrozan con la mirada? ¿Sabes cómo te digo? Pasas y es como si te partieran en rodajas, como si tuvieran cuchillas en los ojos.

—Bienvenida al mundo real, cielo.

—Se supone que todos fuimos creados a imagen y semejanza de Dios.

—Puede ser, cielo, pero hasta Dios echa una cagada de vez en cuando. Hasta Dios se limpia el culo como todo el mundo.

—¡Nathan! Eso es un sacrilegio.

—Sacrilegio o no, es la verdad.

—¿Sabes qué? —dice ella al cabo de un momento—. El de la tienda no me dejó probarme un sombrero.

—¡Santo cielo! Eso no es más que la punta del iceberg. Luego es peor. Luego te acostumbras. Al final te parece normal. Al final te parece que Dios se pasa cada minuto del día cagando. Como si hubiera pillado una buena diarrea. Como si estuviera echando lluvia por el culo.

—¡Nathan!

—Bueno, es la verdad. ¿Has oído alguna vez esa canción de Bill Broonzy?

Y canta:

—Señor, estoy tan abajo, nena, te juro que estoy debajo de abajo. —Se para—. Así estamos nosotros, nena, debajo de abajo.

Ella arranca un hilo del dobladillo del vestido, se lo enrosca en el dedo y lo parte.

—Quiero que mi hijo pueda comprar sombreros —dice.

—Podrá comprar todos los sombreros que quiera. Hasta puede coger el mío.

—Ven aquí—dice.

—¿Qué?

—Bésame.

Walker se inclina para besarla y, con el dedo, ella le mancha la nariz de crema.

—Un hijo mío no lleva eso —susurra—. Ni mi hija tampoco. Es horrendo.

—Creo que hasta el mismo Dios tenía un sombrero de éstos.

—Pero qué dices.

Dos meses después Clarence Walker nace en casa, recibido por un rosario. Eleanor permite que se siga el rito católico para no disgustar a su madre.

Maura O'Leary hace de comadrona. Últimamente lleva el pelo gris amontonado en la cabeza. Tiene cincuenta y un años y sólo le quedan tres meses de vida; ya parece que los pulmones han emigrado de su pecho, sepultados por las flemas. Lleva siempre varios pañuelos grandes y, avergonzada, escupe en ellos, y cierra el trapo como si sellara una carta vital. Casi ciega, sus gafas tienen acrobacias de plástico retorcido en la montura y lentes gruesas. Pero a Maura la enfermedad le ha dado fuerzas y una tolerancia tranquila; morirá tosiendo en un hospital, gritando a las enfermeras que dejen a su yerno acercarse a la cama. Las enfermeras dirán que no, que un negro no puede estar junto al lecho de muerte de una mujer blanca. Despotricará y bramará entre las sábanas inmaculadas, y morirá maldiciendo a las enfermeras para sus adentros.

Pero ahora mismo le enjuga la frente a su hija y dice:

—Es un niño guapísimo, hija, guapísimo.

A Clarence le sale su ascendencia en cuchilladas de colores: tiene la piel clara, color canela, y mechones de pelo rojo chillón en la cabeza.

Las mujeres se turnan para cogerlo en brazos hasta que Nathan Walker entra en la habitación. Walker le guiña el ojo a su mujer y le pone al niño el sombrero rojo.

—¡No hagas eso! —dice Eleanor incorporándose en la cama.

—¿Qué?

—¡Quítale eso de la cabeza!

Riendo, le quita el sombrero, envuelve al bebé en un jersey, y lo baja orgulloso a la calle; pasa junto a vendedores de manos de cerdo con arroz, junto a mujeres que comen boniatos a la puerta de casa, junto a chicos que juegan al béisbol en un solar gris, junto a hombres con gorra que se apoyan aburridos en los postes de la luz. Al volver una esquina saluda con la mano a varios hombres bien vestidos que están alistándose para la guerra de Etiopía. Cerca, cuatro hombres levantan la vista del dominó y Walker les sonríe. Ellos le devuelven la sonrisa. En la escalera de entrada de un edificio le hace una seña con la cabeza a una muchacha que recuerda con nostalgia los campos de Alabama.

—Sigue cantando —le dice.

Más allá un Cadillac amarillo adelanta a un Packard que va en primera. Un hombre se asoma por la ventanilla del Packard y se le queda mirando. Walker es consciente de que todos murmuran pero camina balanceando su cuerpo, grande y amenazador a la luz del sol, hasta llegar a la tienda de la esquina, donde curiosea en los pasillos un buen rato, y compra dos ramos de capuchinas para las señoras de casa. Saca del mono un billete de cinco dólares arrugado. El dueño de la tienda, Ration Rollins, se estira el manguito y ni siquiera mira a Walker a los ojos. Deja el cambio en el mostrador y se da la vuelta, soplándose el pelo gris con el labio inferior. De espaldas, Rollins empieza a colocar unos cigarrillos que no están descolocados.

—Y un bloque de hielo —dice Walker—. Tira el cambio al mostrador y añade—: Para que te enfríes la cabeza.

Con las flores bajo un brazo y el niño en el otro, sale de la tienda riendo a carcajadas. Le dice al bebé en voz baja:

—¡Clarence Walker, eres más guapo que la hostia!

Pero tras algunas ventanas conspiradoras le acusan de llevar algo que no le corresponde: el negrito más pelirrojo que han visto en su vida.

En el 36 y el 37 nacen dos bebés más, dos niñas: Deirdre y Maxine. Eleanor lleva a las niñas en un cochecito y el niño camina junto a ella, de la mano. Van al parque: cisnes sucios en un pequeño lago marrón; una vendedora de castañas; un hombre con pajarita que proclama el amor y la sapiencia de Marcus Garvey; una fila de niñas con uniforme, que se asoman al cochecito asombradas; otras madres sonríen a Eleanor y se acercan a tocar la extraña textura del pelo de los niños. Pero a veces Eleanor se siente incómoda. Sobre todo son los blancos —los policías y los tenderos— los que se quedan mirando. A veces busca una sombra y se pasa horas sentada bajo un árbol del parque. O decide pasear con los críos al final de la tarde, con un pañuelo en la cabeza.

Cuando más a gusto se encuentra es en estos momentos de soledad.

Cuando la noche cae sobre Harlem, corre las cortinas y se mete a la cama con Walker mientras los niños duermen. Le pasa los dedos por los hombros cansados.

Dos veces al mes la adivina cuida de los niños y Eleanor queda con Walker en el teatro Loews de la Séptima Avenida, un cine para gente de color. Su marido llega temprano —después de fichar en el túnel— y Eleanor baja los escalones de puntillas y se dirige a la fila donde se sienta Walker. Al pasar le pone el dedo en los labios a un viejo negro, que la mira atónito. El viejo le toca la mano y sonríe: «Adelante, señora».

Ella le devuelve la sonrisa y avanza a empujones hacia su marido.

La oscuridad los encubre y su propio matrimonio parece una aventura ilícita.

Permanecen rígidos en el asiento hasta que las luces se apagan y suena la música. Entonces se tapan con las chaquetas y se sumergen en el suave terciopelo rojo. Walker le acaricia a su mujer el dedo de la alianza, le toma la mano, le pasa la lengua por los nudillos. Los títulos pasan como un relámpago por la pantalla; es el año 1939 y Don Ameche sale en la película *Swanee River*. Walker le dice en voz baja que un día llevará a su hijo de cuatro años a la tierra de su juventud. Quiere que el niño sepa lo que es guiar un bote por el agua del pantano, pasar bajo árboles llenos de musgo colgante, doblar un recodo y encontrarse un caimán dormido, toparse, asombrado, con una bandada de grullas danzarinas. Cuando Walker habla de Georgia, parece como si se hubiera bebido sus ríos y su barro a grandes tragos. Eleanor deja que los sueños manen de él. Sabe perfectamente que si llevaran al niño al sur, padre e hijo podrían acabar como el musgo español, colgados de la rama de un árbol. Hace poco en Tennessee lincharon a un hombre clavándole las muñecas y los pies a un árbol, igual que a Jesús, pero al menos Jesús tuvo la dignidad de un eclipse de sol y probablemente en Jerusalén no había águilas ratoneras para comerse el cadáver.

—Deberíais ir —dice ella sin sentirlo; sólo lo dice para darle una breve satisfacción.

—Georgia —dice él—, como si ella se llamara así.

Eleanor se quita el pañuelo de la cabeza y su pelo cae y deja que el aliento de Walker acaricie su oreja, la lengua en el lóbulo, y cierra los ojos ante las imágenes de la pantalla: Cómo te amo, cómo te quiero, mi queridísimo Swanee.

Se hunden en los asientos y, en lugar del cuerpo, mandan la mente a pasear.

—Teníamos una canoa, ¿sabes? Y en el pantano había un montón de cipreses altísimos que no hay en Nueva York. Nos quitaban casi toda la luz. Y yo salía a buscar musgo español. Remando. Se estaba bien allí. Tranquilo. Oscuro. Miles de nenúfares y tocones de árboles y de todo. A veces iba yo remando y giraba el remo y era como si una mano saliera del agua y me hiciera dar la vuelta. La parte de delante se movía y la de atrás no. Y a veces me parecía que estaba girando en el centro del mundo. Remando de lado y luchando contra la corriente.

Bueno, pues no tendría más de diez años. Estaba de pie en

medio del bote aquel, con los pies bien separados, y echaba mano al musgo de los árboles. Llenaba la parte de atrás de la canoa. Entonces el bote se iba más allá del árbol y yo me arrodillaba en las tablas, y hacía girar la canoa en círculo. Tenía buenos brazos para ser un crío. Podría haberme quedado de pie bajo el mismo ciprés todo el día y coger todo el musgo que me diera la gana, pero me gustaba aquel juego. Vuelta. Recolección. Vuelta. Recolección. Llegaba a casa de noche y arrastraba los sacos de musgo carretera arriba. La abuela ponía las plantas a secar al sol durante semanas, las colgaba del techo del porche. Luego cogía unas faldas viejas y hacía almohadas con ellas, las rellenaba con musgo.

Por la noche, despierto en la cama, me envolvía la nariz en la almohada y olía el pantano y, Dios, se movía conmigo en mis sueños.

Ese verano encontré el cráneo de un caimán embarrancado entre dos troncos caídos. Seguramente había muerto y la corriente lo había arrastrado río abajo. En aquella parte del pantano había un montón de árboles partidos por el rayo y vides silvestres y buitres que se sentaban en las ramas, aleteaban y se quitaban los piojos y los insectos, como suelen hacer. No, no tengáis miedo, porque no daba miedo. El bote se mecía en el agua. Se escondía el sol. Hice un círculo y volví atrás, me incliné por la borda, recogí el cráneo, hurgué en él unas cuantas veces para ver si había víboras de agua durmiendo dentro. Luego cogí el cráneo y lo eché en la parte de atrás del bote, y allí aterrizó y parecía que se reía. Entonces remé como un demonio. Habían salido los mosquitos y picaban. Encendí una rama con un montón de resina en la punta y atravesé el pantano con ella en la mano. Dios, qué bonito estaba. Pero cuando llegué a casa, ¡vuestra abuela estaba como loca! Me esperaba en el porche con una vara. Intenté pasar de largo, pero fue y me agarró por el faldón de la camisa, me dijo que me agachara y me dio una buena tunda. En la cena me dijo que borrara la sonrisa de mi cara, que cuando a un chico le dan una tunda tiene que parecer que le han dado una tunda. Pero, ¿sabéis qué?, mientras iba en el bote me había metido musgo en la culera de los pantalones. ¡Así que no me dolió nada de nada!

Aquella noche entró en mi habitación. Tenía el cráneo del caimán en la cama. Se le quedó mirando. Sonrió con aquella gran sonrisa suya. Y luego metió la mano bajo el mandil y sacó un poco de musgo.

—Te dejaste esto en la letrina —me dijo.

Y allí me quedé, con aquel montón de musgo, rascándome la cabeza. Así era vuestra abuela; una gran mujer.

Ahora vuestro abuelo, casi no lo conocí —se fue al cielo cuando yo era pequeño— pero cuentan que se podía meter bajo el agua e hipnotizar a un caimán. El caimán estaba echado al sol. Y él buceaba por el agua y le acariciaba la panza al caimán, y al caimán le entraba mucho sueño, como a los niñitos dormilones. Y a veces le ponía el sombrero en la cabeza al caimán dormilón, y enseguida se quedaban dormidos todos a la vez, todos, chss, chss, chss, a dormir como los niñitos dormilones.

Walker graba las iniciales de sus hijos en la pala y la lleva consigo a Riverside Park. Ya no cava, sólo da los toques finales al enlechado del túnel del ferrocarril —un túnel alto y ancho para trenes de mercancías— pero guarda la pala como recuerdo de que existen los milagros.

Eleanor consigue un trabajo por las tardes en una fábrica de armas. A veces trae a casa un par de balas para que Walker pueda hacer su truco favorito. Les cuenta a los niños la historia del truco exagerándolo. Pero cuando Walker hace la demostración, como está demasiado delgado, las balas se le salen del ombligo y a los críos les encanta.

Walker tiene tres años más que el siglo —es demasiado viejo para combatir— y recoge neumáticos y trozos de acero para colaborar. Recorre el barrio gritando: «¡Chatarra para la victoria! ¡Chatarra para la victoria!» Cuelga en la ventana una bandera casera del regimiento 369 y le cuenta a su hijo anécdotas sobre los primeros pilotos negros que lograron sobrevolar las cabezas de playa de Anzio. Sus manos, aunque atacadas por el reúma, describen grandes movimientos en el aire cuando habla de los aviadores y de sus fabulosos aviones. Cuando regresa el 369 hay fiesta en Harlem, y las banderitas ondean bravuconas en las calles. Suenan trompetas. Las serpentinas blanquean las aceras y se oyen fuertes gritos. Walker se asoma a la ventana y ve a su hijo que baila por entre los neumáticos usados, moviendo rápido los pies, puro movimiento. Pasa gran parte de la tarde junto a la ventana, contemplando a su hijo, lleno de amor, lleno de orgullo, lleno de envidia paternal hacia su juventud.

Siete

TODOS HEMOS PASADO POR ESTO

Había pensado invitar a Angela a subir a casa pero luego recuerda que hace un par de años, en su segundo verano bajo tierra, lo intentó y a la chica le dio un ataque de vértigo. Se sentó a caballo de la estrecha pasarela y se echó a llorar. Se le corrió todo el maquillaje. Treefrog tuvo que abrazarla y hacerla bajar por la pasarela como a una mula testaruda. Llevaba unos vaqueros negros ajustados y una camiseta rosa sin mangas, con una abertura en la tripa, por donde asomaba el ombligo con un pendiente de plata. A mitad de la viga volvió a pararse, miró las vías de abajo y empezó a chillar.

La chica le recordó a un animal salvaje preso en una trampa; se preguntó si se mordería la pata y escaparía cojeando.

Tras pasar una hora convenciéndola logró que se levantara. Se apoyó en él, temblorosa. Se había mordido el labio superior y llevaba en los dientes un hilillo de sangre. Después de aquello no quiso ni tocarla, aunque había pagado veinticinco dólares por adelantado y llevaba meses esperando; había ahorrado todo el dinero que le sobraba para gastárselo en una chica. No había estado con ninguna mujer desde Dancesca, allá por los buenos tiempos, los mejores tiempos. Cuando la chica se marchó —cuando salió del túnel y se alejó, volviendo a la calle— reptó y acercó la nariz a la viga y olisqueó la pasarela y aspiró a la chica y olía bien.

El calorcito de la biblioteca de la calle 42 y las vastas escalinatas y las arañas con muchas bombillas y la extrañeza de la luz eléctrica y el placer de cagar en porcelana en el baño del segundo piso, aunque el papel higiénico sea barato y un poco áspero al tacto. En el lavabo, Treefrog deja que el agua caliente le limpie la cara y las manos. Se siente bien caminando por los pasillos, junto a los armarios de libros con puertas de cristal, y entra en las salas de estudio, cerrando a veces los ojos para practicar, y nunca tropieza con nadie. Libros por todas partes, libros estupendos, hasta revistas de ingeniería que a veces roba, pero hoy hace demasiado frío para pensar en adquisiciones.

Esta vez Treefrog sube al tercer piso y pide un libro sobre la construcción de túneles; se sabe de memoria el autor y la signatura. Se sienta en el largo banco a esperar que se encienda su número en la pantalla de arriba.

—Gracias, amigo —le dice al joven que le entrega el libro.

En el tercer piso siempre hace más calor. Toma asiento en el centro de la gigantesca sala de lectura, abre el libro pero no lee, sólo se recuesta en la silla, se calienta las manos bajo la lámpara y contempla el fabuloso universo del artesonado, las nubes descoloridas, los querubines, las flores, las enredaderas, los rosetones, las hojas de acanto. Se quita el gorro azul de lana, se suelta el pelo, cuenta los paneles del techo, observa su simetría perfecta. Debieron de construirlo grandes hombres, tallando sus entresijos, torneando las cornisas con diminutos escalpelos, cincelando las formas de madera con una paciencia lenta y brutal, animando su obra con la destreza matemática de sus manos. Le gustaría hacer un mapa del techo, recrearlo en papel milimetrado.

Enfrente está sentada una chica asiática que, demasiado educada para marcharse, levanta la vista cuando Treefrog se quita el abrigo. Él sabe que huele mal y le gustaría decirle a la chica: yo también tengo mi orgullo, hermana Asia.

Remueve el charco de nieve derretida que se ha formado a sus pies, mirándola furtivamente por detrás del pelo.

En la biblioteca Treefrog ha visto a más de un hombre sacar el pene y menearlo bajo la mesa, y eran hombres con hogar; con manos torpes se abrían la bragueta y dejaban caer el miembro suavemente. Bajan la cabeza como para hablar por un micrófono y luego miran a otro lado, observan fijamente el libro y empiezan a acariciarse, con tal pericia que el resto del cuerpo apenas se mueve. Una vez vio a un ejecutivo que se lamía el semen de la mano; cuando se dio cuenta de que Treefrog lo miraba, le sonrió. Treefrog llevaba unas tijeras en el bolsillo. Metió los dedos con cuidado, las sacó y el ejecutivo salió disparado de la biblioteca.

Baja los brazos y aprieta los sobacos para que no se escape el aroma de su cuerpo, mete las manos entre las rodillas. La hermana Asia es preciosa: lleva una blusa azul abotonada hasta arriba y gafas doradas y tiene los ojos castaños y una boca regordeta y roja con brillo de vaselina en los labios secos. Treefrog levanta la cabeza y sonríe, pero ella clava la vista en el libro y se ajusta las gafas en la nariz. Seguro que le llegó el tufo cuando Treefrog se inclinó.

Tal vez debiera pasar por el hotel de beneficencia de Riverside, subir las escaleras como si tal cosa y entrar al baño. Frotar hasta quedarse en nada, a lo mejor incluso afeitarse la larga barba y luego acuchillar su imagen en el espejo: hombre negro hombre blanco hombre rojo hombre marrón americano.

Los cordones se aflojan, los pies se deshinchan en los zapatos, los guantes se relajan alrededor de los dedos, el gorro ya no le aprieta tanto la cabeza.

Baja las escaleras y sale por la puerta giratoria, tras abrirse el abrigo para que el guardia de seguridad vea que no lleva libros. En el bolsillo nota el peso de una llave inglesa.

Ya es de noche y Treefrog se acurruca bajo el pórtico para contar su dinero: dieciocho dólares y cuarenta y siete centavos; tira a la nieve uno de los centavos para que quede un número par, cuarenta y seis. Baja las escaleras y con las manos enguantadas caza unos cuantos copos. Un día de éstos dejará de nevar y podrá vender libros en Broadway, sacarse unos dólares, a lo mejor le llega para comprarle a Faraday un poco más de maría y aguantar una temporada.

Pasa junto a las estatuas de los leones tocados de blanco, sube por la Quinta Avenida hasta la calle 42 y entra en Bryant Park.

Debajo de un banco verde hay un pobre colgado que ni siquiera tirita; quizás esté muerto. La luna se cierne sobre él como el rostro de un borracho abotargado. Treefrog se agacha junto a él.

—Hey —le grita al oído. Ni un movimiento—. Hey. —Levanta el borde de la manta y empieza a desatarle los zapatos. De piel y sin agujeros. Lástima que sean un 43. El zapato sale fácilmente y el hombre sólo se gira un poco. Los colgados de aquí arriba son tan idiotas que guardan el dinero bajo la plantilla de los zapatos. Treefrog la levanta; está sudada. Me cago en la puta, sólo cinco dólares. Se acerca el dinero a la nariz y lo huele. Es suficiente para otra botellita. Robin Treefrog Hood. Roba a los pobres para dárselo a los pobres para que se lo den al hígado.

Deja el zapato medio colgando del pie del mendigo. Desde el extremo del parque le lanza tres piedrecillas, le acierta con la tercera, lo despierta. El hombre se levanta de un salto y mira a su alrededor, pero Treefrog desaparece tras los arbustos y salta la valla. Perdona, tío. No lo volveré a hacer. Lo prometo. De todas formas seguro que tenía veinte dólares en el otro zapato.

Sale de Bryant Park. Camina hacia el metro de Times Square. Baja los peldaños de la estación, resbaladizos por el pis helado. Salta por encima del torniquete. ¿Cómo vas a pagar para entrar en el pasillo de tu propia casa?

Se levanta el borde del gorro de lana y lo dobla dos centímetros por encima de las orejas; camina arrastrando los pies hasta situarse en el andén con los pasajeros; van inflados de paquetes. Treefrog ve a una vieja que husmea el aire y agarra bien el bolso. Tiene el pelo gris, la piel oscura, los ojos castaños, color mierda. La cara parece un sonajero de huesos. El abrigo está gastado por los codos. Los dedos que atenazan el bolso son largos, esbeltos y trabajados. Vuelve a husmear el aire, los labios tiemblan ligeramente y la mano aprieta el bolso. Le ha ocurrido tantas veces que ya no le importa. Pero hay algo en ella: el abrigo, los ojos, los dedos. Y de repente siente ganas de acercarse. Ganas de decirle: Por favor. Ganas de decirle algo muy normal. Treefrog se mete la mano en el bolsillo y con los dedos estruja el billete robado. La vieja le echa otra mirada rápida y se tapa la nariz con la manga del abrigo; se pasa el bolso al otro costado. Treefrog respira con dificultad. Empieza a mecerse, aunque imperceptiblemente. Se le doblan las rodillas, se doblan, se desdoblan. La vieja lo mira de nuevo. Da un paso. Treefrog tiene ganas de decir: No. La vieja da otro paso. Treefrog deja de mecerse, la observa. Ella se aleja fingiendo indiferencia, pero el movimiento resulta flagrante. Treefrog dice en alto:

—Por favor.

Ella hace como que no oye. Treefrog vuelve a decir:

—Por favor.

La vieja desaparece de su vista, tragada por las columnas. Treefrog cierra los ojos. Cuando el tren se va, se queda solo en el andén. Abre los ojos, cierra el puño sobre el billete de cinco dólares y sube las escaleras en el desierto abandono de la hora punta. Del calor al frío, piensa, del frío al calor.

Calle Birmania. De las tuberías subterráneas surgen cortinas de vapor. Treefrog avanza por la metrópolis de nubes. Le persigue la cara de la vieja. Las tuberías son gruesas y grises, y abrasan. En la pared, las lámparas de sodio emiten una luminosidad azul, que da al vapor el color de una magulladura reciente. Mueve las manos por el aire y nota que también está ardiendo. Sólo ha estado aquí otra vez, en esta maleza de acero, cuatro pisos por debajo de Grand Central, el corazón del corazón de la ciudad. Los techos son bajos, los pasillos estrechos, el suelo está erosionado por las gotas de vapor. Lo llaman Birmania por el calor: el nombre está garabateado en el rictus de los túneles de vapor. Sabe perfectamente que aquí abajo viven hombres y mujeres y que ha de tener cuidado. Para ellos es un novato de pacotilla, uno que aún vive con algo de luz. Los ha visto, a los auténticos condenados. Viven encogidos bajo plataformas sembradas de ropa, o en lo alto, en vigas de acero, o en cuchitriles ocultos, o enterrados en tubos rotos. Heridos que habitan un lazareto de desesperanza. En total son siete pisos de túneles, y dicen que hay asesinatos y puñaladas ahí abajo. Pero ahora Treefrog se siente a gusto con su vergüenza y camina a pasos cortos y desiguales.

Se abre los abrigos al andar. Se toca la barba y nota las gotitas de agua que se han posado en ella.

El pasillo de la calle Birmania se ensancha donde se juntan las tuberías; tubos delgados en el aire y otros más grandes y gruesos abajo, en el suelo; todos ellos siseando y gimiendo como pacientes de un hospital aberrante.

Un vacío ancho y enorme invade el estómago de Treefrog, que siente que los ojos de aquella vieja aún lo persiguen y lo atraviesan y lo trocean. Oye el ruido y el eco de sus propios pasos. Intenta espantar sonidos en el aire. Golpea un tubo con los nudillos y escucha la vibración, el avance del ruido por el agua, por el vapor, por el aire, tal vez hasta la ciudad. Llega al final del pasillo y baja por una escalera metálica dejando atrás un cartel que dice: PELIGRO: SÓLO PERSONAL AUTORIZADO. La escalera está húmeda y resbaladiza, pero Treefrog baja con facilidad, se salta los tres últimos escalones. Llega a una sala más grande, tres metros y medio más abajo, donde decenas de tuberías se unen y fluyen. El vapor sale en oleadas y forma grandes nubes que permanecen y luego se dispersan y gotean sobre el suelo.

La primera vez que vino aquí fue con Elias, que por aquella época robaba cobre de los cables del túnel. Elias estaba de pie bajo los tubos, con los pies envueltos en vapor, y luego se fue y lo dejó solo. Como si se hubiera desvanecido en la humedad. Treefrog tardó medio día en encontrar la salida del laberinto, y la cúpula de Grand Central lo recibió como un amanecer.

Ahora Treefrog está de pie contemplando la sala. De las tuberías sucias cae una lluvia fantástica, repentinamente elegante. Las máquinas se quejan. La luz eléctrica se filtra hasta allí y se detiene, pintando el vapor por fuera.

Se quita la ropa, primero las botas, después los abrigos, los vaqueros, las camisas, la ropa interior, y entra desnudo en las nubes de sodio azul. Sobre su piel llueven gotas de agua caliente. Ojalá tuviera jabón y champú. Cuando se lleva las manos al pelo se da cuenta de que se ha dejado puesto el gorro azul. Lo tira lejos del vapor. Por primera vez en años está completamente desnudo. El agua le azota la piel y Treefrog echa la cabeza hacia atrás y deja que las gotas escurran en torno a sus párpados cerrados, le encanta la fiereza con que las gotas le meten el calor dentro a golpes. «Joder! —grita—. Joder!» Se frota como un salvaje, se limpia los dedos de los pies, el talón, las espinillas, sus manos suben por las pantorrillas y los muslos. Ya tiene el pene y los testículos irritados por el agua caliente pero continúa, huroneando en el ombligo, el culo, los sobacos, restregándose el agua hirviendo por el pecho; el calor lo aporrea, éxtasis, hipnosis, mueve las manos a través del vapor y entonces la ve. Al principio parece un maniquí de escaparate, pero luego avanza un poco y se asoma, sin soltar el bolso. Se permite una risita vergonzosa mientras se limpia el vapor de la cara arrugada. Lo mira y entra, totalmente vestida, en la tórrida neblina. Husmea el aire y ahora asiente en señal de aprobación. Treefrog se tapa con las manos y deja caer la cabeza sobre el pecho, mientras la figura carnavalesca se mueve a su alrededor. De pronto estalla una risa y Treefrog se une a ella. Frunce el ceño y abre tanto la boca que el vapor le quema la garganta, pero sigue riendo. Extiende el brazo para darle la mano a la visión y ésta avanza, y entonces Treefrog nota que, justo donde terminan las nubes, hay algo real, algo humano que lo observa, completamente inmóvil salvo el luminoso blanco de los ojos.

Treefrog sale del vapor. Escucha un crujido, ruido de zapatos. Persigue a la figura, ahora a toda prisa. Oye una respiración pesada. Treefrog llega a la escalera, trepa por ella. La curiosa silueta corre por Birmania, desaparece, riendo a carcajadas. Treefrog se queda en la escalera. «¡Me cago en la puta!», grita. Sabe que su ropa y sus botas habrán desaparecido, así que ni siquiera lo comprueba, sólo observa cómo se difumina la silueta. Pero, cuando la figura se ha ido, Treefrog baja a la sala y allí sigue su ropa, hasta el dinero en el bolsillo de los vaqueros. Vuelve a mirar hacia la escalera y se frota los ojos con los nudillos y penetra en el vapor una vez más. La mujer del metro se ha desvanecido y ahora lo que tiene que hacer es lavarse.

Cuando Lenora era pequeña la bañaba en el fregadero de la cocina. Doblaba una toalla y se la colocaba bajo la cabeza. Ella pataleaba un poco y lo salpicaba de agua templada. Humedecía un paño, lo suavizaba con jabón y la frotaba entera. Ella lloraba y entonces él cogía una jarra de agua y se la echaba desde lo alto. A veces Dancesca lo ayudaba. Cuando acababan envolvían a la niña en una toalla que antes calentaban en el radiador. Después cogían a Lenora en brazos y la acunaban suavemente con el fulgor de la televisión al fondo.

El gorro mojado se le hiela en la cabeza cuando sale a la calle 42 en plena noche. Decide subir todo Manhattan a pie, buscando en la basura latas y botellas mientras camina. Ha dejado de nevar pero las calles brillan de blancas. Lleva puestas las gafas de sol. En invierno bebe refrescos poca gente, pero aun así consigue cascos por valor de dos dólares y cuarenta centavos. Junta todo su dinero y se compra un par de latas de raviolis y la botella de ginebra más grande que puede.

Pasa por el parque infantil vacío, alrededor del cual se alinean los fantasmas de las madres y los niños. Se levanta las gafas. Lenora, hija, ¿cómo estás y cómo es estar vivo y crees que me gustaría?

Se sube a una barandilla y baja por el terraplén de nieve amontonada.

Hay hielo en la verja del túnel. Treefrog se pone a cuatro patas, mete la cabeza por el hueco, y retuerce el cuerpo, pasa las piernas, se sienta en la plataforma de metal conteniendo la respiración. Siempre pasa miedo en ese momento. Alguien podría esperarle al otro lado de la verja. Un hombre con un solo zapato que ha echado en falta cinco dólares. O un crío que le espera para lanzarle una botella de gasolina con un trapo encendido dentro. O un policía con un arma. Todo está sumido en la negrura más absoluta, ni siquiera ve la mano que tiene delante de la cara. Y entonces, poco a poco, el túnel y los rayos de luz se funden y las sombras se aclaran. Escucha atento a posibles movimientos y el miedo vuelve a asentarse en el vientre, a reposar en el hígado.

No ve a nadie. Se atusa el pelo bajo el gorro y coge la bolsa con sus compras: la botella tintinea contra las latas de raviolis. Se quita los guantes y los coloca entre la botella y las latas para amortiguar el ruido, para no tener que repartir si alguien lo oye.

Treefrog baja en silencio las escaleras metálicas. Sin novedad en el frente. Se detiene ante el cubículo de Angela y Elias y pega el oído a la puerta, escucha cómo se colocan con una pipa de crack, la lenta calada y la exhalación estática y luego unas risitas mientras se revuelcan juntos bajo las mantas roñosas.

Imagina la mano de Elias desabrochándole la camisa a Angela, avanzando despacio por su piel morena, el paulatino ascenso del pezón entre los dedos de Elias, luego su mano deslizándose bajo el pecho, bajando por el estómago, un dedo que serpentea alrededor del ombligo, rastreando la cadera huesuda, masajeándola, acariciándola, perteneciéndole, su lento paso por la pelvis, húmeda incluso en el frío helador, las uñas que se deslizan por las cálidas capas del cuerpo de ella. Angela tumbada sobre las mantas, gozosa, gimiendo, con los párpados apretados; Elias suspendido en su aroma, inclinándose para respirarle al oído, las uñas de Angela que le arañan la espalda, trazando riachuelos en su piel, y el movimiento de las dos respiraciones, deprisa deprisa deprisa deprisa, una salvaje embestida de cada uno, hasta que todo se reduce a largos segmentos de respiración, lento lento lento lento, y los dos podrían quedarse con ganas de más.

Treefrog permanece junto a la puerta hasta que los oye chupar de nuevo la pipa y, doblándose de vez en cuando para calmar la erección, se aleja sigiloso con la bolsa, dejando atrás la fila de cubículos y la gigantesca zona comunal y las chabolas.

Sólo Dean está fuera, con la hoguera encendida, el pelo amarillo erizado en pinchos y la cazadora bien cerrada. Mira al vacío, ni siquiera observa el fuego como haría cualquier persona normal. Una vez Dean se peleó con su amante y le arrancó la lengua de un mordisco. Desde entonces anda por ahí con la vida del otro en la boca. Grita que en Connecticut no cortan el césped, que hay demasiada hierba junto a los macizos de flores, que hay que recortarla. O que los platos de porcelana tienen manchas de espaguetis. O que hay que pagar las facturas de las tarjetas de crédito.

Al pasar, Treefrog le hace un gesto rápido con la mano, pero Dean tiene la mirada perdida. Un chico sale a trompicones del cobertizo, al lado del basurero. Se sientan los dos juntos. Dean le pasa un dedo por el interior del muslo y de repente se ponen en pie, entrelazados frente al fuego —el chico es tan bajo que sólo le llega con la cabeza al pecho— y se enredan en un abrazo a la luz de la hoguera. Treefrog ve que el muchacho le mordisquea el cuello a Dean y que la mano de Dean se desliza por la espalda del chico.

Treefrog siente un escalofrío.

Otros cien metros y estará en casa. Antes de trepar hace como si metiera la llave en la puerta y grita hacia arriba, hacia el nido, «¡Cariño, ya estoy en casa!».

Treefrog mete las compras bajo el abrigo, se ata las asas de la bolsa a la trabilla del cinturón y sube por la pasarela, con cuidado de no romper la botella. Enciende unas velas y pone la bolsa en la cama con *Castor*, que está enroscado en la almohada. Coge un abrelatas de la estantería que hay junto al gulag y suspira. «Bailaré en tu boda. Bailaré en tu boda.»

Por la mañana practica un tiro contra la pared, y la pelota rosa se eleva en el aire, rebota en la estalactita, y aterriza perfecta para darle con la mano derecha, luego la izquierda. Se siente bien, con energía, casi limpio tras la ducha de ayer. Cierra el puño para pegarle desde abajo, y la pelota rebota en el *Reloj Blando* y sale disparada. Prosigue su ritual hasta que entra en calor. A un lado del túnel empieza a nacer una gruesa capa de hielo, formada por las gotas de agua que caen de un canalón, como diciendo: Todos hemos pasado por esto.

—¡Eh!

—Mierda.

—¡Eh, Angela! ¡Aquí arriba! ¡Mira!

—¿Dónde?

—¡Eh!

—¡Hostia, si eres tú!

—Soy yo. ¿Adónde vas?

—A ningún sitio —dice ella—. ¿Qué haces ahí arriba?

—Es la suite presidencial. Estoy poniendo caramelos de menta bajo la almohada.

—¿Tienes más mantas? Sigue sin funcionar la puta luz. No van las estufas. Elias ha ido a buscar al tío ese, Edison.

—Faraday.

—Lo mismo da.

—¿Quieres subir? —pregunta Treefrog—. He encendido el fuego.

—De eso nada. Si Elias me viera ahí arriba, te cortaría la cabeza y te cagaría en la boca. No para de decirme eso. Dice que me cortará...

—Elias no nos va a ver. Ha salido del desierto y los cuervos le han dado de comer y se lo ha llevado un torbellino.

—¿Eh?

—Nada —dice Treefrog—. ¿Ya matasteis las ratas?

—No. Yo... —Duda y se rasca la cara—. Me gusta la gorda —dice—. Es mona. No le haría daño a nadie. Está preñada.

Angela está de pie junto a las vías, envuelta en una manta, en medio de un chorro de luz, con la cara vuelta hacia arriba, triste y hermosa.

Treefrog le dice:

—¿Por qué no le dices a Papa Love que te haga un retrato?

—¿Quién?

—El tío de la chabola que está junto a los cubículos. Toda llena de dibujos. Sólo sale a veces, cuando le apetece. Dile que te haga un retrato.

—No quiero retratos —dice ella, pero entonces se le ilumina la cara—. Oye, ¿tiene estufa?

—Sí, pero no abre a nadie.

—Mierda. ¿Dónde cojones está el puto Edison?

—Echando un sueñecito bajo tierra.

—¿Eh?

—Edison está muerto. Fue el que inventó el fonógrafo. El que nos regaló la música. El que nos regaló la luz. Edison la palmó hace sesenta años. Éste se llama Faraday.

—Es un hijoputa.

Treefrog se ríe.

—En mi casa de antes hacía calor —dice Angela, mientras patalea en la grava del túnel y mira a Treefrog, que está encaramado en su pasarela a seis metros de altura—. Tenía un porche y un comedero para pájaros —dice—, y muchísima luz. Fuera había árboles y a veces trepábamos a las ramas. Odio Nueva York. Hace frío. ¿No tienes frío?

—Estás colocada, ¿verdad?

Ella no hace caso.

—En Iowa hacía frío pero teníamos una estufa, y un día mi padre la arrancó y le partió la cara a mi madre con ella. Le hizo un buen bollo en el pómulo. Eso es lo que pasó con la estufa. Después se arrepintió y le hizo también un buen bollo a la estufa; la estrelló contra la pared. Luego volvió a hacerlo. Lo odio. Siempre decía que me iba a llevar a ver el mar, pero nunca me llevó. Lo único que hizo fue lo de la estufa. El médico le dio a mi madre un parche para el ojo, pero ella lo tiró a un pozo. ¿Estás casado?

—Sí.

—¿Cómo se llama?

—Dancesca.

—¿Le pegabas?

—No.

—Mentiroso. Sé que mientes.

—No miento.

—¿Te han pegado alguna vez? —pregunta Angela al cabo de un momento—. Te acabas acostumbrando; es como respirar. Como respirar debajo del agua.

Y, sin saber cómo, Treefrog nota que ella sonríe, aunque ahora está de espaldas y no se ve más que su figura encogida y envuelta en la manta.

—Angela —dice—. Date la vuelta. Déjame que te vea.

—Seguro que le pegabas tanto que ni podía andar.

—Te digo que no.

—Seguro que tenías un paño de cocina azul y te lo enrollabas en el puño para no hacerle cardenales.

—Cállate.

—Seguro que cogías un lápiz amarillo y se lo metías en el oído y le dabas vueltas y vueltas hasta que la punta se rompía y se le metía en el cerebro.

—Cállate.

—Estoy segura.

Treefrog cambia de sitio en la pasarela.

—Yo tenía mujer y una hija —dice—. Nunca les pegué.

—Claro claro claro.

—Me dejó ella.

—Claro que sí.

—Me dejaron las dos.

—Sí sí sí. Qué pena me das.

Y por un momento Treefrog regresa al parque infantil de la calle 97 y hace cuatro años y está con su hija y ella está en plena pubertad. Es verano y él empuja el columpio; Lenora es muy mayor para columpiarse y tiene las piernas demasiado largas, por eso las mete debajo del pequeño asiento de madera cuando vuela alto. La empuja con las dos manos y ella grita de alegría; es el momento preferido de Lenora, pero no por mucho tiempo. La sujeta por la parte superior de la espalda pero se le resbala una mano y la niña lleva una camiseta ceñida; ha crecido mucho en los últimos meses y la ropa es cara, él ha perdido su empleo, ha perdido el control de las manos, ahora la agarra por las axilas y ella sigue columpiándose alegremente y por error sus dedos tocan la blanda ondulación de la carne nueva, sólo con una mano, y le late la cabeza y tiene que equilibrar la presión y los dedos se extienden y tocan levemente el otro lado del cuerpo, y siente como una descarga eléctrica, y tiembla, pero es tan blandito, tan delicioso, por un segundo se tranquiliza, sigue columpiándola y ella ni siquiera se entera, la coge por las axilas y ojalá no fuera su hija, pero es su hija, la está tocando y la volverá a tocar y lo descubrirán y bajará al túnel y, avergonzado, tratará de masacrarse las manos.

—Me dejaron ellas —dice Treefrog.

Angela se vuelve y lo señala con el dedo.

—Seguro que tenías un paño de cocina. Seguro que tenías un lápiz amarillo. Seguro que las molías a golpes.

—Te digo que no.

—Seguro que les retorcías los brazos. No me das ninguna pena. Tú lo que quieres es joderme. Eso es lo que quieres. Joderme. ¿Quieres joder? Pues jódete tú.

—Angela —dice él.

—Eres igual que los demás. No me das pena, de eso nada. Ojalá te caigas. Ojalá te caigas a un pozo, joder. Córtate la barba. Y el pelo. Luego cáete a un pozo. Cómprate un parche para el ojo.

La imagen de Lenora vuelve a pasar fugaz por su mente.

—No le hice daño —dice.

—Y una puta mierda —dice Angela, alargando la frase hasta que parece casi lírica.

Treefrog permanece un rato con la cara entre las manos y luego se pone en pie y camina por la pasarela con los brazos abiertos. Desaparece en el fondo de su cueva, vuelca las botellas de pis a los pies del colchón. Rebusca en el cajón roto de la mesilla desvencijada. El olor a orina asciende desde el suelo. Hurga entre la ropa —hay también viejos mapas arrugados, manuscritos en papel milimetrado— y la esparce hasta encontrar una camiseta térmica. Se la guarda bajo el abrigo, tropieza con el colchón en la oscuridad, baja descolgándose por las dos pasarelas, y aterriza con las rodillas flexionadas enfrente de Angela.

Ella se agacha y se tapa los ojos.

—¡Déjame en paz, hijo de puta!

—Toma.

—¡No me hagas daño, no me hagas daño, no me hagas daño!

Le alarga la camiseta. Angela retira el brazo de los ojos y lo mira y dice:

—¡Guau!

—Te dará calor —dice Treefrog.

—Gracias.

—Póntela.

—¿Ahora?

—Sí.

—Tú lo que quieres es verme en pelotas. Ya vi qué ojos ponías. Te vi, tío.

—Cállate, ¿vale? Póntela.

Ella lo mira, tímida y circunspecta.

—Date la vuelta.

Él obedece y al otro lado del túnel ve caer un terrón de nieve por la rejilla metálica.

Angela le cuelga del hombro el abrigo de piel y, cuando Treefrog se vuelve, ella sonríe con los brazos detrás de la cabeza y los codos hacia afuera, como una estrella de cine; se ha puesto la camiseta térmica encima de tres o cuatro blusas pero aun así él se imagina los pezones erectos de frío y desea tocarla, pero no lo hace, no puede, no lo hará.

—No le hice daño a nadie.

—Te creo, Treefy.

—¿De verdad? —dice él, sorprendido.

—Sí, claro que te creo.

—Gracias.

Y entonces Angela coge el abrigo de piel y dice:

—¿A que estoy mona?

—Sí —dice él, y la rodea con los brazos.

—Hueles mal, tío.

—Me duché ayer. En Grand Central. En el túnel de vapor. Tienes que bajar conmigo alguna vez. El agua sale hirviendo.

Alguien merodea cerca de la verja a la entrada del túnel.

Angela abre los ojos, asustada. Se libera del abrazo de Treefrog.

—¡Elias! —dice.

Rápidamente Treefrog coloca los dedos en el asidero, y en dos segundos se planta en el nido. Angela se pone el abrigo de piel, se lo cierra bien, y se escabulle por el túnel. A lo lejos Treefrog ve a Elias en medio de un haz de luz, con una estufa, gritando:

—¡Faraday! ¡Eh, Faraday! Soy yo. ¿Dónde cojones está Faraday?

Ocho

1950-55

Walker lo tiene todo perfectamente calculado. Justo antes de que salga el sol tras los tejados de la calle 131 y entre por la ventana, él levanta el brazo y se tapa los ojos. Es un buen ejercicio; sus músculos están empezando a ceder ante el reúma, la enfermedad del túnel. Mantiene el brazo levantado hasta que el sol pega en el marco de la ventana, y eso le alivia durante dos minutos y medio exactamente.

Aparece una sombra y otra desaparece, y el antebrazo se eleva mientras el sol sigue subiendo.

A Walker le gusta el sofá, aunque se pasa dos horas al día postrado en él, por el dolor, no por gusto. El sofá ha adoptado la forma de su cuerpo y desde él se ve la calle, que en los últimos años ha enloquecido con los automóviles. Walker se sienta sobre una historia de monedas perdidas entre los cojines y a veces, cuando quiere mascar tabaco, mete la mano, coge algunas de diez centavos y se las tira por la ventana a sus hijos, que, cuando no están en la escuela, se sientan en los escalones de la entrada. Se oye el ruido de las monedas al aterrizar y los chicos se levantan y se acercan hasta la tienda.

La aguja del tocadiscos salta sobre un viejo disco de jazz: Louis Armstrong. Menudo pulso que tiene ese hombre. Un ritmo fantástico. Un toque sincopado. Walker lleva el ritmo con la cabeza y la cruz de plata oscila levemente contra su cuello. Cuando acaba el disco se levanta del sofá para desentumecer las rodillas y se estira, dobla los dedos para dominar el dolor.

Con cuidado pone la aguja en otro surco, junto a un rayón del vinilo. La semana pasada la aguja empezó a saltar, pero Walker sentía unas punzadas tan horribles en las rodillas que lo dejó sonar y sonar repitiendo una aguda nota de trompeta; llegó un momento en que ya ni siquiera la oía, estaba otra vez bajo el río, cavando, con sus amigos, era el compresor lo que sonaba, hasta que Eleanor llegó a casa y movió la aguja.

Ella quiere comprar un disco nuevo, pero últimamente andan apretados de dinero. Hace tiempo que para él se acabaron los túneles; ya no necesitan cavadores. Casi todo el dinero de la familia sale del trabajo de Eleanor en una fábrica de ropa; los sueldos son bajos y los horarios largos. Walker ha empezado a ocuparse de la casa y la habitación está reluciente y ordenada, dividida por una cortina que pende del techo. La pala de Walker cuelga sobre la chimenea. En la repisa hay una fila de fotografías. Junto a la cocina, cinco sillas rodean una mesa pequeña. Hay tres camas: una doble para ellos, otra doble para las niñas y una individual para Clarence, que Walker construyó con sus propias manos, tendiendo cordel entre los postes, asegurándolo y entrecruzándolo hasta dejarlo tenso y resistente.

Los días que sus dedos no exhalan el último suspiro, Walker hace muebles para vender en la calle: sillas, estanterías, mesillas de noche. Fía a los que no pueden pagar al contado. Pasa días y días tallando los detalles de cada mueble. Después siempre tiene que sumergir las manos agarrotadas en agua caliente.

Walker deja que la música le recorra el cuerpo y se arrastra hasta la cocina para poner la tetera. Eleanor le ha enseñado el arte de preparar el té: primero hay que calentar la tetera y secarla, distribuir con cuidado las hojas, dejarlas hervir un minuto o dos. Utiliza un cubreteteras extranjero, heredado de Maura O'Leary. Walker hasta le ha tomado gusto al té con leche. Se demora junto a la cazuela, la tapa con un plato para que el agua hierva antes. Ha tenido que aprender estos truquitos domésticos de la mediana edad. Como hacer las camas doblando el embozo de las sábanas sobre las mantas. O llamar al lechero desde la ventana con un agudo silbido. O añadir un toque de vinagre al agua de la fregona. No tienen frigorífico, pero Walker le compró una nevera de plástico a un veterano de la Segunda Guerra Mundial que le aseguró que funcionaría igual de bien.

Se inclina para sacar la leche; ya ha empezado a espesar, así que la agita fuerte y siente una descarga de dolor en el brazo y el hombro. Es generoso con la leche. No queda mucha. Observa los remolinos que forma en el té oscuro.

Mientras sorbe se prepara para recibir a Eleanor: cubre la tetera, pone un terrón de azúcar en una cuchara, lo coloca todo bien en la encimera para que ella sólo tenga que servirse y revolver. Qué días tan lentos. Es casi como si no habitara su propio cuerpo y flotara fuera de él, en una rueda de energía que empieza a quebrarse. A veces le gusta estar inmóvil en la cocina, de pie, con el cuerpo doblado para no sentir dolor. El médico ha dicho que su enfermedad irá a peor. Le roerá los codos, se le meterá en las caderas. Le dieron un medicamento, pero sólo le duró un mes, es demasiado caro y en la farmacia no le fían.

Intenta pensar en su madre. En Georgia ella usaba una planta para curar el reúma, pero Walker no recuerda cuál era.

De pie junto a la cocina, se eleva otra vez, flota de nuevo. Walker se ve a sí mismo de niño, guiando una canoa por los negros pantanos, entre cipreses partidos por el rayo. Imita el recordado viraje del remo, luego avanza por la habitación arrastrando los pies, a través de las motas de polvo que revolotean a la luz del sol, hasta llegar al tocadiscos.

Odia tener que cortar al gran Daniel Louis Armstrong en mitad del vuelo, pero es peor tener que levantarse continuamente del sofá. Le tiemblan las manos cuando retira la tapa del tocadiscos y coloca la aguja al principio del disco. En el sofá estira los pies y alarga el cuello para mirar a la calle, pero no hay mucho que ver, sólo algunas mujeres saliendo de la lavandería, el cartel de una tienda de empeño que parpadea, y unos cuantos jóvenes reunidos en torno a una boca de riego, fumando cigarrillos, echando al cielo el humo que dibuja fláccidas volutas sobre sus cabezas. Tres prostitutas con pantalones ceñidos recorren la esquina dando tumbos, intercambiando insultos con los hombres.

Walker se recuesta despacio y sopla el té, aunque ya está casi frío. La tarde languidece.

Enganchado a la música saltarina, se duerme y cuando despierta sus tres hijos adolescentes están de pie junto a él, han vuelto del colegio, y se ríen porque le han puesto a su padre el cubreteteras en la cabeza y está muy gracioso.

En el piso de abajo, en una habitación llena del denso humo de la marihuana, el mecánico Hoofer McAuliffe siempre hace ruido a las tantas de la noche. Es un hombre duro, con la cara mutilada: en una pelea le mordieron la aleta de la nariz, que le quedó deshecha y llena de costras. A última hora de la tarde, McAuliffe se trae putas a la habitación. Las lleva del brazo con delicadeza. El olor a canuto sube por las escaleras. Las risotadas atraviesan el parquet. Se oyen fuertes bofetadas y luego unos lloriqueos bajísimos. Las mujeres escapan de la habitación, temerosas, colocadas y molidas a palos.

Una mañana, Walker acompaña hasta el portal a sus hijas, que se van al colegio, y baja la escalera pasando por delante de las espléndidas pintadas que cubren la pared; Hoofer McAuliffe saca una lengua larga y lasciva por la puerta entornada. Walker la abre de un empujón y se le planta delante.

—Tranquilo, que no las voy a tocar —dice McAuliffe—. Los coños mestizos no convienen.

Walker arrincona a McAuliffe contra la pared, le clava la rodilla en la ingle, le aprieta la garganta con los dedos, y McAuliffe se escurre hasta el suelo, sin aliento, con los ojos en blanco y muy abiertos, dilatando la única aleta que le queda en la nariz. El sol matinal concentra el humo en la habitación, lo arrastra por el aire. Walker cuenta hasta diez, estruja por última vez el cuello de McAuliffe y le dice al oído:

—No vuelvas a mirar así a mis hijas, ¿me oyes? Ni se te ocurra volver la cabeza cuando pasen. ¿Escuchas lo que te digo? ¿Me oyes?

McAuliffe asiente y retira la cabeza, cruza la habitación a trompicones, abre la ventana, y traga aire. Walker se vuelve y en el umbral ve a Clarence, que lo mira fijamente con los libros en la mano.

—Ahora al colegio y como si no hubieras visto nada —dice Walker—. Nada de nada.

Su hijo asiente y se va, baja la escalera despacio, con los libros bajo el brazo.

Walker pasa el día en el apartamento, curándose con hielo las manos doloridas.

Los días que está mejor toma el metro y observa las curvas de los túneles. Se pone de pie en el primer vagón, junto al conductor, y mira por la ventana, con la cara pegada al cristal. Se cubre la cabeza con papel de periódico para evitar el reflejo.

Los túneles le saludan con una velocidad magnífica. Percibe los errores: la curva demasiado cerrada porque un ingeniero calculó mal, una zona que probablemente se inundará cuando llueva, un cambio de aguja en la vía que no es. Desea volver abajo, a cavar. Sentir de nuevo la fluidez de su pala. Un, dos, tres, adentro, afuera. Incluso solicitó un puesto de olfateador —los que recorren los túneles del metro para detectar escapes de gas o fuego o animales muertos— pero lo rechazaron, como ocurre siempre que pide trabajo.

Aun así le encantan los túneles, pasar de la oscuridad a la fuerte claridad amarilla de las estaciones, rodar de nuevo lentamente hacia la negrura, el chirrido del acero contra el acero, el brillo de las linternas de los obreros, la exaltación de ir lanzado en el expreso de media mañana, de pasar zumbando junto a los andenes donde esperan los pasajeros.

Los fines de semana se lleva a Clarence y los viajeros se quedan mirando a la cara de su hijo adolescente, curiosamente más clara. Clarence es ya bastante alto y tiene que inclinarse para ver el túnel por la ventana. Le está saliendo bigote, pero aún no se afeita porque le da vergüenza. Allí está de pie, callado, mirando por la ventana, con la mano de su padre en el hombro.

A veces Walker baja hasta el centro y se reúne con Vannucci y Power en la orilla de Manhattan.

Siguen haciendo carreras de palomas sobre el East River. Vannucci ha cambiado los colores de sus pájaros: rojo y blanco y verde. Una vez Power, en plena borrachera, dibujó cincuenta estrellitas azules en uno de sus pichones favoritos. Los amigos se sientan junto al agua y comparten sus botellas

—bourbon de Kentucky y grapa— envueltas en bolsas marrones arrugadas por el sudor.

Mientras aguardan el regreso de los pichones, recuerdan su juventud, buceando en el alcohol con alegría y pesar.

—¡Pásame la botella! —grita Power—. Tengo que seguir soplando. Soplando hasta el fin del mundo.

—¿Te acuerdas de la vez que Ely y yo pintamos las palomas? —dice Walker.

—Tenía que haberte dado una patada en ese culo negro y feo que tienes.

—Qué tiempos aquellos, ¿verdad? —dice Walker.

—Y que lo digas. ¿Qué tal esa adivina tuya, Nathan?

—Dice que seguiréis soplando hasta el fin del mundo.

—Por mí bien, amigo. —Power da una palmada—. Te juro que me encantaría que esa mujer me sacara brillo al cromado del parachoques.

—¡Pero si no tienes coche!

—Tienes toda la razón.

—¿Qué quiere decir, el cromado? —pregunta Vannucci.

—Pregúntale a tu mujer, Ruby. Y, Ruby...

—¿Qué?

—No te olvides de preguntarle por las natillas.

—No entiendo.

—¡Pásame la botella y te lo explico!

Una tarde toman el metro que cruza el East River. Se sientan en el primer vagón y le piden al conductor que pare el tren un momento. El conductor frunce el labio y mueve la cabeza. «No.» «Venga, amigo.» «No.» «¿Un dólar?» «No.» «¿Un dólar y medio?» «No.» «¿Una hostia?» «Venga, tíos, dejaos de bromas, he dicho que no.»

Y entonces Power saca su carné del sindicato, más un par de dólares. El conductor asiente y el tren se detiene. Se amontonan en la cabina y abren el periódico por la página de deportes. Power se asoma por la ventana y le lee a Connor O'Leary los resultados de béisbol: Estamos en junio de 1950 y los Brooklyn Dodgers encabezan la Liga Nacional tras derrotar a los

Cincinnati Reds por ocho a dos en Ebbets Field, y Gil Hodges consiguió un cuadrangular con las bases llenas que fue a dar en la última sección del graderío en la tercera entrada. «Siseñor, el gran Hodeges en persona», dice Power. Y entonces Walker se asoma por encima de su colega y dice: «Y el viejo Jackie Robinson bateó un doble, tío».

El conductor empieza a ponerse nervioso y se retuerce las manos mientras ellos gritan más resultados al techo del túnel.

La tarde cede el control a las botellas. Cambian de tren una y otra vez entre las dos estaciones, y empiezan a hablar alto y ronco hasta que los echan del vagón a patadas; Power grita: «¡No nos podéis echar, somos los Resucitados!».

Eleanor está en la puerta con la cabeza apoyada en el marco. Walker se le acerca y en mitad de la habitación ve que está llorando. Y entonces comprende que Eleanor no quiere cruzar el umbral, como si algo la mantuviera allí clavada.

—Estaba sentada en el almacén, Nathan. Cosiendo el dobladillo de un pantalón. Nos sentamos todas en una fila larga, larga, con las máquinas Singer delante. No sé lo que me pasó, Nathan. Fue horrible. Él volvía del colegio. Traía las notas. Sacó un sobresaliente en ciencias. Creo que sólo quería contármelo. Creo que sólo quería contarle a su mamá que iba muy bien en el colegio. Y las otras mujeres, Nathan, no saben nada de mi vida. Sólo saben que vivo en el norte de la ciudad. No saben nada de ti ni de los niños. Es que, bueno, es que, no sé cómo explicarlo. No es que me dé vergüenza. No es eso. Supongo que no quería que supieran nada de mi vida. Para que no nos pasara nada a nosotros, ¿sabes?

—Cálmate, Ely.

—¿Recuerdas que te comenté que el jefe se apellidaba O'Leary? Bueno, pues yo le dije, cuando empecé a trabajar allí, le dije que mi apellido de soltera también era O'Leary. No le dije que ahora me apellido Walker. Y, como sabe que soy una O'Leary, se porta bien conmigo, no me grita si me entretengo tomando el café o así, porque soy irlandesa. Me aprecia, no con mala intención, pero me aprecia. Bueno, pues estoy yo cosiendo el dobladillo del pantalón cuando miro y veo a nuestro Clarence en la puerta del almacén. Me señala con el dedo. Yo bajo la cabeza, Nathan, no sé por qué. Me eché a temblar. Hice como que me concentraba en el dobladillo, como que ponía mucha atención. Escuché pasos. Eran los pasos más fuertes que había oído en mi vida. Y cuando volví a levantar la vista, los dos estaban de pie delante de mí.

—No llores, cariño.

—Y O'Leary me dice:

—Aquí este chico que dice que quiere ver a su madre.

—¡No me digas!

—No sé lo que me pasó. De repente suelto el pantalón y el dobladillo se tuerce. No te imaginas el silencio que había. Todo el mundo me miraba, todas las demás costureras, calladas como muertos. Yo dije simplemente: «¿Perdón?». Y el jefe va y dice: «Aquí este chico que dice que quiere ver a su madre». Pesadísimo, el jefe, se puso pesadísimo. Y yo voy y me río de nervios. Y dije: «Oh, eso es una manera de hablar, yo conozco muy bien a su madre».

—¡Ay, Ely! No es cierto. No puede ser.

—Lo siento. Lo siento.

—¡Ay, Eleanor!

—Y O'Leary se me quedó mirando con los ojos como platos. Y Clarence también me mira. Clarence lleva las notas en la mano. Miré al jefe y volví a decir: «No es más que una manera de hablar, ya sabe cómo habla la gente». Y Clarence pone una cara como si se le hubiera venido el mundo encima. Como si le hubiera entrado algo en la cara y se la hubiera descompuesto totalmente. Me dice: «Mamá». Creo que oiré esa palabra eternamente, el tono con que lo dijo. Mamá. Mamá. Mamá. Como si fuera lo más importante que hubiera dicho en su vida. Yo eché un vistazo al almacén y vi que no me quitaban los ojos de encima. «Su mamá es amiga mía, su mamá es vecina»... eso es lo que dije. Y O'Leary va y coge a Clarence por el cogote. «¿Por qué le haces perder tiempo a esta señora?», dice. Y Clarence dice: «Sólo quería contarle que saqué un sobresaliente en ciencias». Y O'Leary se hincha mucho y tose y mira al almacén. «¡Un sobresaliente en ciencias! —grita—. ¡Sería en la teoría de la evolución!»

—Qué hijo de puta.

—Y Clarence allí llorando.

—No me lo puedo creer, Ely.

—Le caían unos lagrimones por la cara... Y me dice otra vez: «Mamá». Y yo no le contesté ni palabra. Ni palabra. Ni siquiera «qué bien». Qué bien, un sobresaliente en ciencias. Me quedé muda y no quería. No quería estar así, pero me pasó, Nathan, te juro que no quería; ¡ay, Santo Dios!, de verdad que no era mi intención hacerle ese desprecio. Y me quedé allí sentada mientras O'Leary sacaba a rastras a Clarence del almacén, y en mi vida me he sentido peor. Miré a las otras costureras y, ¡ay, Dios!, Nathan, me levanté y pasé a empujones por delante de O'Leary y agarré el abrigo y corrí a buscar a Clarence. Pero no estaba en ninguna parte. Busqué y busqué pero se había ido. Sé que he perdido mi empleo, pero no me importa. Corrí y corrí pero no lo encontré.

—¿Dónde está ahora?

—No lo sé.

—Basta de lloros, mujer.

—¿No puedes ir a buscarlo por mí, Clarence? Por favor. Explícaselo. Hazlo por mí.

—No creo, Ely, no puedo explicarle una cosa así.

—No era mi intención hacerle un desprecio.

—Te diré una cosa y te la diré sólo una vez: es lo más feo que he oído en mi puta vida.

—¡Ay, por favor!

—Es feo, Ely. Feísimo, joder.

—Te juro por Dios que nunca en mi vida volveré a hacer algo así. Pero es que a veces, a veces, a veces nos pasan cosas y no sabemos por qué. Dile eso nada más. Por favor. Dile que no sé lo que me pasó. Dile que no puedo sentirlo más de lo que lo siento. Dile que le quiero. Dile que es la verdad. Es la verdad, lo juro.

—Bueno, me parece que eso es asunto tuyo, Ely.

—Nathan.

—No.

—Por favor. Explícaselo por mí.

—¡No! Cuando pares de llorar puedes explicárselo tú. Yo iré a buscarlo y tú se lo explicas. Es tu cruz. También la mía, supongo, pero tú eres la que tienes que arreglarlo.

Clarence no dice nada cuando Eleanor lo abraza. El joven apoya la cabeza en el hombro de su madre con la mirada perdida en una distancia insondable.

Y esa tarde Walker también se niega a mirarla cuando se acuestan. Ella aisla su pena enterrándola en la almohada. Pero, al cabo de varias semanas, se acerca a él y coloca las rodillas en el hueco de las suyas, el pecho contra su columna, respira asustada y su cálido aliento toca la nuca de él. Allí se queda, pegada, hasta que Walker se arma de valor, se vuelve y le acaricia tímidamente el pelo.

Unas semanas antes de que Clarence se marche a hacer la instrucción militar en un campamento de Virginia, su padrino *Ruibarbo* Vannucci le enseña cosas sobre la dinamita, cómo y dónde fijarla, qué profundidad han de tener los agujeros, dónde poner las cargas si no quieres que queden pruebas: un cadáver, un caballo, el tronco de un árbol. Las clases son en la azotea de Vannucci. El viejo italiano es un profesor meticuloso, se arrodilla sobre un trozo de cartón, dibuja con el dedo mapas imaginarios en el suelo.

Cada poco Vannucci le sujeta la cara a Clarence con las manos porque al joven se le van los ojos tras las palomas de colores y las plumas esparcidas por el suelo.

—¡*Ascoltami*! —dice.

—¿Señor?

—¡*Escucha mí*!

Todas las palabras importantes las dice en su idioma: *carica, explosivo, spoletta detonante, una valvola*. Hace diagramas: cómo se cava un túnel, cómo desactivar una trampa explosiva, cómo manejar las espátulas que sujetan la espoleta de una granada. Le dice a Clarence que lleve siempre un cordón de zapato de más, que siempre es útil. Que busque bien la espoleta disimulada. Enséñale a tu frente a no sudar. Que nunca te tiemblen los dedos, aunque no estés trabajando. Acostúmbrate a tararear siempre la misma canción cuando desactives, así no te distraerás.

Al final de una clase le dice:

—Y dile a tu padre que ya tengo las natillas.

Clarence llega a casa y transmite el mensaje.

—Ruibarbo dice que ya tiene las natillas; no sé qué coño quiere decir con eso.

Walker está junto a la cocina y se da una palmada en el muslo, encantado. Atraviesa la habitación y le susurra algo a su mujer, y ella le riñe con un golpecito en la muñeca.

Clarence vuelve los ojos al cielo. Le avergüenza estar con sus padres en la misma habitación y por eso duerme arrebujado en la escalera de incendios. Por la noche los escucha acercarse el uno al otro, con cuidado, cuando creen que todos duermen, un movimiento entre las sábanas, curiosos ruidos amortiguados, el roce de sus cuerpos al juntarse, y ese sonido es lo que Clarence más odia en el mundo.

Quiere entrar en la unidad de artificieros, pero lo alistan de cocinero. Tiene diecisiete años. Le hacen una foto; su pelo ha perdido su matiz rojizo y combina bien con el uniforme. Las pecas han desaparecido de sus mejillas. Tiene los dientes blancos y sonríe enseñándolos pero, a pesar de la sonrisa, los ojos son profundos y castaños y serios, como dos agujeros cuidadosamente excavados en su cabeza.

Eleanor lleva la foto a la tienda y le dice a Ration Rollins que si no la expone la clientela se irá a otra tienda calle abajo. Ration pega la foto en la caja registradora, junto con las de los otros hombres del barrio que han ido a luchar a Corea. Sus rostros apenas dejan ver los números que van apareciendo en el cristal de la caja. Un dólar y cincuenta y seis centavos. Cinco dólares y treinta y cuatro. Dieciséis centavos. La cara de Clarence tapa el recuadro de los centavos.

Todas las noches Walker y su mujer bajan a la tienda de comestibles a ver las noticias por televisión. Eleanor se queda callada en la parte de atrás, junto a un congelador lleno de helados, manoseando una estampa plastificada que lleva escrita una oración especial. Walker está de pie junto a ella, pero sigue sin tocarla en público. Desde el televisor, Eisenhower los mira severo. Buscan la cara de su hijo en las filas de hombres cansados que caminan por la carretera entre el polvo y el calor. Se imaginan los helicópteros aleteando sobre arrozales de muertos, una hilera tras otra de cadáveres y arroz.

Cuando vuelve al apartamento, Eleanor escribe largas cartas. Su letra es clara y minúscula:

> ¿Cómo te va por ahí? Esperamos que estés bien y que agaches tu bonita cabeza. Nosotros estamos todos bien. Te echamos muchísimo de menos. Sobre todo yo te echo muchísimo de menos. Tu padre hace muchos muebles. Las niñas no te puedes imaginar lo que han crecido. Un músico que conoce Deirdre nos afinó el piano. Ahora suena bien. Maxine cantó una canción de Mary Lou Williams. Una noche fuimos al Metropole a escuchar la trompeta de Henry Red Allen; iba vestido de traje y corbata. ¡Guau! ¡Guau!; la mar de divertido. Todo el mundo pregunta por ti, sobre todo unas niñas muy guapas que vieron tu foto en la tienda de Ration Rollins. Te parecerá increíble, pero Ration ha sido muy amable con nosotros estos días. Siempre pregunta por ti, y hasta nos regaló té. Imagínate. En la tienda oímos que ahí en Corea se comen a los perros. No será verdad, ¿no? Tu hermana Maxine dice: ¡Guau! ¡Guau! Y tu padre dice: cuidado no te comas el trasero. ¡Ponle salsa de barbacoa!, dice.

Afila el lápiz con un sacapuntas. Las virutas caen sobre los pies estirados de Walker.

> Por aquí hay malas noticias: falleció Sean Power, el viejo amigo de tu padre. Bueno, al menos vivió unos cuantos años. Acabó con él la cirrosis del hígado. Ruibarbo le metió en el ataúd una botella de bourbon para el viaje. Algún día hay que morir, pero fue triste. Tu padre dijo una oración durante la misa. Todos se em-

borracharon y cantaron en el velatorio. Uno le preguntó a tu padre si era camarero. Le pidió «un vaso de whisky, mozo». Y luego todos empezaron que si mozo esto, mozo lo otro. Casi se pelean, pero Ruibarbo les mandó callar a todos. Ya le he dicho a tu padre que no abra la boca, pero ya sabes cómo es. Al final de la tarde tu padre y Ruibarbo se sentaron en un rincón a hablar de los viejos tiempos.

No te imaginas la de veces que me acuerdo de los viejos tiempos, Clarence. Desde que te fuiste no se me van de la cabeza.

Tengo que decirte una cosa, Clarence, y tengo que decírtela otra vez; me pesa tanto en el alma que casi no puedo con ello; no fue mi intención aquel día cuando sacaste el sobresaliente en ciencias. Es que no sé lo que me pasó. Supongo que me lo llevaré conmigo a la tumba. Quiero que sepas que en mi vida he pasado tanta vergüenza. Lo llevo dentro como si fuera el peso más grande del mundo. No te pido que me perdones. Sólo quiero que lo entiendas. Para mí entender es más importante que perdonar. Así que, por favor, entiéndelo. A veces me pesa tanto que me parece que ando encorvada.

Eleanor siempre termina las cartas con la misma frase:

Ya te hemos dicho que agaches bien tu bonita cabeza, Clarence, y vuelve con nosotros enterito y no nos hagas llorar a mares.

El día que la guerra termina oficialmente sin vencedores, llega una carta de Clarence en la que dice que se va a quedar en la zona desmilitarizada. Volverá a casa pronto. Da a entender que ha conocido a una chica en la base: es auxiliar de enfermería y le ha pintado un bol de sémola en la parte de delante del gorro de cocinero. Reciben una carta al mes; incluso les llega una mientras Clarence está de permiso en Japón. Eleanor guarda los sellos en un sobre especial.

Y entonces una tarde, al final del verano, reciben otra carta. La abren cabizbajos y contritos. Ya saben por un telegrama que llegó hace dos semanas que Clarence ha resultado herido. El cuchillo rasga lentamente la solapa del sobre. Walker nota que una gota de sudor le baja por la espalda. Desdobla muy despacio la hoja de papel y se la pasa a Eleanor para que la lea.

Tras leer la carta ella le echa los brazos al cuello con un gesto de alivio y a la vez de dolor. Clarence se la ha dictado a la enfermera. Los ojos de Eleanor tardan un momento en adaptarse a la letra.

Queridos mamá y papá:

Estoy vivo y bien. Pisé una mina cuando iba de paseo. Acabábamos de fichar en la cantina, un amigo y yo. Estábamos dando una vuelta al sur de Pusan, por el bosque que hay en la falda de la montaña. Seguro que fue un cable trampa. Tenía que haber atendido más a lo que me decía Ruibarbo. Mi amigo perdió las dos piernas. A mí me entró metralla en el ojo y lo perdí. Estoy aquí sentado haciéndome el valiente, pero esto es una mierda. Bueno, las enfermeras me han cuidado bien, sobre todo Louisa, la chica de que os hablé. Está aquí mismo, garabateando cada palabra que digo. Bueno, ¡casi todas! Es del oeste, de Chippewa. Me ha tratado de forma especial. Hasta me trajo un gramófono y unos singles del viejo Rex Stewart para que pueda oírle tocar. Aquí las emisoras de radio no son tan buenas, no ponen más que Nat King Cole y cosas así. Pero yo escucho al viejo Rex. Me tumbo en la cama y lo oigo tocar. No me duele mucho la herida. A veces es difícil mirar sólo con un ojo, pero supongo que me acostumbraré. No lloréis a mares porque estoy bastante bien. ¿Os acordáis del bol de sémola que os conté, el que me pintó Louisa? Bueno, pues me parece lo más gracioso del mundo. Estoy deseando que conozcáis a Louisa. Somos buenos amigos. Bueno, más que buenos amigos, si os digo la verdad. Y ¿sabéis qué? Ahora entiendo lo de aquel día, mamá, en el almacén, cuando dijiste que no me conocías. En el ejército aprendes a no conocerte ni a ti mismo. Y me puse a pensar. Y sé lo que dices. Así que te entiendo y te perdono, mamá. Bueno, no quiero que os echéis a llorar, así que voy a cortar. Bueno, una cosa, estamos pensando en licenciarnos, volver a Nueva York, Louisa y yo, poner un pequeño negocio, no sé bien qué. A lo mejor hasta casarnos, ¿qué os parece? Algo que nos dé para coger un piso grande y vivir juntos y ser felices y que ninguno tengamos que volver a llorar a mares.

Firmado: CLARENCE W. Y LOUISA TURIVER.

Debajo una pos data:

> Me da la impresión de que va a crecer algo en el bosque, donde cayó mi ojo.

Y debajo otra pos data:

> ¡Y no os riáis del parche!

Dieciocho meses más tarde, en 1955, Walker y Eleanor espían tras la cortina que los separa de sus hijas, se escapan al pasillo —en la escalera se oyen puñetazos, en el apartamento de Hoofer McAuliffe— y, por las tablas que crujen bajo sus pies, llegan hasta el baño comunitario. Eleanor le pone un dedo en los labios a Walker para que no se ría. Hay huellas de manos en las paredes amarillentas. Las baldosas están negras y resquebrajadas. Eleanor refrota el lavabo y le pasa papel higiénico por los lados, dejándolo inmaculado, y cuando se encarama y se sienta en la porcelana y se levanta el camisón para que él entre, se siente limpia y joven, aunque tiene treinta y ocho años y su cuerpo ha empezado a decaer.

—¿Qué tal tienes las rodillas? —pregunta cuando Walker se pone de puntillas y arquea la espalda.

Una brisa vagabunda entra por el ventanuco abierto, refrescando el baño. Ella se quita las horquillas del pelo, se inclina para tocarle a Walker la cadera.

—¿Qué tal tienes las rodillas, cielo? —vuelve a preguntar Eleanor.

—Pues ahí siguen, abuelita —dice Walker, balanceándose de puntillas, mordiéndose el labio inferior para contener la risa.

Ella le da un puñetazo en el pecho.

—No me llames abuelita. Todavía no soy abuela.

Allí se quedan, haciendo el amor, y Walker lo recordará siempre: el lavabo limpio, las paredes amarillentas, las huellas de manos, el camisón levantado, el portentoso y frenético vaivén de una polilla bajo la bombilla desnuda.

Nueve

OTRA VEZ ABAJO, EN TU SITIO

Se oye un arrastrar de pies, y Treefrog sabe que hay gente en la verja del túnel. Quizá unos críos que han venido a cazar ratas. O Elias y Angela haciendo otra vez el amor, enajenados por el éxtasis y el abatimiento. O Dean con un montón de chicos subidos a la cadera. Las voces llegan hasta él y alguien grita:

—Silencio, capullos.

Varias linternas iluminan el túnel.

Treefrog sale de la cama y se pone el abrigo, mete los pies en las botas. Apaga todas las velas. Perfecta oscuridad. Fuera en la pasarela se recoge el faldón del abrigo antes de sentarse con las piernas colgando. Ve la luz de las linternas sobre la nieve que cae por la rejilla del techo y oye una voz:

—Joder, esto es la rehostia.

Son ocho, algunos de paisano.

Van muy juntos. Llevan las pistoleras al descubierto. Las manos enguantadas sujetando las armas. Acercan la cara a la radio como si estuvieran contando secretos inmortales. Las linternas se mueven sin parar, enfocando al árbol muerto plantado bajo una rejilla, subiendo hasta los murales, y la misma voz entona de nuevo:

—Hay que joderse con una banqueta de bar, tíos, hasta se han plantado un árbol, hay que joderse.

—Jódete —masculla Treefrog—, jódete.

Los policías avanzan junto a la vía y Treefrog dice un poco más alto, pero procurando que no le oigan:

—*Oink, oink.*

Levanta las piernas y se cerciora de que está a cubierto y no se le ve. La última vez que bajaron los maderos habían asesinado a un hombre bajo la calle 103. Nadie lo conocía; murió con el pene erecto, con un collar de balas en el cuello. Lo encontró Dean y le puso de mote el Empalmado y los polis bajaron, corriendo a oscuras como en las películas mudas, apuntando a las sombras con la pistola. Los pusieron a todos contra la pared —«¡Venga, contra la pared, hijos de puta!»— y los cachearon para ver si llevaban armas. Nadie quería registrar el nido de Treefrog; les daba miedo trepar hasta allí. Al final trajeron una escalera. Uno de los polis le robó un mapa e intentó convencerlo para que se fuera a un centro de acogida. «¡Vives como un animal! ¡Deberías pedir ayuda, tío, vives como las putas ratas!» Pero Treefrog se quedó impasible con la melena sobre los ojos y luego empezó a reírse entre dientes. El poli le dio un bofetón con el dorso de la mano y le dijo que borrara esa risita de la cara si no quería acabar como el muerto.

«¿Cómo? ¿Empalmado?» —dijo Treefrog.

Y el poli dijo: «Cállate la boca, tío».

Estuvieron dos días en el túnel, pero nadie averiguó quién era el muerto, o por qué lo habían asesinado, o ni siquiera si se había asesinado él mismo.

Treefrog los ve llegar a la hilera de cubículos y pararse frente al de Elias y Angela. De dentro sale luz. Se despliegan hacia atrás de dos en dos, y algunos se arrodillan junto a la vía pistola en mano. «¡Policía! ¡Todos fuera! ¡Policía!» Treefrog se pregunta si Elias y Angela se estarán fumando una pipa. «¡Policía!»

Uno de los maderos se adelanta y da una patada en la puerta, y de repente Elias sale del cubículo con las manos sobre la cabeza, y Angela detrás, cerrándose el abrigo de piel sobre la camiseta térmica, y gritando:

—¡No hemos hecho nada, no hemos hecho nada!.

—Tranquilos —dice uno de los policías.

—¡No me toques! —grita Angela—. ¡No me toques, no me toques!

—¡Quietos!

—Dejadnos en paz, no tenemos droga.
—Señora, calle la puta boca, ¿vale?
—No tenemos nada. ¡Estábamos durmiendo!
—Eh, que alguien le cierre la boca a esa zorra, ¿vale?
—¿A quién llamas zorra, hijoputa? —dice Elias.
—Manda cojones —dice otro policía.
—¿Sabéis que es ilegal estar aquí abajo?
—Es que perdí la llave de la buhardilla.
—Qué gracioso.
—También me olvidé de pagar la hipoteca.
—Ya te dije que aquí abajo están todos majaras, ¿qué te dije? Te lo dije, ¿no? ¡Topos de mierda! Están todos locos.
—Vete a tomar por el culo —dice Elias—. Yo no soy un topo.
—¿Entonces por qué vives bajo tierra, topo?
—¡Ya vale! —grita uno de los policías.
—¿Conocéis a James Francis Bedford?
Silencio en el túnel. Treefrog observa a un poli que cruza la vía hasta el árbol muerto y mira al techo. La nieve cae en el círculo de luz que derrama la linterna, y el policía menea la cabeza asombrado.
—¿Habéis oído hablar de James Francis Bedford?
—¿Perdón?
—No me toques los cojones y contesta a lo que te pregunto, ¡hostia!
—Nunca he oído hablar de él.
Treefrog ve que Elias y Angela están de pie temblando de frío. Una linterna oscila y enfoca la cara de Dean, que se escabulle de su chabola. Se tapa los ojos con el brazo. Papa Love abre la cortina que cubre la puerta de su cubículo.
—¡Hombre, otro par de topos!
Papa Love permanece en silencio a la puerta de la chabola, con los tirabuzones grises sueltos sobre los hombros. Dean mira con chulería a los policías y se levanta las orejeras del gorro de caza.
—¿Conoces a James Francis Bedford? —dice uno de los polis.
—¿Quién?
—Léeme los labios. James. Francis. Bedford.
—Nunca oí ese nombre.

—Un tío blanco. Uno ochenta y cinco. Con una cicatriz en el pecho y un tatuaje aquí.

—¿Qué pasa con él? —dice Dean.

—Lo encontraron muerto ayer. Dicen que vivía aquí abajo.

—Mierda —dice Elias—. ¿Quién murió?

El poli enchufa la linterna a los ojos de Elias.

—Seiscientos voltios. La electricidad le entró justo por la coronilla. Salpicó un poco.

—Me cago en la leche —dice Dean—. Ése es Faraday.

—¿Quién es Faraday? —pregunta el policía.

—¿Qué pasa con Faraday? —dice Angela.

—James Francis Bedford —dice el policía.

—Me cago en la puta. Ése es Faraday. Lo llamaban así.

—¿Un tío blanco?

—Sí —dice Dean.

El policía levanta la mano en el aire.

—Como así de alto.

—Sí.

—Con un circuito tatuado aquí.

—¿Está muerto?

—Muertísimo, amigo.

—¡Han matado a Faraday! —grita Angela.

—Ni siquiera sabes quién es Faraday —dice Elias.

—¡Lo han matado, matado, matado! Empieza a sollozar sobre la manga del abrigo. ¡Me caía bien Faraday! ¡Me caía bien!

—¿Dónde vivía? —pregunta un policía.

—¿Por qué lo preguntas? —dice Elias.

—La familia quiere sus cosas.

—¿La familia?

—Sí, ya sabes, hermanos, hermanas, tías, tíos. Venga, dejaros de gilipolleces. ¡Eh tú! ¡Capullo! ¿Dónde vivía?

—Ahí.

Dean señala el cubículo de Faraday.

—¿Vivía en esa mierda de sitio?

—Ésa es su casa.

—Joder. ¿Y la taza del váter para qué es?

—Es el timbre.

—Manda cojones.

Uno de los policías fuerza la cerradura, y la puerta de la casa de Faraday se abre. Entran y salen con una caja llena de papeles.

—No hay más que libros —dice uno de los policías.

—¿Sabéis quién era James Francis Bedford?

—Era Faraday.

—Había sido poli.

—¿Faraday? ¿Poli?

—Era buena gente —dice el policía—. Pero tuvo un accidente. Perdió los nervios. Mató a una persona. Nunca se repuso. Su familia me pidió que viniera a por sus cosas. Buena gente, la familia de Bedford. Eran todos muy buena gente. Hasta Bedford era buena gente. Antes de bajar aquí.

Treefrog salta de la pasarela y camina sigilosamente por la grava del túnel hasta que un policía lo clava con un rayo de luz.

—¡Mierda, hay topos por todas partes!

Se reúnen frente al cubículo —Elias, Angela, Dean, Papa Love, Treefrog— y observan mientras los policías peinan la chabola de Faraday.

—¿Qué buscan?

—Y yo qué coño sé. A lo mejor una pistola.

—Hijos de puta —susurra Angela.

—Seguro que lo mataron ellos —dice Elias.

—¿Tú crees que Faraday era poli?

—Qué va.

—¿Crees que se cargó a alguien?

—Puede ser.

—¡Me debe veinte pavos! —dice Dean.

—Cállate, tío.

—¡Eh! —dice Dean a los policías—. ¡Dejad en paz la mierda de Faraday! ¡Me debe veinte pavos! ¡Dejad eso! ¡Es mío!

—Yo lo vi primero —murmura Angela—. A mí me despertaron antes. Yo me quedo con la mierda de Faraday.

—A que te doy una hostia, zorra —dice Dean.

—¡Elias! —grita ella—. ¡Elias!

Pero cuando se vuelve, comprueba que Elias no la escucha. Se ha calado la capucha de la sudadera, tiene el ceño fruncido y la cabeza ladeada. Se rasca la cabeza y dice en voz alta:

—¿Faraday? ¿Faraday tenía familia?
Más tarde se enteran de que Faraday había ido a pescar electricidad muy al sur, en el túnel de la Segunda Avenida. Fue a ayudar a alguien a interconectar un transformador, pero de camino encontró una caña de pescar en un contenedor del Bowery. Estaba colocado porque se había chutado heroína y quiso probar la caña. Agitándola en el aire, Faraday descendió por la alcantarilla de emergencia al túnel de la Segunda Avenida. Se puso al borde de la vía y jugó a pescar con la oscuridad, moviendo la caña sobre la cabeza, como si fuera un sueño. El pequeño anzuelo sujeto al sedal salió girando hacia las vías, luego volvió a subir y se bamboleó en el aire mientras Faraday lanzaba la caña de nuevo por encima del hombro. Sucedió en un instante: tropezó y cayó sobre la vía y su mano tocó el tercer raíl. La corriente lo succionó y su cuerpo se pegó longitudinalmente contra el metal, y la caña de pescar completó el circuito. Debieron de saltar miles de chispas azules del cadáver. Primero le hirvieron todos los fluidos del cuerpo, toda la sangre y el agua y el semen y el alcohol se redujeron a la nada. Seiscientos voltios de corriente directa le saltaron la tapa de los sesos. Los policías tuvieron que desconectar la corriente para arrancarlo del raíl. Metieron un trozo de cerebro en una bolsa de plástico azul y uno de los polis vomitó al verlo, mientras la gente del túnel los miraba en círculo, sin decir nada, aunque luego uno se escapó con la caña —Angela estaba segura de que había sido Puzzle— y dijo que los charcos que había debajo de los andenes estaban llenos de hermosas truchas arco iris, las mejores truchas arco iris de toda la ciudad.

Treefrog desata la cuerda de tender, coge una pajarita oscura y la golpea contra la pared para quitarle el polvo del túnel. El polvo se desliza por la luz de las velas y desciende perezoso, aterrizando en las arañas de cera que se han formado en la base de las velas. La pajarita resulta ser negra, con un estampado de ardillas rojas. No recuerda cómo se hace el nudo, así que simplemente ata una lazada bajo el cuello de una camisa de franela sucia. Intenta pasarse un peine por el pelo, pero lo tiene demasiado largo, enmarañado y retorcido. Se mete una camiseta de repuesto en el bolsillo del abrigo por si más tarde necesita usarla como pasamontañas. Del cajón de la mesilla de noche saca una muestra de loción de afeitado, que una vez robó de una droguería, y se pone un poquito en las mejillas. El olor le da náuseas. Completa su ciego ritual recorriendo el nido, lo toca todo con ambas manos y finalmente las posa en el velocímetro.

Mientras espera a los demás, Treefrog lanza la pelota contra el *Reloj Blando* para entrar en calor. Sólo le queda una pelota y tendrá que comprar otra si la pierde.

Cuando llegan Angela, Dean y Elias, se levanta la barba y les enseña la pajarita. Ellos se ríen de la pinta que tiene —¡señor Treefrog Rockefeller! —dice Angela—, así que se la pone en la frente y los cuatro salen juntos del túnel. Papa Love ha decidido no ir. Se cuelan por el hueco de la verja y, dejando huellas en la nieve, suben la empinada cuesta en dirección al parque. Angela chilla cuando la nieve le toca los pies. Elias y ella están con el subidón de lo que han fumado; Angela se ha embadurnado la boca de carmín y está llamativa y bastante guapa.

Treefrog tiene que subir la cuesta cuatro veces para conseguir un número par de pasos; y toca los troncos helados de los manzanos silvestres cada vez que pasa junto a ellos.

—Estás como una puta cabra —grita Angela.

Treefrog salta la valla y alcanza a los otros a la altura del parque infantil de la calle 97. Siente escalofríos al ver a una madre columpiando a un niño cuyos pies se balancean en el aire. Se sube las gafas de sol y dice adiós con la mano a Lenora.

Paran en la tienda del Ejército de Salvación que hay entre el West End y Broadway para que Angela se compre una bufanda. Sale con un par de calcetines escondidos bajo el abrigo de piel y dice:

—Estoy medio congelada.

Se pone los calcetines, los estira bien y vuelve a calzarse los zapatos con sus tacones torcidos.

En el metro de Brooklyn, Treefrog se sienta solo al fondo del vagón. Los demás permanecen de pie junto a la puerta, mirándose en el oscuro cristal. Treefrog se acurruca en el asiento del rincón, saca la Hohner y toca bajito.

En una cafetería de Brooklyn, bajo un anuncio luminoso de jamón york, el cocinero tiene tanta práctica cascando huevos que lo hace con los ojos cerrados. Treefrog asiente en señal de aprobación. El cocinero clava una uña larga en la cáscara y con suma facilidad vierte un huevo al lado del otro.

La yema no se rompe ni se derrama. Las manos y la espátula siguen apoyadas en la plancha caliente.

Treefrog, que aún lleva la pajarita en la frente, manosea un billete mientras observa al cocinero; consiguió la pasta en el funeral de Faraday. La misa ya había acabado, pero un diácono les dijo dónde era el entierro. Caminaron un poco hasta el cementerio. El padre del muerto los vio llegar en mitad de la ceremonia. Se acercó a ellos, apoyándose en un bastón, les ofreció diez dólares a cada uno y les pidió por favor que se mantuvieran alejados. Como si le fuera la vida en ello. Detrás de él, junto a la tumba, el resto de la familia observaba. Había una mujer —debía de ser la madre de Faraday— que no paraba de secarse los ojos con un gran pañuelo negro. Dean exigió veinte dólares por cabeza, y el padre de Faraday le echó una mirada larga y triste. Dean se encogió de hombros. El padre de Faraday metió la mano en el bolsillo y sacó un sobre con un fajo de billetes que traía para pagar al cura. El viejo se quitó un guante y, con manos trémulas, repartió los billetes de veinte dólares.

Cuando llegó a Treefrog sólo le quedaba un billete de diez y otro de cinco, pero Treefrog dijo: «Está bien así, señor Bedford».

El padre de Faraday lo miró y por un instante se le iluminaron los ojos, pero luego dijo: «No se acerquen a la tumba, ¿de acuerdo?».

Dio media vuelta y se alejó como si le hubieran quitado un peso de encima.

Los otros cuatro siguieron el resto de la ceremonia desde una lápida apartada.

—Ahí va Faraday —dijo Elias cuando bajaron el ataúd.

—No se llama Faraday —dijo Angela.

—Para mí es Faraday.

—¡Tendría que haberme dado cuarenta pavos! —dijo Dean—. ¡Me debía veinte! ¡El muy hijoputa no pagaba nunca!

—Tío, mira qué ataúd —susurró Angela—. Con asas doradas. Joder. Cómo se lo monta.

—Se lo montaba —rió Elias.

—Seguro que era rico —dijo Dean.

—Rico o no, está muerto —dijo Treefrog.

Gira un poco la banqueta junto a la barra y ahora siente el calor del dinero en las manos.

Mientras observa al cocinero, Treefrog se lleva los billetes a la nariz y los huele. Luego dobla el de diez dólares hasta dejarlo diminuto. Registra todos los bolsillos del abrigo en busca de un escondite. El forro rojo está lleno de agujeros, pero encuentra un buen sitio para el billete y lo sujeta con tres alfileres para no perderlo. Ríe entre dientes al ver que el alfiler le atraviesa el ojo a un presidente muerto.

El cocinero lanza al aire los huevos, que dan una voltereta y aterrizan en un bollo. Coloca dos lonchas de bacon sobre los huevos y le guiña el ojo a Treefrog.

Puede que le dé una propinilla al cocinero, por el espectáculo. Hace años que no da propinas, pero de pronto se siente enorme y magnánimo. Cuando el plato se posa en la barra, Treefrog se quita la pajarita, se la guarda en el bolsillo, gira el plato dos veces, se chupa todos los dedos y se entretiene contemplando la comida como un enamorado.

La luna parece una uña en el cielo y la nevada ha amainado un poco. Treefrog se mete por la verja como con calzador y trepa hasta su nido cargado con dos botellas.

En el abrigo trae una pila de ramas y astillas; de camino a casa encontró la madera bajo el paso elevado; seguramente el alijo era de algún colgado que vivía bajo el puente de la calle 96. Habían envuelto la madera en una manta para protegerla de la humedad. Parece mentira las estupideces que hacen los de arriba: algunos se calientan al vapor de las rejillas y las ráfagas de viento caliente les cuecen la parte inferior del cuerpo mientras la otra mitad se les congela, siempre están vuelta y vuelta, como tostadas absurdas.

Con su navaja suiza, Treefrog corta parte de la madera, monta un diminuto cobertizo de palos y rompe un periódico en tiras. Se pone en cuclillas sobre la pequeña hoguera, con el abrigo levantado y el culo justo encima de las llamas.

Se queda agachado hasta que el calor le entra en el cuerpo, y entonces añade palos más gordos y una bolsa de plástico negro para avivar el fuego. Mientras las llamas saltan, se acerca a la cama y se acuesta con los brazos bajo la cabeza, como un adolescente aburrido. El humo sale flotando por el túnel y escapa por la rejilla del lado opuesto.

Da una patada al borde de la manta y unas cagadas de rata saltan por los aires. Llama a *Castor* con un silbido —«Ven aquí, bonito, ven aquí, bonito»— pero el gato no viene.

Abre la primera botella de ginebra, mete dentro una paja sucia e introduce la mano bajo los vaqueros y los marianos, se la coloca en la ingle para atrapar el calor.

Cuando se acaba la primera botella levanta la vista y mira al vacío. El túnel está en silencio. Saca la armónica del bolsillo, pero está fría y no quiere calentarla. El tren del norte cruza el túnel con estrépito; Treefrog se siente borracho y se levanta al oír que alguien silba a lo lejos. Mira por el túnel y ve a Papa Love saliendo de la chabola.

Treefrog se asoma a la pasarela para ver mejor.

Papa Love, de mediana edad y con pelo de rastafari, está envuelto en ropa, sólo se le ven la cara y los dedos, pero se mueve con soltura. Echa leña a la hoguera que hay a la puerta de la chabola y con cuidado va colocando diversos aerosoles de pintura sobre unas viejas sillas de mimbre. Con movimientos gráciles y lentos, Papa Love alinea las latas de pintura una por una y bate los brazos para entrar en calor. En una de las paredes de la chabola, sobre las tablas, pone: NO HAY UN YO POR DESCUBRIR, SÓLO UN YO POR CREAR. Debajo hay un collage de rayas amarillas y una bandera confederada con los colores de la libertad de África.

Papa Love casi nunca sube arriba, excepto cuando necesita comida o pintura. El viejo artista sigue teniendo una cuenta en un banco de cuando era profesor de dibujo en el instituto; bajó a los túneles por primera vez después de que a su amante le pegaran un tiro sin más unos tíos que iban puestos de anfetaminas. Lo llevaron a un hospital de Manhattan, pero la línea roja de la máquina del corazón pitó y se detuvo. Papa Love había visto morir a muchos hombres en Vietnam, pero no pudo resistir que su amante se fuera de aquella forma. Tras su muerte se dedicó a caminar por toda la ciudad, dormía en el portal de una iglesia, y entonces un verano decidió enganchar su corazón a una caja de cartón. Encontró el cartón a la puerta de un edificio de Riverside Drive, y descendió a los túneles con él bajo el brazo, y se enganchó la aorta a un lado y la arteria pulmonar al otro, y las juntó con cuidado, y amarró todas sus venas hacia abajo, y amarró todas sus arterias en dirección contraria, y las entretejió con un músculo del corazón y sintió que su sangre explotaba y se espatarró sobre el cartón marrón y contempló el túnel oscuro y vio una rata corriendo por la vía, y se rió de pena y pensó: tengo el corazón enganchado a una caja de cartón.

Aquél fue el primer cuadro de Papa Love, un autorretrato de su corazón enganchado a una caja de cartón, y la gente pensó que era un símbolo de amor y le puso ese mote, y él nunca los sacó de su error.

Una vez, hace años, un galerista cruzó el túnel y despertó a Papa Love para proponerle que pintara algo arriba. Papa Love había hecho otro autorretrato: una cafetera, el lento goteo de la carne oscura. El galerista quería que lo reprodujera en lienzo. Papa Love se negó y el galerista salió del túnel corriendo, con sudor en la frente a pesar del frío, tan asustado que las piernas casi volaban bajo su cuerpo. Dean pasó a su lado y le birló la cartera. Fue la única vez que vieron enfadarse a Papa Love. Estrelló la cabeza rubia de Dean contra la pared y subió corriendo arriba con la cartera del galerista. Cuando volvió al túnel jadeaba, llamaba a gritos a Dean, pero Dean había huido. Para vengarse, Papa Love pintó un retrato de Dean bajo la 86, en una zona iluminada por las rejillas, como una iglesia, y escribió la palabra PEDÓFILO en letras gigantescas, aunque ese mismo día se arrepintió, borró las letras y dejó el cuadro, y Dean lo tomó como un cumplido, su retrato en la pared de un túnel.

Desde lejos, a la luz del fuego que alumbra la chabola de

Papa Love, Treefrog ve que, justo enfrente de ella, hay una enorme zona de muro imprimada con pintura blanca y con un rectángulo perfecto delineado en negro.

Papa Love se acerca a la pared y coloca cuatro cajas, una encima de otra, a modo de escalera. Se cubre la boca y la nariz con un pañuelo rojo para no aspirar los vapores de pintura. Las viejas gafas abolladas que lleva sobre el pañuelo le dan un aspecto cómico. Se sube a las cajas y agita un aerosol. Treefrog oye la canica metálica que bota dentro. Papa Love estira los brazos y, con repentina violencia, se abalanza contra la pared, describiendo un arco gigante.

Por el borde del pañuelo sale bruma cuando Papa Love se apea de las cajas, que se desploman como un castillo de naipes; el cuerpo del artista viaja por la oscuridad como sobre un alambre y, mientras tanto, la pintura golpea la pared en un gran barrido semicircular y entonces, casi con idéntica rapidez, Papa Love se planta junto al fuego de campamento, frotándose las rodillas para calmar el dolor de la caída contra el suelo del túnel.

Da un paso atrás, contempla el muro, asiente y amontona las cajas de nuevo. Vuelve a subir a la curiosa escalera, se inclina hacia la pared y, con otro arco perfecto, rocía el semicírculo por segunda vez. Su pelo gris se agita en el aire. La pintura cubre cada centímetro de la primera capa. Papa Love aterriza junto a la hoguera y se frota las manos vigorosamente para combatir el frío. Extiende las cajas, separa los pies —parece el fantasma de Nathan Walker; parece estar cavando—, coge otra lata de pintura y dibuja dos lunas bajo el semicírculo. Cada vez que desciende se calienta los dedos al fuego.

Treefrog se apea de la pasarela y avanza por el túnel; permanece en la sombra, observando.

Papa Love se inclina y pinta un tubo largo y recto saliendo del semicírculo, un tubo estriado. El centro del mural está rociado de amarillo y matizado en los bordes con una nube de rojo. Papa Love trabaja frenéticamente, y las latas caen a su alrededor, esparcidas por el suelo. Cada pocos minutos se detiene para inflamarse las manos con el calor de la hoguera, luego sube, rellena la pared con colores y después vuelve al centro y traza varias líneas desde la parte superior del círculo.

En el túnel, el retrato mural crece hasta convertirse en una bombilla gigantesca, de tres metros de altura. Junto al fuego, Papa Love manipula con la navaja la boquilla de un aerosol. En la parte superior de la bombilla dibuja dos líneas difuminadas, y debajo, un par de óvalos azules. Treefrog se da cuenta de que el viejo artista ha pintado unos ojos dentro de la bombilla.

Con un pincel, traza circuitos en las pupilas. Subido a una sola caja pinta una larga tira bajo los ojos, a modo de nariz, y luego la boca curvada en una media sonrisa. En la parte inferior de la bombilla dibuja una barbita.

Papa Love da un paso atrás y admira su obra, con las manos en los bolsillos del peto.

—Hola —dice Treefrog aproximándose.

—¿Fuisteis al funeral?

—Sí, y nos pagaron. El padre de Faraday me dio quince pavos para que no me acercara. A los demás les dio veinte.

—Vaya gilipollez.

—Es la primera vez que me pagan por ir a un funeral.

—Ya estoy viejo para funerales —dice Papa Love.

Treefrog señala el mural.

—Es Faraday, ¿verdad?

—Puede que sí. Aún no está acabado.

—Tiene buena cara.

—En el fondo era mi hermano —dice Papa Love.

Treefrog remueve la grava con los pies.

—Todos llevamos una tumba dentro. —Y entonces se arrepiente de lo que ha dicho y masculla—: ¿Crees que alguna vez parará de nevar?

Papa Love se encoge de hombros.

—¿Crees que Faraday lo hizo adrede? —pregunta Treefrog.

—Lo dudo. Pero por lo menos seguro que se fue como le habría gustado. Quiero decir, seguramente eso era lo que quería.

—Eh —dice Treefrog—. Si tuvieras que pintarme a mí, ¿cómo lo harías?

—Yo sólo dibujo muertos, tío.

—Te dibujaste a ti mismo. Y a Dean.

—Muertos y los que me gustaría ver muertos.

—Ah. —Treefrog hace una larga pausa—. Oye, y Miriam Makeba ¿qué?

—También me gustaría verla muerta —dice Papa Love.

—Y eso ¿por qué?

—Para que pudiera bajarse aquí conmigo.

Treefrog ríe.

Papa Love se vuelve hacia el mural.

—¿Te gusta? —pregunta.

—Sí, tío, claro que me gusta. El viejo Faraday, tío. Qué mierda que se haya ido.

—Un hermano de sangre.

Papa Love agita otra lata de pintura.

—¿Has visto ya a la chica, a Angela? —pregunta Treefrog.

—Sí —dice Papa Love—. La tía que vive con Elias.

—Deberías pintarla, tío.

—La última vez que la vi me pareció que respiraba bastante bien.

—Sí, pero aun así deberías pintarla —dice Treefrog.

Le da una palmada en el hombro a Papa Love y el viejo se pone a trabajar en la barbilla de Faraday.

Treefrog escribe en su cuaderno: *Otra vez abajo, en tu sitio. Otra vez abajo, en tu sitio.* Cada letra es como un reflejo perfecto de la anterior, su escritura es diminuta, apretada, inclinada. Podría hacer un mapa de esas palabras, empezando por la O y acabando por la *o* —donde todo el comienzo comienza y termina—, y formarían la más extraña de las topografías sobre la tierra y bajo la tierra. Y luego escribe: *Angela*. Dos *aes*, una en cada extremo. Está bien eso. Un buen nombre. Precioso. Y termina con un elaborado trazo de lápiz, un alerón.

Diez

1955-64

Un impresionante Buick azul con un alerón exagerado se pasea por el barrio. El conductor tiene medio brazo fuera de la ventanilla y una botella de whisky entre las piernas. Lleva gafas de sol y una camisa estampada de naipes, abierta a la altura de la jota de tréboles, y en el bosillo un paquete de marihuana.

Hoofer McAuliffe maneja el volante con las rodillas, tamborilea con una mano en el salpicadero y con los dedos de la otra en la parte exterior de la puerta. Mientras conduce saca la cabeza por la ventanilla para mirar sus flamantes neumáticos los ve girar medio hipnotizado. Aparta la mano del salpicadero, coge la botella y da un trago largo y profundo. El whisky le cae por la barbilla, se le derrama por la piel sin afeitar. El coche viaja despacio, a cuarenta kilómetros por hora.

En la última esquina de la calle, unos chicos juegan con la boca de incendios. El agua chorrea por la calzada. Los chicos ríen y duchan a todos los vehículos que pasan, y uno de ellos señala el coche de McAuliffe. Encantados con la idea, los demás críos se dan puñetazos que resbalan sobre sus hombros mojados.

McAuliffe mete el brazo dentro del coche y, al subir la ventanilla a toda prisa, se le cae al suelo la botella de whisky. Suelta un taco y se inclina para recogerla. Da un volantazo y se coloca tres carriles más allá, lejos de los chicos. Detrás de él atruena el claxon de un taxi a cuadros. Hoofer McAuliffe se endereza en el asiento, concentrado. Un ciclista —que avanza por el tráfico como un salmón— tuerce para evitar al Buick.

McAuliffe pisa a fondo el freno, pero al otro lado de la calle los chicos dirigen el agua hacia él, el surtidor gigante describe un arco en el aire y McAuliffe vuelve a acelerar.

El semáforo está en rojo, y el acelerador se hunde más y más, y el motor gime.

No ve a la mujer que cruza el paso de peatones cargando con grandes bolsas de ropa recién lavada. Ella mira hacia atrás y se ríe entre dientes al ver a los chicos que ungen la calle con agua. De pronto oye un grito «*¡Cuidaaoooo señooraaa!*», y se vuelve, pero ya es demasiado tarde. El Buick le embiste la cadera y la lanza por los aires; ella vuela, da saltos mortales, del bolsillo de su vestido caen horquillas, su cuerpo delgado se estrella contra el parabrisas, formando una telaraña de cristal, rueda hasta el techo del coche, abolla el metal, su vestido verde se infla, en la calle sólo se oye el murmullo del agua y el frenazo de los neumáticos. La bolsa de ropa —pañales y ropa de bebé— queda prendida del morro del coche. La mujer sale despedida hacia atrás y su brazo estirado golpea el precioso alerón.

Pasa volando por encima del coche y el impacto contra el pavimento es tan fuerte que más tarde los transeúntes sólo recuerdan el golpe sordo de su cabeza contra el cemento y la visión de una horquilla empapada en sangre, de otras horquillas esparcidas por la calle.

El Buick se estrella contra un buzón de correos —clavando en él la bolsa de ropa— y sale disparado; luego se detiene atravesado entre dos carriles.

Hoofer McAuliffe sale del coche, se arranca los botones de la camisa y los naipes estampados se le escurren hasta la cadera. Corretea de acá para allá entre el coche y la mujer, aporreándose la cabeza. Al otro lado de la calle alguien cierra la boca de riego con una llave inglesa. McAuliffe se lamenta cada vez más alto y se desploma ante el coche, de rodillas, palpando los abollones del capó del Buick.

Quince minutos después Clarence llega a casa corriendo, y grita:

—¡A mamá la ha atropellado un coche!

Walker se levanta a toda prisa, golpea el tocadiscos con la pierna y otro rayón se abre camino por el vinilo y la aguja sigue saltando, saltando, saltando mientras padre e hijo corren hacia la puerta. Walker baja la escalera apoyado en el hombro de Clarence.

En la esquina, Hoofer McAuliffe pasa los dedos por la abolladura del coche y le dice a Walker:

—¡No fue culpa mía! ¡El semáforo estaba verde! ¡Se me puso delante! ¡Mira! —Y señala la impronta del cuerpo en el capó; luego baja la voz y murmura—: La muy zorra se me puso delante.

La multitud guarda silencio; Walker se arrodilla en el suelo y toma entre sus manos la cabeza de Eleanor. La forma en que el cabello de Eleanor lo rozaba en momentos placenteros, como cuando leían juntos una carta y ella ladeaba la cabeza, pasándole por la cara los rebeldes mechones rojos. O cuando cerraba la cortina mientras los niños dormían y se colaba en la cama de matrimonio, a su lado, con la mata de pelo sobre la almohada. O en la bicicleta, de solteros, cuando cogía sus largas trenzas rojas y, sin bajarse, se las ponía de bigote y decía en broma: «¡Así serán nuestros hijos!». Al lavarse la cabeza dejaba el lavabo lleno de pelos y, como Walker se estaba quedando calvo, ella los cogía y se los colocaba en la frente, muerta de risa. Cuando peinaba a Deirdre y a Maxine, pero sin alisarles las ondas ni los rizos. Siempre les decía a sus hijas que debían estar orgullosas de tener rizos. Una vez él estampó en la pared un tarro de mermelada porque ella volvió de la peluquería con el pelo muy corto. Dieciocho meses después los bucles habían crecido de nuevo. Y en otra ocasión él fregó el suelo y, cuando ella llegó a casa, se quedó atónita, se dobló en dos y recorrió la habitación como un cangrejo, arrastrando el cabello por el suelo limpio, diciendo a cada instante que confiaba en él. «¡Mira!» —dijo entre risitas al llegar al otro lado de la habitación—. ¡No tengo ni pizca de suciedad en el pelo! ¡En mi vida he conocido a nadie que friegue tan bien!»

Walker se quita la camisa y se la pone de almohada a su mujer; luego se levanta y lentamente se acerca al Buick. Con el rostro bañado en lágrimas, aporrea el capó hasta dejarlo como un colador, lleno de bultos y abollones.

Esa misma tarde, en la calle, Hoofer McAuliffe enseña tan

tranquilo los desperfectos de su automóvil. Ya han recogido del suelo la ropa y los pañales que Eleanor había lavado para su nieto.

Clarence arranca la hoja metálica de la pala y la deja junto a la puerta con una nota.

> Seguramente desapareceré una temporada, papá. Por favor cuida de Louisa y del niño. Estaré donde me contaste que ibas cuando eras joven. No se lo digas a nadie. Volveré en cuanto escampe.

Clarence se guarda el mango de madera bajo el abrigo, coge su maleta de cartón, baja las escaleras de dos en dos, se funde con la oscuridad de las cuatro de la mañana mientras la lluvia cae amarilla a la luz de las farolas de Harlem.

Siente en sus manos el tacto de la madera y la forma en que aplasta el cráneo, como cuando se abre un melón de un solo golpe. McAuliffe se desploma contra el parachoques delantero del Buick. Clarence golpea de nuevo con el mango de la pala. Un chorro de sangre le salpica el parche. Le dice al cadáver:

—Uno no se acuerda de que tiene sangre en las venas hasta que sangra, hijo de puta.

Sale corriendo a toda velocidad pero, al doblar una esquina, suena un silbato y un porrazo le hace caer. Clarence nota que la adrenalina lo invade, enorme e imparable, y entonces se levanta del suelo blandiendo el mango de la pala. Con una fuerza poderosa arremete contra la mandíbula del policía blanco.

Hoofer McAuliffe y el policía blanco, en su repentino silencio, lo miran con ojos incrédulos, como si trataran de escuchar el latido de sus corazones muertos.

Clarence se mece entre los vagones de un tren con destino al sur. La adrenalina sigue llenando su corazón de veintitrés años. Agradece el frescor del viento: hace un calor insoportable en la cola del tren. Se agarra a los dos vagones con sus brazos fuertes y fibrosos, dejándose llevar por el vaivén. Baja la vista y ve que tiene los zapatos manchados de sangre; escupe en ellos y los frota contra la parte de atrás de los pantalones.

Ya es por la mañana y el mundo empieza a recalentarse cuando el tren sale disparado de un túnel y se confunde con el gris y el verde de New Jersey: dos chicos pelean encima de un montón de carbón; junto a los pastizales se ven coches abandonados en bloques de hormigón; hay almacenes; la aguja de una iglesia se eleva a lo lejos.

El revisor coge su billete.

—¿Georgia? —pregunta.

Clarence no contesta.

—Tienes que hacer transbordo en Washington.

Clarence mira fijamente la insignia del ferroviario.

—Eh —dice el revisor, mirándole a la cara—. La frase «Sí, señor» ¿te suena?

No hay respuesta.

—Eh, negro de mierda, te estoy hablando.

Se inclina hacia Clarence en silencio.

—Sois todos unos hijoputas de mierda. ¿Me oyes? Eres un hijoputa y un chulo de mierda. ¿Entiendes?

Agotado, el muchacho contesta:

—Sí señor.

En cuanto se va el revisor, Clarence apoya la cara en el fresco metal del vagón. Podría caerse en ese mismo instante, aterrizar en la vía y quedarse allí, como una culebra, esperando a que su cuerpo se segmentara, dejando que las ruedas lo trituraran, que su cabeza viajara kilómetro y medio más que sus pies, que su corazón se partiera en dos trozos bombeantes, que sus dedos se esparcieran a los cuatro vientos.

Al contemplar la grava que gira a sus pies, Clarence se imagina a su madre volviendo de la lavandería, como tenía que ser. La ve sentada en el sofá con su nieto, haciéndole cosquillas en el ombligo. Luego se dirige a la cocina, levanta el cubreteteras y se sirve una taza de té. Echa el azucarillo y revuelve con la cuchara y dice: «Ahhhh, ésta es la medicina que yo necesito». Cruza la habitación con la taza humeante y se sienta en el borde de la silla y, oliendo a hojas de té, se inclina sobre su nieto y dice: «Eres la cosa más bonita que he visto en mi vida».

Clarence deja que la visión se aleje con los kilómetros: elevadores de espigas, humo saliendo de los estercoleros, granjas encaladas.

Al día siguiente llega a Atlanta, a la estación de Brookwood, y vaga por las calles, más allá de Peachtree Street. La ciudad es un rompecabezas de autopistas y pasos elevados. Sin energías, avanza a trompicones, chapoteando lánguidamente por los charcos. En las afueras de la ciudad, una nueva rampa de cemento se alza en el aire vacío. Hay hombres trabajando en ella, colgando, sujetos con cuerdas. Contempla sus cabriolas bajo la lluvia, y luego levanta la vista: el sol asoma por entre dolorosas nubes.

Por la tarde entra en una lavandería de Hunter Street y el encargado negro le deja esperar en el aseo medio desnudo hasta que está lista su ropa. En el suelo hay un periódico. Lo recoge. Los titulares dicen que en Greenwood, Misisipí, han linchado a un chico de catorce años por silbarle a una mujer blanca. Puede que el chico silbara y puede que no. Puede que su cuerpo siga silbando. Puede que silbe eternamente. El rostro del muchacho lo mira desde el periódico y a Clarence le tiemblan las manos.

Al cabo de una hora, el encargado de la lavandería le entrega la ropa por la puerta entornada. Clarence ve que la sangre ha dejado unas manchitas cobrizas en el peto. Se viste y durante un buen rato se observa con cuidado en un espejo rajado, luego camina hasta una barbería con un alegre poste rojiblanco girando a la puerta. Se rapa el pelo al cero y el barbero negro le dice:

—Ya estás, amigo, como nuevo.

Clarence se mira en el espejo del barbero.

—Aféiteme —dice.

El barbero le rodea el cuello con una toalla húmeda y caliente y le enjabona. Clarence nota el frío de la navaja en la garganta. Se imagina que se le clava en el cuello, cada vez más hondo, hasta los tendones y las venas y más aún; cuando tenga las venas bien abiertas, su hijo nadará por su corriente sanguínea y llegará a la ingle, al cerebro, al corazón.

La toalla se enfría mientras la navaja avanza.

—Mejor que nuevo —dice el barbero, limpiando el filo en el bolsillo del delantal. Clarence le da una propina y sigue vagando; se mira en los escaparates y ve a una persona que no quiere ser.

Esa misma semana, en la oficina de correos de Forsyth Street, busca su cara entre las fotos de delincuentes, pero sólo ve los ojos de otros hombres, todos oscuros y lúgubres, que aguardan la muerte. Recorre las calles de Atlanta llorando.

Cuatro policías están de pie en la habitación de Walker mientras él permanece sentado con la mano de Louisa entre las suyas. Louisa tiembla. Sostiene a su bebé muy alto para taparse el vestido manchado de leche. Maxine y Deirdre sollozan acostadas en la cama.

—Entonces —dice uno de los policías—, ¿adónde cree usted que habrá ido?

—Ni idea.

—No llegará muy lejos con un ojo malo. Por ahí no hay demasiados hombres con un parche en el ojo. ¿Me escucha, Walker?

—Llámeme señor Walker.

—¿Donde está su hijo?

Walker mira al techo y recuerda cuando era joven y pasaba en canoa bajo los cipreses que apenas dejaban entrar la luz del verano, y alargaba la mano para coger musgo, y el remo nudoso formaba ondas alargadas; recuerda sus movimientos silenciosos, con tranquila determinación, un leve giro de muñeca al final de cada palada para enderezar la canoa, el remo que apenas salpicaba, cómo se agachaba para repetir la tarea y lo fácil que era desprender el musgo tirando de él, y los sonidos del Okefenokee a su alrededor.

El policía se inclina y mira fijamente a Walker.

—Tiene que decirnos dónde cree que ha ido su hijo. Está de mierda hasta el cuello.

—¿Ah, sí?

—Nosotros podemos ayudarle.

—Seguro que sí.

—Se la está buscando, viejo.

Walker se ve doblando una esquina, sujetando una tea flameante, contemplando una enorme bandada blanca en el aire nocturno y un centinela solitario al borde del pantano, inmóvil.

—Si se entera será mejor que nos lo diga. Es por su bien.

—Seguro que sí —dice Walker.

—No se haga el listo conmigo, viejo.

Un silencio envenenado llena la habitación.

—¿Dónde coño está?

—Probablemente trate de llegar a California. Siempre hablaba de California. ¿A que sí, Louisa?

—Sí —dice ella.

—De un pueblo que se llama Mendicino, creo. Siempre hablaba de Mendicino. No sé qué es lo que le gustaba de allí, pero siempre estaba que si Mendicino esto que si Mendicino lo otro. El sol y las olas. El sol y las olas le apetecían.

—Quería ponerse moreno, ¿eh?

—Me parece a mí que no le hace falta ponerse moreno.

—¿California?

—Seguro que está allí.

El policía se acerca a la puerta.

—Sé que miente.

—No le haga daño, —dice Walker—. Si le hace daño se lo haré yo a usted. Se lo prometo.

—Creo que me está amenazando.

—No le haga daño —dice otra vez Walker—. Por favor, no le haga daño.

Tres semanas después de la visita de la policía, Walker le pide cincuenta dólares a *Ruibarbo* Vannucci y se va en tren a Atlanta: han cogido a Clarence.

Walker encorva su enorme cuerpo bajo el calor, bebe de una fuente en la que pone «negros». La ciudad está llena de árboles en flor. Los estorninos cantan febriles en las ramas más altas. Mujeres con sombreros de colores pastel se protegen la cara del humo de los coches. Justo al salir de la estación, ve a un niño limpiabotas que levanta la vista y le sonríe. Walker se esfuerza por recordar dónde ha visto al chaval, pero no puede.

Camina con los hombros firmes; no quiere telegrafiar su pena.

Los mosquitos parecen congregarse para rezar en la ventana de la habitación del hotel. Hace un calor insoportable y Walker abre la ventana. Lo rodea un enjambre de insectos. Mata con la mano unos cuantos mosquitos y se le manchan los dedos de sangre. Le sale una roncha debajo del ojo. Está de pie junto a la ventana, se le nubla la vista: le parece que los árboles cambian de forma y el letrero de un bar se vuelve borroso. Sale del hotel, cruza la calle y entra en el bar, pide un whisky. Desde el escenario una cantante de jazz lo mira seductora, pasándose la lengua rosada por los labios con lascivia. De pronto Walker se acuerda del limpiabotas de la estación y comprende que se ha visto a sí mismo de joven. Se cubre la cara con las manos, vuelca el whisky, se hunde en la noche.

Cruza la calle dando tumbos, mata una polilla de una palmada y se sacude los restos de las manos, pero le queda un hilillo de antena y lo sopla, recordando otra polilla en otra habitación, meses atrás.

Por la mañana se despierta con el canto de los pájaros y se acerca al depósito de cadáveres. Ni siquiera los empleados de la funeraria logran enmascarar la paliza que recibió Clarence: tiene la mandíbula dislocada, los pómulos hinchados y azules por las contusiones, un parche nuevo le cubre una profunda herida en el ojo. La policía dice que la causa de la muerte fue un tiro que le dispararon cuando huía por un desguace a las afueras de la ciudad. Dicen que Clarence atracó una licorería a punta de navaja y corrió al patio para ponerse a cubierto, resbaló junto a unos bidones de aceite y el disparo le alcanzó. Encontraron la navaja en la escena del crimen y Clarence llevaba mucho dinero encima.

—Eso es lo que les pasa a los que asesinan policías —dicen.

Walker clava la vista en los acusadores de su hijo.

—¿Sabes una cosa? —dice uno de ellos—. Hasta en mi árbol genealógico hay uno de los tuyos. —Se hurga los dientes con un palillo—. Colgado justo de la rama más alta.

Las lágrimas le nublan la vista. Se las traga, se muerde el labio.

De regreso al hotel se desploma sobre las sábanas sucias, deja que los mosquitos vespertinos zumben a su alrededor. Ni siquiera se inmuta cuando le pican. Piensa por un momento en volver a visitar el Okefenokee de su infancia pero decide no hacerlo. Cuando se sube al tren de Nueva York tiene la cara hinchada, llena de ronchas rojas. El revisor lo mete a empujones en el vagón de cola. Al otro lado de la ventanilla fluye el paisaje de América.

Un pálido día de semana entierra a Clarence al lado de Eleanor, en un cementerio del Bronx. Louisa y sus hijas están detrás de él.

Walker se arrodilla junto a la lápida pero no reza. Ahora las oraciones le parecen fláccidas, súplicas inútiles que ascienden hasta la garganta de los hombres para volver a caer en el estómago. Una regurgitación espiritual. No presta atención a los enterradores, que permanecen en pie, gordos y complacientes, junto al agujero recién cavado. Walker coge una pala y echa el primer terrón sobre el ataúd de su hijo. Da un paso atrás y abraza a sus hijas, y juntos caminan hasta el coche que está esperando.

Ha alquilado el coche para que lleve a su familia a casa. Las chicas montan pero Walker decide ir solo. Varios pájaros grises e insignificantes lo escoltan por todo el Bronx y por el puente hasta llegar a su calle de Harlem —una caminata de cinco horas—, donde decide que enganchará su cuerpo al sofá, con el codo en el brazo del sillón, y así pasará los años que le queden de vida. Hasta la idea de vengarse le resulta hueca.

Walker no aparta la vista del techo; su cuerpo es una oscura habitación llena de nada, vacía, vacua. Reconoce que el dolor es necesario: si el dolor se apaga también desaparecerán los recuerdos. Mantiene vivo su dolor por los recuerdos, evoca los movimientos de Eleanor, ensayándolos mentalmente. Le da vueltas la cabeza al revivir su gimnasia de amor. Pequeñas descargas de felicidad rememorada. Walker amalgama la belleza de su vida juntos, la sopesa con los dedos. Revive hasta los instantes más normales pasados en torno a una taza de té. Hace lo mismo con el recuerdo de Clarence, luego los combina: su esposa y su hijo están juntos, de pie ante el piano, y Walker con ellos.

—Eleanor —susurra—, qué guapa estás.

—Eh, Clar, tráele a tu madre el cepillo del pelo.

—Nunca te había visto tan guapa, cielo.

—Gracias, hijo —dice Walker, alargando la mano para coger un cepillo inexistente—. Déjanos un momento solos a tu madre y a mí.

Y, tras una pausa:

—Crece que da gusto, ¿verdad, Ely?

Los días transcurren en medio de un letargo atroz. Hasta la luz se apaga despacio. El futuro parece pospuesto por un presente eterno. Walker le coge terror al tiempo. Vuelve la esfera del reloj contra la pared. El único día que reconoce es el domingo, porque ve por la ventana a la gente que va a la iglesia. Le molestan sus dientes blancos, su alegría, la cómoda sensación de la Biblia bajo el brazo. El gospel parece elevarse ya dentro de ellos mientras caminan, por su forma de mover la punta de los pies. Irán todos a la iglesia y alzarán la voz a un cielo inútil. Un canto unificado de autoengaño. Dios sólo existe si hay felicidad, piensa, o por lo menos una promesa de felicidad.

Walker vuelve el lomo de la Biblia contra la pared, lo tapia con otros libros, no vuelve a leerla. Que vayan a sus ridículas iglesias. Que canten al techo. A mí no me encontrarán rogando a Jesús. Para mí todo eso se ha acabado.

Ni se acerca al tocadiscos, sólo se hunde entre los pliegues del sofá. Junto a él la escupidera se llena y se vuelve marrón por el tabaco de mascar. Una mañana escupe un diente cariado, y no le importa lo más mínimo. Rechaza los platos de comida. Louisa y sus hijas le traen tazas de té que deja enfriar sin tocarlas. La ventana está cerrada a los sonidos de la calle. Walker murmura invectivas para sí. Con el paso de las semanas está cada vez más débil y demacrado; le salen unas bolsas enormes bajo los ojos. La escupidera se desborda y mancha el brazo del sofá. Cuando el predicador aparece en la puerta lo echa, y les pide a sus hijas que, si *Ruibarbo* Vannucci viene a visitarlo, le digan que no está.

Apenas mira a su nieto, que está en la cuna; el niño no es más que un insignificante borrón de carne.

Por la noche, Louisa intenta llevarlo al baño para que se lave, pero Walker es un peso muerto y lo deja por imposible. Él se alegra de volver al sofá.

—Me echaré aquí —dice.

Podría dejar que su cuerpo se fundiera con los cojines y quedara allí olvidado, como una moneda más.

Podría coger las partes podridas de sí mismo y tirárselas por la ventana al fantasma de Clarence que ronda la entrada: trozos de brazos, piernas, dedos, y un ojo como moneda para los muertos.

Nota que sus hijas empiezan a llegar tarde a casa por la noche, pero no dice nada. Louisa se queda con él en el piso, rodeada de botellas de tequila. Su aliento está cargado de alcohol. Pasa el tiempo ensartando cuentas ancestrales que vende en un mercadillo. Los dos comparten un silencio contagioso.

Ha decidido ponerle al niño Clarence Nathan, en honor a su padre y su abuelo. Pero Walker descarta el nombre con la mano, contento del dolor que le causa el movimiento.

—Ponerle como coño queráis.

Louisa construye un sonajero y lo cuelga sobre la cabeza del niño. El sonajero está formado por un triángulo de palitos, hilo entrecruzado, un diente de perro, cuentas y una pluma.

—Guardará sus sueños —dice ella.

—Descuida, que no irán a ninguna parte —dice Walker.

—Qué amargado estás. No lo soporto.

—Estoy amargado porque me da la puta gana.

—Me marcho —dice ella.

—Márchate. Llévate tus botellas. Agarra todas las cuentas y las cuerdas y el hilo y átalos a las botellas y hazte una balsa de una puta vez.

Pero ella no se marcha y observa como Walker se va apagando en el sofá. A veces cocina para él y lo hace con gran ternura, incluso cuando está borracha —pollo asado, arroz con alubias, sándwiches de pepino—, pero cada vez bebe más. Compra botellas de otro tamaño. Intenta esconderlas en la bolsa de la compra pero abultan mucho. A veces pone tequila en la comida para poder olerla cuando se arrima a la cocina.

Y entonces, una mañana al salir del baño, oye a Walker que

murmura para sí. Le sorprende el sonido de su voz, claro y profundo y lunático.

—Seguro que ni siquiera las vio —dice—. Seguro que ni siquiera las vio.

—¿Qué dices? —pregunta ella.

—Nada.

—¿Qué decías?

—Nada.

—¿Qué es lo que vio?

—¡No vio nada, joder! —grita él—. ¡Le pegaron un tiro en un desguace! ¡No llegó a ver ninguna de las cosas que yo le había contado! ¡Ni una puta grulla! ¡Ni siquiera tuvo ocasión de ver una grulla! ¡Eso es lo que yo quería para él! ¡Desde que nació! ¡Quería que viera bailar a una grulla! ¡No me mires con esa cara! ¡Si piensas que es una idiotez, vete a tomar por el culo! ¡A tomar por el culo! ¡Quería que viera una grulla! ¡Eso es lo que yo quería! ¡Nunca tuve ocasión de enseñarle ni siquiera eso!

Su pecho sube y baja quejumbroso, jadeante. Louisa le pone una mano en el hombro y él se la quita de un tortazo, dejando que un hilillo de tabaco le caiga por la barbilla.

Ella pasa a la cocina y lo deja en silencio, pero luego se vuelve y lo mira fijamente y dice:

—Yo una vez vi veintisiete.

Walker no responde.

—Cerca de la caravana en la que vive mi familia, en Dakota del Sur.

Él se mece suavemente en el sofá.

—Fue al borde de un lago —dice ella—. Primero de una en una. Y luego toda la bandada. Al borde del barro. Estaba blando y dejaron huellas. Luego salió el sol y las coció. Las huellas se quedaron allí una estación entera. Yo pasaba en bicicleta, entrando y saliendo de ellas. Lloré cuando la lluvia las borró. Mi padre me dio un bofetón porque no paraba de llorar.

Louisa retira la escupidera, se sienta en el borde del sofá.

—Volvieron durante la siguiente estación —dice—, pero yo pensé que ya era muy mayor para andar en bicicleta. Además, mi hermano usaba los neumáticos de tirachinas. Aunque hubiera querido no habría podido volver a montar en bici.

—Nunca os casasteis, ¿verdad?

—Nunca tuvimos ocasión.

—Eso quiere decir que el bebé es bastardo.

—No vuelvas a decir eso jamás. ¿Me oyes? No vuelvas a llamarle eso a mi hijo.

—A Clarence lo mataron a palos —dice Walker.

—No quiero pensar en eso. Hay cosas que es mejor no recordar.

—Y cosas que sí —dice Walker—. Asesinaron a mi hijo. Le metieron en el ojo todos las pistolas del mundo. Hicieron de su cabeza una tumba.

—¡Cállate! —dice ella—. ¡Cállate de una puta vez y escucha! Veintisiete grullas. Era precioso. Adelante y atrás. Subiendo en el aire, con las alas desplegadas. Girando y girando y girando.

Ninguno de los dos se mueve pero, al cabo de un momento, Walker rebulle en el sofá y le dice:

—A ver, hazlo.

—¿El qué?

—Enséñame cómo es.

—Estás loco.

—Por favor. Enséñame cómo es.

—No me vuelvas loca, Nathan.

—Venga —dice—. Si te acuerdas tan bien, hazlo tú misma.

—Nathan.

—¡Hazlo! —grita él.

Louisa baja la cabeza y se sirve un buen vaso de tequila. Ni siquiera pestañea cuando el alcohol le llega al fondo de la garganta. Mira a Walker y duda por un instante. Cierra los ojos un momento. Luego sonríe, casi con sorna. Se limpia los labios y estira un brazo y ríe entre dientes y se para.

—Sigue —dice Walker.

Ella empieza a moverse: los pómulos marcados, el pelo ensortijado, los dientes blancos blancos, un vestido gris, sin zapatos, los dedos marrones y líricos sobre la alfombra gastada. Walker, avergonzado, vuelve ligeramente la cabeza, pero luego observa a Louisa bailar, con las manos abiertas, los brazos en un remolino, los pies adelante y atrás, el movimiento más primitivo, disolviendo los límites de su cuerpo. Walker siente que le laten las sienes, algo primigenio se mueve dentro de él, una lenta expansión de alegría que se eleva, se abre en abanico, calentándole, poniéndole la carne de gallina. Desde el sofá sigue observando. Sabe que el alcohol corre por las venas de Louisa, pero no piensa en eso; deja que el movimiento lo rodee, lo respire, se convierta en él, ancestral y espléndido. Y, cuando Louisa se queda sin aliento, Walker se levanta torpemente del sofá, le alarga la mano, y ella deja de bailar. Él le toca la cara. Ella deja caer la barbilla sobre su pecho. Se quedan callados un buen rato y luego él le susurra sonriendo:

—¿Sabes que estabas ridícula bailando así?

Ella apoya la cabeza en su hombro, y juntos estallan en largas carcajadas, y Walker aún tiene la carne de gallina.

—Hay algo que tenemos que hacer —dice él más tarde.

—¿Qué es? —pregunta ella.

—Un rito familiar.

—¿Un rito?

Se sorprende de sí mismo, de sus movimientos, de la extraña flexibilidad que de pronto tienen sus rodillas. Con el dedo le indica a Louisa que se acerque. Juntos se inclinan sobre la cuna, apartan el sonajero y, tras ensayar primero las palabras, le dicen al bebé:

—¡Clarence Nathan Walker, eres más guapo que la hostia!

Años más tarde, en la época de los disturbios y las flores y los puños negros pintados por las paredes, Walker y su nieto se sentarán juntos en la iglesia del sótano de Saint Nicholas Park, donde se bautizó Eleanor. Un predicador joven contará la historia de un antiguo rey hebreo, Hezekiah. La iglesia estará en silencio. Walker y el chico se sentarán muslo con muslo, sin avergonzarse de estar cerca. Hará calor. Compartirán un pañuelo. El predicador soltará una perorata sobre la tolerancia, la necesidad de creer, la permanencia de la lucha.

Ni el nieto ni el abuelo prestarán atención al sermón hasta que el predicador mencione un viejo túnel.

Walker le dará un codazo a su nieto y dirá:

—Eh.

—¿Qué?
—Escucha.
Hezekiah, dirá el predicador, quería construir un túnel entre dos estanques de agua, Siloam y el estanque de las Vírgenes. De cada lago partió un grupo de hombres y prometieron encontrarse más o menos en el centro. Bajo tierra, los hombres cavaban el túnel cada vez más largo. Esperaban encontrarse. Pero calcularon mal y los túneles no se juntaron. Los hombres gritaron de rabia y decepción, pero de pronto, en medio de su cólera, oyeron asombrados las voces de los otros a través de la roca. Bajo tierra, los hombres cambiaron de dirección. Y así los túneles volvieron a avanzar. Los picos y las palas trabajaban. Los pasillos de tierra giraban y se curvaban. Los hombres siguieron el sonido de las voces, todavía amortiguado por la roca. Y las voces eran cada vez más claras y los hombres se iban acercando hasta que sus picos chocaron unos contra otros, saltaron chispas, y sus voces se confundieron. Los hombres apartaron las piedras y observaron con atención los rostros fatigados. Avanzaron y se tocaron para comprobar que eran de verdad. El túnel tenía la forma de una gigantesca *ese* mal hecha pero, pese al primer fallo, al cabo de un tiempo el agua empezó a fluir entre los dos antiguos estanques.

Once

TAL COMO DIOS IMAGINÓ

El sol invernal permanece anclado en el cielo un día entero y empieza a derretir la nieve; Treefrog oye el chapoteo de los coches por el barro. Pero el viento gélido sigue azotando el túnel con insistencia. Van ya treinta y dos días de nieve y hielo: el invierno más brutal de su vida. Treefrog se sube la capucha del saco de dormir y se tapa la cara con una camisa; los botones helados se le pegan a la nariz.

Mejor quedarse en la cama el resto del día, piensa, pero, a su lado, *Castor* hoza y se le introduce bajo la camisa, apoyándole las costillas contra la cara.

Sin salir del saco, Treefrog se pone varias camisas más y los guantes, luego se levanta de un salto, se acerca al gulag y coge la leche, que está totalmente congelada. Abre el cartón con el cuchillo y un bloque de leche cae a la cazuela. La calienta enseguida en la fogata. *Castor* lame su banquete, luego se sube al colchón y se enrosca sobre las mantas, con el blanco pelaje casi fosforescente en la oscuridad. Treefrog rebusca en una caja de tapacubos y saca un viejo termómetro. Se levanta y mide la temperatura en todas partes: al lado de la estalactita, en la pared de hielo, sobre la vía del tren, en la cueva de atrás, junto al semáforo roto de Faraday, dentro del gulag, en el hogar y sobre la mesita de noche, donde el termómetro marca nueve grados bajo cero: frío, un frío de la hostia.

Calienta el mercurio con su aliento hasta que sube un grado, se pone de pie y orina con dificultad en una botella.

Es hora de vaciar las botellas arriba.

Treefrog se guarda a *Castor* dentro de la camisa y atraviesa la verja del túnel. La luminosidad le hiere la vista y se pone las gafas de sol. Vierte su nombre sobre la blancura, cerca de los manzanos silvestres, pero no hay suficiente pis, así que rompe una ramita helada de un árbol y graba las letras que faltan.

Hace ya cuatro semanas y media que hiela y nieva sin parar. Quizá debería hacer muescas junto al gulag para llevar la cuenta de los días.

Siguiendo la curva de la autopista, camina hasta los bancos verdes que hay a la orilla del Hudson.

Continúa habiendo hielo en el agua y Treefrog se pregunta si su grulla habrá llegado muy lejos en su viaje hacia el mar. En la otra orilla, Nueva Jersey aparece iluminada por el sol.

Angela está sola, sentada en el banco. A sus pies se amontona la nieve.

—Hola —dice Treefrog, pero ella no contesta.

Se ha sentado sobre una bolsa de plástico azul para que no se le empape la ropa. Treefrog se coloca en lo alto del respaldo del banco. Coge a *Castor* y se lo pone a Angela en el regazo, y el gato se arquea, contento, mientras ella lo acaricia.

—Bonita mañana —dice Treefrog—, bonita mañana.

—Será para ti —dice Angela.

—¿Qué pasa?

—Quiero lavarme el pelo.

—Vamos a mi nido. Te herviré agua.

—De eso nada, no voy a trepar hasta allí arriba. —Se aprieta la bufanda alrededor del cuello—. ¿Cómo es posible que haga tanto frío y siga brillando el sol?

—Es la refracción —dice él—. El sol rebota en la nieve.

—Ah, ¿sí? Te crees muy listo, ¿no? Lo único que rebota en la nieve es tu gilipollez. —Pero al cabo de un momento añade—: ¿Sabes una cosa? En la casa del porche siempre había agua caliente. Salía roja por el óxido que tenía y a mí no me gustaba lavarme el pelo porque se me quedaba tieso y pensaba que me dejaría un color raro, pero ojalá pudiera lavarme el pelo ahora con aquella agua caliente tan rara, me pasaría el día entero y también la noche lavándome el pelo con aquella agua caliente tan rara.

—Así lo tendrías limpio.
—¡Ya lo tengo limpio, cabrón!
—No he dicho nada.
—Y me lo lavaba también por las tardes cuando tenía tiempo.
Treefrog se ajusta las gafas.
—Oye, ¿dónde anda Elias?
—Ha ido a buscar su subsidio. Le dan quinientos pavos al mes.
—Joder —dice Treefrog—. ¿Tiene dirección fija?
—Un amigo suyo tiene un piso y cogen el dinero y se van a ver a un camello. Espero que me guarde algo. Dijo que me guardaría algo.
—Esa mierda te hace daño —dice él.
Ella se ríe entre dientes y aparta la vista.
—Eh, Angela —dice él—. ¿Mataste a las ratas?
—Ya te dije que la preñada está preñada. Se llama *Skagerak*.
—¿Cómo?
—Papa Love me dijo que eran ratas noruegas y yo le pregunté el nombre de algún sitio de Noruega, algún sitio con mar, y me dijo Skagerak y Barents, así que les puse de nombre Skagerak y Barents.
—¿Hablaste con Papa Love?
—Había salido para dar los últimos toques al tío ese, a Edison.
—Faraday.
—Sí, sí, sí, como se llame.
—¿Y le preguntaste por las ratas?
—Sí.
—¿Y les pusiste nombres?
—Sí, ¿a ti que te importa?
—Era lo que me quedaba por oír.
—La rata hembra es maja. Siempre se me sube. Acabará comiendo pan en mi mano.
—Es la hostia.
Permanecen sentados un buen rato, en silencio, él encaramado al respaldo del banco, contemplando la apacible somnolencia del agua.

—Qué bonito está el mar —dice ella.

—Esto no es el mar, es el Hudson. El mar está por allá abajo.

Angela frunce los labios como si fuera a besar el aire.

—¿Sabes una cosa? Siempre quise ver el mar. Cuando estábamos en Iowa, teníamos un coche, un Plymouth Volare, una mierda, todo abollado, ya sabes, y mis hermanas y yo íbamos en el asiento de atrás y cantábamos *Veo el mar y el mar me ve a mí.* Y mi padre decía: «Vamos al mar». Pero luego siempre nos quedábamos sin gasolina y él empezaba a darle patadas a aquella mierda de coche y decía: «Un minuto». Se iba andando a buscar gasolina —llevaba una lata en el maletero— pero paraba en un bar y fin de la historia. Y nosotras en el asiento de atrás cantando esa estúpida canción, *Veo el mar y el mar me ve a mí.* Una vez intentamos volver a casa cruzando los campos, pero el maíz era más alto que nosotras y nos asustamos y volvimos al coche.

—Pues ahora nada te impide ir a verlo, ¿no?

—No. Supongo.

—Deberías ir a verlo —dice él—. Coge el metro hasta Coney Island; se está de maravilla.

Treefrog quiere sentarse en el banco, tira de la bolsa de plástico, se coloca junto a Angela, pero ella aparta la vista.

—Eh —dice él, sorprendido.

Ella esconde la cara.

—Déjame en paz.

—¿Qué pasó?

—Nada.

—Te pegó, a que sí.

—Me caí, joder, déjame en paz.

—¿Cuándo te pegó?

—Eres como un dolor de huevos, ¿sabes? Eres el dolor de huevos más grande que he visto en mi vida. Me siento aquí para estar tranquila y vienes tú, ¿por qué cojones no me dejas en paz, eh?

—Deberías ir a un centro de acogida.

—¿Has estado alguna vez en un sitio de ésos? Hay mujeres con huesos rotos y mordiscos en las orejas y agujeros en los dientes, tan enormes que podría pasar un tren.

—¿Por qué sigues con él?

Angela mete la mano en el bolsillo y saca una ampolla vacía con un tapón naranja, y la manosea y sonríe.

—No deberías tomar esa mierda.

—Sí señor, predicador Treefrog, señor. —Suspira—. A Elias no le gustó que bautizara a mis ratas. Dijo que era una tontería. Dice que las va a matar. Va a pillar veneno y dárselo. A lo mejor hasta trae un gato.

—No le gustan los gatos.

—Ahora sí que le gustan. Es un animal como otro cualquiera, como tú y como yo.

Y entonces Treefrog recuerda que una vez, en primavera —allá por los malos tiempos, los peores tiempos— se quedó dormido con un trozo de pan cerca de la almohada. Cuando despertó, una rata le había mordido la parte de arriba de la oreja derecha. La sangre le bajó por la cara y se le secó en la barba. Persiguió a la rata hasta el fondo del nido. La cueva estaba llena de cagaditas marrones. Treefrog rebuscó en la oscuridad, tan desorientado que se raspó la oreja contra la pared, y el corte se le llenó del hollín del túnel. Se lo lavó con agua y lo desinfectó con ginebra, rasgó una camiseta para vendarse la cabeza, atando la tira bajo la barba. Durante días sintió en la oreja punzadas de dolor que le atravesaban el cuerpo. Tenía miedo de perder el equilibrio. Se pasaba el tiempo pellizcándose la otra oreja con la uña y una vez hasta se atravesó la carne, pero no fue un corte malo. Se olvidó de cambiarse el vendaje y Papa Love le llamó Van Gogh una temporada, pero el mote cayó en desuso cuando se le curó la oreja. Un mes más tarde cazó a la rata con una trampa situada debajo de la estantería de la biblioteca. Se retorcía y chillaba con el cuerpo aprisionado por la barra metálica. Le aplastó la cabeza con la llave inglesa y la rata dejó escapar un último chillido. Treefrog llevó al animal arriba, cavó una pequeña fosa en el descampado junto al río, y enterró a la rata con todos los honores, por si acaso seguía usando su trozo de oreja para escuchar los secretos de su mente y su cuerpo.

—Entiendo lo que quieres decir —dice él.

—¿Crees que volverá a nevar? —pregunta Angela. Y luego mira hacia el río—. ¿Sabes una cosa? Un tío mío predecía el tiempo. Veía las tormentas a un millón de kilómetros. Se ponía de pie en los maizales y decía, viene una tormenta; o, viene el sol; o, se acerca un tornado. El tiempo se le reflejaba en la cara. Eh. ¿Tú crees que a mí se me refleja el tiempo en la cara, Treefy?

—A ti se te refleja el sol en la cara.

—Qué mono eres, Treefy. Pero el sol produce cáncer.

—¿Estás segura?

—Está demostrado.

—Dame un pitillo.

—Eso también. El sol y los pitillos.

Ella abre el broche dorado del bolso, mete la mano hasta el fondo, saca medio cigarrillo aplastado y lo arregla con los dedos. Él le da fuego y ella intenta no echarle el humo en la cara, pero el viento lo trae de vuelta. Da cinco caladas frenéticas y luego le pasa el cigarrillo, y Treefrog lo sostiene como si fuera su amante. Una idea llega con fuerza al fondo de su mente, en cuanto el humo alcanza sus pulmones.

—Me gustaría hacer un mapa de tu cara.

—¿Qué dices? ¿Un mapa de mi cara?

—Nada más que un mapa.

—Los mapas sirven para conducir, cabrón.

—Venga, vamos a probar.

—¿Dónde?

—En mi nido.

—Yo no trepo hasta allí. Lo único que quieres es *taca-taca*.

—*Tac, tac.*

—¿Quién es?

—Treefrog.

—¿Qué Treefrog?

—Treefrog que viene a echar un polvo.

—Eso no tiene gracia —dice ella.

—No lo decía para hacerte gracia. Venga. Te lo enseñaré.

Le pasa el cigarro y ella aspira hondo, aunque el filtro se está quemando.

—¿Mapas? —pregunta.

—Tengo mapas. A veces hago mapas.

—¿Para qué coño haces mapas? Si no vas a ningún lado.

En la oscuridad, bajo el nido —ella se niega a subir—, Treefrog cierra los ojos y le toca la cara. Ella tirita un poco, pero él no mueve los dedos hasta que ella deja de temblar y se relaja y dice:

—Esto es una estupidez.

Sus dedos avanzan con lentitud y precisión. Trazará una línea de oreja a oreja, una línea recta impecable; de lo contrario la traducción será inexacta. Empieza por el exterior de la oreja: se quita los guantes para ser más preciso, escupe en los dedos, se limpia el polvo del túnel y se seca con el abrigo. Avanza desde la parte superior de la oreja hasta el lóbulo y mide la pequeñísima distancia con la yema del índice. Una vez determinada la distancia, Treefrog abre los ojos y saca del bolsillo del abrigo un trozo de papel milimetrado y un lápiz. En el papel dibuja dos líneas, una vertical y otra horizontal, que se cruzan en un eje, fijas y finitas en el centro del papel. Elevación en la vertical, distancia en la horizontal. Enciende el mechero con una mano, luego la otra, y marca la elevación de la oreja, la punta y el lóbulo: dos puntitos de lápiz sobre el papel.

Hay que tener cuidado; la goma está muy gastada y no quiere cometer un error. Cerrando los ojos una vez más, palpa la oreja —está llena de pliegues y crestas— y exclama: «Ohhhh».

El túnel está dolorosamente tranquilo, sólo se oye a los coches que pasan por arriba, un sonido tan constante que ya casi ni se percibe. Sus dedos vacilantes se detienen en el centro de la oreja, cerca del hueco del pabellón, y siente el nerviosismo temblando en ella.

—No me gusta que me toques ahí —dice Angela, pero él le dice que parecerá un lago en miniatura. En algún otro momento, piensa, empezará desde un punto diferente, quizás en el lóbulo, donde el pendiente que falta formará una especie de sumidero. Angela cambia de postura y enciende otro cigarrillo. Él no quiere palparle la cara mientras fuma; dice que obtendría lecturas falsas, porque al aspirar el humo se le hundirían las mejillas. Ella apura el cigarrillo y Treefrog lo aplasta con el pie.

Cierra los ojos de golpe y su dedo cruza la oreja hasta llegar al punto blando que hay justo donde se unen las mandíbulas.

—¿Seguro que tienes los dedos limpios? —pregunta ella.

—Sí —susurra él.

Percibe un minúsculo saliente en el hueso y lo marca en el gráfico. Ahora Angela está quieta y también cierra los ojos. Treefrog husmea el aire y le parece notar un delicioso olor a moho; ella da un respingo cuando le toca la magulladura de la mejilla —la topografía de la violencia— y él intenta bordear la zona de piel amoratada.

—Me duele.

—Perdona.

Si se echa a llorar, piensa Treefrog, ¿seré capaz de detener el agua con los dedos para que las tensas moléculas queden inmóviles por un solo segundo, se conviertan para siempre en parte de su rostro? Pero ella no llora, y ahora los dedos avanzan un poco más deprisa, alejándose de la magulladura. La piel forma un pequeño chichón en un lado de la cara y luego estalla en una llamarada.

—Tienes la nariz bonita —dice Treefrog, mientras sus dedos suben por un hueso que parece haberse roto muchas veces. Toca la aleta de la nariz y llega al mismo centro del rostro, sus dedos recorren suavemente la mejilla.

—¿Has terminado ya, gilipollas?

—Ahora tengo que hacer el otro lado.

—¿Por qué?

—Porque no puedo dejarte con media cara.

—Y si nos ve Elias, ¿qué?

—Le haré un mapa del puño. Parecerá una cordillera con un bulto enorme al final.

Ella se aguanta la risa.

—Estate quieta, hostia.

Treefrog levanta la mano izquierda y le acaricia la oreja derecha, recordando los movimientos exactos de sus dedos en el lado contrario de la cara. Es vital que cada mano palpe la misma cantidad de piel. Los dedos cruzan el pómulo —no hay magulladuras a este lado— y con ternura infinita traza la geografía de Angela. Cuando termina, trepa hasta el nido, baja cuatro mantas, y los dos se sientan en el túnel junto al mural del *Reloj Blando*. Un tren pasa silbando a menos de tres metros. Treefrog une los puntos en el papel milimetrado, chupando la punta del lápiz para que la línea sea oscura y bien visible.

Trabaja con mucho cuidado, cerciorándose de que las líneas sean consistentes, uniformes, firmes, que una leve curva surja entre los puntos, que el gráfico no se vuelva trémulo o confuso. No utiliza la goma ni una sola vez. El encendedor y el lápiz pasan de una mano a otra, sus dedos tiritan de frío. Angela mira por encima del hombro de Treefrog, apoya la barbilla en su abrigo, y dice:

—Es la cosa más idiota que he visto en mi vida.

Cuando Treefrog acaba, levanta el papel y le muestra a Angela las elevaciones y bucles de su rostro, convertido en cañones y cordilleras y ríos y valles colgados.

—Hola —dice Treefrog saludando al papel.

—¿Ésa soy yo?

—Ahí están tus orejas, eso es tu nariz y eso otro tu mejilla.

—Parece que está llena de baches.

—Puedo cambiar la escala —dice Treefrog.

—¿Me haces un favor, Treefy?

—Claro.

—Quita la magulladura esa —dice ella.

Él la mira y sonríe.

Rasca con las uñas el borde de la goma para que no manche de negro el papel milimetrado y borra el promontorio que representaba la magulladura. Ella le besa en la mejilla y dice bajito:

—Doctor Treefrog.

—Si tomo lecturas de todas partes podría hacer un mapa del resto de tu cara. Conseguiría todos estos contornos y tu cara tendría este aspecto. —Dibuja una serie de círculos distorsionados. —Tu nariz sería así. Y tu oreja sería así. Y tus labios serían raros. Así.

—¿Dónde te enseñaron a hacer eso?

—Aprendí yo solo. Llevo mucho tiempo haciendo mapas.

—¿Alguna vez los haces para otras personas?

—Le hice uno a Dancesca.

—¿Quién es ésa?

—Ya te hablé de ella. Y de Lenora también. Mi niñita.

—¿Dónde está?

—No lo sé.

—Tampoco sabe nadie dónde estoy yo —dice Angela.

Walker se sienta junto a la ventana. El casero ha ampliado el piso al doble de su tamaño, después de que le multaran por violar las normas de vivienda. En los últimos años ha cambiado lo que se ve por la ventana: grandes bloques cruzan la ciudad tapando la luz del sol; enormes edificios de color gris y marrón surgen enfurruñados en el horizonte; la ropa tendida aletea en los balcones; los chicos charlan de ventana a ventana, con dos latas unidas por un cordel; los gritos de los suicidas se escuchan en toda su longitud.

Tan sólo Louisa y el chico siguen viviendo con Walker en el piso. Sus dos hijas se han casado, Deirdre con un fontanero que trabaja en los yacimientos petrolíferos de Texas, Maxine con un soldador de Filadelfia. Poco a poco las chicas han ido desapareciendo de su vida. A veces le envían con retraso fotos de sus niños, como si hubieran nacido de repente con un año o dos. Walker piensa a menudo en ir a verlos, pero nunca lo hace; su cuenta bancaria no se lo permite.

Pasa casi todo el tiempo sentado junto a la ventana, observando a su nieto de diez años, Clarence Nathan, que juega solo en un solar vacío al otro lado de la calle.

A veces Louisa baila en el piso. Walker mueve el sofá para poder ver el centro de la habitación, se envuelve las piernas en una manta, asienta la taza de té en el brazo del sofá. Clarence Nathan también mira: su madre extiende los brazos al son de una canción callada y mueve delicadamente los pies adelante y atrás, mientras las risotadas de Walker se mezclan con las sirenas de la ciudad. Baja la cabeza como para esconderla debajo del ala. La vuelve a levantar. Eleva los brazos en un aire que pesa, parece estar lista para emprender el vuelo, una quimera de movimiento y geometría. Pero Walker ha notado que el ritmo ha cambiado en los últimos años. Desde los blandos cojines, ha visto cómo los movimientos de Louisa se vuelven espasmódicos, sin control. Con su altura y sus largas piernas, ha adquirido el aspecto de un animal herido. Ya no estira los brazos tanto como antes. Sus pies se mueven con menos lirismo. Su respiración es entrecortada. La frescura primitiva es menor de lo que fue una vez y ya no gira de la misma manera; muchas veces tropieza momentáneamente con el borde de la alfombra, como si su agilidad se hubiera diluido en tequila y Louisa la buscara en ella. Botella y media al día. Por la mañana se levanta de la cama dando tumbos y va directa al armario de la cocina, ni siquiera pestañea al dar el primer sorbo. Le encanta arrancar con las uñas las etiquetas, dejarlas a medio pelar. A veces permanece escondida en el baño durante horas y sale de él con la botella vacía.

Louisa lleva colgando del cuello una ristra de conchas marinas atadas con un hilo blanco. Las conchas suenan cuando se mueve. Siempre dice que está un poco mareada, que el médico le ha dado unas pastillas para que se le pase. Se traga las pastillas a puñados y así se mantiene despierta un buen rato. Va a bares que cierran tarde, llega a casa frenética, despeinada, y se tira en la única cama junto a su hijo. Por las tardes se despierta sólo un momento, besa al chico y vuelve a caer muda en la cama.

Una letanía de hombres llaman a la puerta y Walker ha notado, con creciente vergüenza, que lleva faldas cada vez más cortas.

Han empezado a desaparecer cosas del piso: un jarrón, una cuchara sopera, un marco de fotos pero no la foto.

—¿Has visto el marco de Clarence? —le pregunta Walker—. Está como desnudo sin él.

—No lo he visto por ningún lado —dice ella.

—¿Y no estará en la casa de empeño?

—Claro que no. ¿Qué crees, que soy una ladrona?

—Tranquila, chica. Ya sabes que no quiero decir eso.

—¿Estás diciendo que he empeñado el marco?

—Claro que no —dice Walker—. Perdona. Hablaba por hablar. No me hagas caso.

—Con todo lo que trabajo en casa. Cocino y limpio. Gracias a mí puedes estar con tu nieto. Podría vivir donde me diera la gana. Y encima me llamas ladrona.

—Sólo me extrañaba lo del marco.

—Bueno, pues que no te extrañe.

—Eh —dice Walker al cabo de un momento—, ¿has pensado alguna vez qué clase de cosa habrá crecido donde cayó el ojo de Clarence?

—¿Qué?

—Su ojo. Quiero decir, ¿qué tipo de planta? En Corea. Quiero decir que eso es lo que dijo él hace tiempo, ¿no? Que crecería algo en ese sitio.

—Tienes fiebre o qué, Nathan. No entiendo nada de lo que hablas. Últimamente no dices más que cosas sin sentido, joder.

—No digas tacos delante del niño.

—Diré tacos si me da la gana.

—A veces pienso que podría ser un gran roble americano.

—Nada de robles americanos —dice ella.

—O un castaño o algo así.

—En Corea no hay castaños.

—A lo mejor un arce.

Ella le da la espalda.

—Voy a salir un rato.

—¿Adónde vas ahora?

—Por ahí.

—Ten cuidado no te vayas a quedar sin falda. Bajarás la calle zumbando. Te oirán doblar la esquina.

—Qué gracioso. —Y luego suspira—. ¿Cuidarás de Claren?

—En el nombre de Dios —dice Walker.

—¿Qué pasa?

—Ya sabes que siempre cuido del chico.

—Gracias —dice ella, besando bruscamente a Clarence Nathan en la frente.

—Dios mío —dice Walker, cuando ella se va.

Una noche Louisa llega a casa y despierta a Walker, y —con las pupilas nadando cerca de los párpados— insiste en bailar mientras el niño duerme. Se lleva un dedo a los labios para indicarle que guarde silencio y se pone de pie en medio de la habitación. El blanco collar de conchas contrasta con su piel marrón. Lleva la cabeza envuelta en un fino pañuelo azul. Otros cuatro pañuelos cuelgan atados por toda la espalda, formando olas junto con el cabello sucio. Louisa gira y remolinea y extiende los brazos, encandilando a Walker, hasta que, de repente, pierde el control, cae, y, como a cámara lenta, se raspa el codo contra el suelo y se desploma junto al armario de la cocina. Se hace un corte en la cabeza con uno de los tiradores metálicos.

Walker, en pijama, se levanta con esfuerzo y la recoge del suelo. Se acerca, y al inclinarse nota un olor a vómito en su aliento. Da gracias al ver que no sangra, que no tiene más que un rasguño en la frente.

Le desabrocha la manga de la blusa para tomarle el pulso y ve el delator brazalete de marcas diminutas en el interior de su muñeca.

—Vuelve a la cama —le dice a su nieto, que se ha despertado y está de pie junto a él.

—¿Qué pasa, señor Walker?

—Ahora vete. Tu mamá está un poco mareada.

Walker se alegra de ver que aún tiene pulso, aunque sea muy débil —como el recuerdo distante de una canoa que tuerce en un recodo—, y levanta a Louisa, la sienta, le da unas palmaditas en la cara para despertarla.

—Lo curioso de las grullas, hijo, es que cuando se comen un pez empiezan por la cabeza. Da igual el pez que sea. Nunca se tragan la cola primero, porque las escamas les desgarrarían la garganta. Así que empiezan a comérselo por la cabeza, y el pez baja suave y bien. Está comprobado. Lo hacen por naturaleza. No son idiotas. Hacen las cosas como Dios manda. Yo lo he visto.

El chico ha heredado el sentido del equilibrio. Mientras su madre nada en una marea de sustancias químicas y su abuelo permanece amarrado al sofá por el dolor, le gusta subir a la azotea y mirar más allá de la arquitectura de Harlem —más allá de los bloques y de las iglesias de ladrillo rojo y las funerarias y las intrincadas molduras de escayola y los solares vacíos y los parques— hasta ver los rascacielos que saltan por todo Manhattan.

En la azotea trafican con heroína y los fajos de dinero cambian de puño, pero los yonquis no se meten con Clarence Nathan. Cuando están puestos les gusta verlo caminar por el borde del muro, acrobáticamente, a veinte metros de altura sobre la calle. Le animan a que vaya más deprisa, a que corra por la delgada cornisa.

El chico se mueve como una visión de morfina, lleno de posibilidades. Sus pies nunca se pierden e incluso puede hacer el pino, con un ligero temblor en los brazos mientras contempla el cielo boca abajo.

Jamás piensa en el peligro. Su corazón late tranquilo en cualquier sitio. La sangre fluye hacia todas las partes de su cuerpo por igual.

Una vez, en el gimnasio del colegio, trepó por una cuerda desde el suelo al techo, y se colgó boca abajo. Un profesor lo vio, suspendido en el aire con la cuerda atada al pie, al tobillo. Se quedó quieto; su cuerpo ni siquiera se balanceaba. El profesor lo reconoció por otros incidentes: muchas veces lo arrinconaban en el colegio, otros niños le pegaban. Por un momento pensó que Clarence Nathan se había ahorcado, pero el chico dio un chillido, retorció el cuerpo, se soltó el pie, bajó deslizándose por la cuerda y se dejó caer al suelo.

Algunas tardes su abuelo sube penosamente la escalera para contemplar las acrobacias del muchacho. Walker lleva bastón, pasa junto a las miles de pintadas que cubren las paredes. Su año setenta y dos le ha traído más dolor que nunca. En sus mejillas ha aparecido una rala barba gris, sus dedos están ya tan torpes que no puede afeitarse con la cuchilla. Lleva un saquito de tabaco colgado del cuello, sujeto con un cordel, para cuando le apetece mascar. El saquito se mece por encima de la cruz de plata. Le cuesta abrir la puerta que hay al final de la escalera, pero por fin la empuja con la rodilla y hace una mueca de dolor.

En la azotea Walker encuentra algo de sol, vuelve la cara hacia la luz y ve a Clarence Nathan de pie sobre la cornisa.

—¡Señor Walker! —grita el chico.

Walker echa una mirada furiosa a los yonquis que dormitan al otro extremo de la azotea o derriten cubitos de hielo en un caldero para meterse agua helada en las venas.

Se sienta en una raída tumbona azul cubierta por el hollín de la ciudad. Se lleva la mano a la frente, se frota la sien para refrescarse y le hace una seña al chico.

—Adelante, hijo.

—¿Cuál hago?

—La que te dé la gana.

—¡Vale!

—Pero ten cuidado.

Walker se arrellana en la silla. Lo ha visto ya tantas veces que ha aprendido a no tener miedo. El chico saluda con la mano, corre al borde de la azotea y salta hasta un tejado vecino. En el aire hay una fusión de éxtasis y peligro: una pierna estirada muy por delante de la otra, el viento soplando alrededor. Aterriza perfectamente, un metro más allá de la cornisa del edificio de al lado, se da la vuelta y sonríe. De un salto vuelve a su azotea, fiel a una curiosa regla que se ha impuesto, aterrizando cada vez con un pie. Le gusta así. Si comete un error da un paso atrás y otro adelante, atrás y adelante, para recuperar el equilibrio. Tiene las suelas de las zapatillas muy gastadas. Se ha propuesto intentarlo descalzo alguna vez. El orgullo late dentro de él cuando Walker da una lenta ronda de aplausos, dejando escapar una baba de tabaco que le mancha la camisa. Walker la frota, avergonzado.

—Muy bien, hijo.

—¿Quieres que lo haga otra vez?

—Claro. Pero eso sí, no te compliques demasiado la vida. Y ahora sigue.

Walker se queda allí sentado toda la tarde, y cambia la tumbona de sitio siguiendo el movimiento del sol mientras contempla las acrobacias.

Incluso cuando su abuelo le cuenta historias, el chico lo escucha encaramado en la cornisa, con los brazos alrededor de las piernas, meciéndose atrás y adelante sobre la calle.

Al ponerse el sol, Clarence Nathan se baja del muro y sacude el hollín de la parte de atrás de los pantalones de su abuelo. Oleadas de hollín surgen del culo del viejo, y los dos se ríen al ver las nubes que forma en el aire.

El abuelo sigue contando historias mientras pisan parches de alquitrán pegajoso y cristales rotos. Luego bajan la escalera, en cuya pared han pintado caras nuevas: Huey Newton y Bobby Seale vestidos con *dashikis*, entre dos enormes panteras dibujadas como petroglifos. Y al lado pone: LOS CERDOS NO SON KOSHER. Y más allá: CÓMETE TU CARTILLA MILITAR. Más abajo hay un póster con la cara del difunto Martin Luther King.

Han puesto dos cerraduras nuevas en la puerta del piso. Dentro, los platos se apilan en el fregadero. La nevera está abierta, sin nada dentro. Una silla de mimbre a medio hacer está patas arriba, abandonada. En la pared amarillean las fotos. Todos los marcos han desaparecido.

Louisa no está en casa, como suele ocurrir últimamente. Walker se sienta junto a la cama de su nieto. El viejo desprende un olor rancio, como a humo, pero el chico le escucha en silencio. Una de sus historias preferidas trata de su bisabuelo —Connor O'Leary—, el que se escondía una bala en el ombligo y que un día salió disparado hacia el cielo. En el piso todavía guardan algunas de las balas que Eleanor hizo durante la Segunda Guerra Mundial, y al chico le gusta ver cómo su abuelo se levanta la camisa y se mete una dentro.

—Otra más.

—¡No estoy tan gordo!

—Venga, otra, señor Walker.

—No tientes a la suerte, hijo.

—Venga. Por favor.

Walker tose y de sus pulmones surge un hilillo de polvo negro, un residuo de los túneles. Escupe en una hoja de periódico, hace una bola con ella, y la tira a la papelera. El chico se sienta en la cama y le da palmadas en la espalda para que se le pase la tos. Walker siente en su interior el eco de las palmadas. En los últimos tiempos su cuerpo se ha debilitado aún más, su tos es cada vez más profunda, sus miembros están más tensos, las babas del tabaco le superan, dejando un legado de churretes en sus camisas blancas.

Tras el ataque de tos, Walker se endereza y coge la otra bala.

—Abracadabra —dice.

Un cuaderno escolar lleno de insultos: mestizo, mulato, Sambo, negro, desteñido, muñeco de nieve, cebra, galleta, orangután, Bimbo, Tío Tom, Caballo Loco, rey de picas.

Clarence Nathan coge el metro —su abuelo le ha inculcado el gusto por el tren— y sale de la estación y camina con paso alegre hasta los solares que hay cerca de Battery Park. Le han regalado unas zapatillas nuevas por su dieciséis cumpleaños.

Observa la coreografía del comercio que asciende hacia el cielo.

Los hombres que crean esos edificios gigantes no son más que puntos que se mueven sobre las vigas desnudas, una serie de cascos que van y vienen. Avanzan a razón de un piso por semana. Las grúas los alimentan con acero y los hombres colocan los tornillos. Cuando el acero está listo, los hombres suben más arriba, distanciándose del mundo de abajo. A veces Clarence Nathan entra en los rascacielos cercanos, diciendo que es repartidor, y se cuela hasta el piso superior para tener mejor vista. Ha comprado unos prismáticos en la casa de empeño. Le encanta ver a los obreros moverse sin arnés sobre vigas y columnas. Los hombres caminan como si estuvieran en tierra firme; sus pies nunca resbalan; no necesitan extender los brazos para mantener el equilibrio. Algunos hasta se columpian en el aire sujetos por las grúas. Clarence Nathan miente en las solicitudes diciendo que tiene dieciocho años, aunque los capataces ven claramente que ni siquiera ha empezado a afeitarse.

—Vuelve cuando se te bajen los testículos —dice uno de los trabajadores.

Una tarde dos guardas de seguridad tienen que llevárselo a rastras de una escalera en el piso treinta y tres de un rascacielos inacabado. Lo agarran por los pies y les asombra la fuerza brutal que tiene en las piernas. Se les escapa y lo ven saltar los últimos ocho escalones hasta la plataforma de acero que hay debajo. Aterriza con las rodillas flexionadas, con los prismáticos colgados del cuello.

—Idiota de los cojones —dice uno de los guardas.

Lo escoltan hasta la calle y le dicen que si vuelve lo arrestarán. Clarence Walker asiente muy serio, abandona el solar y cuando ya está bastante lejos da un puñetazo al aire, eufórico. Algún día subirá hasta arriba y los dejará alucinados. Creará su propio movimiento en el aire.

Clarence Nathan se sube a un parquímetro y hace equilibrios, hasta que un poli lo manda bajar. En la misma calle lo intenta en otro parquímetro con el otro pie.

Regresa día tras día al solar del rascacielos, con las botas de su abuelo y una vieja camisa de franela. Finalmente los obreros le permiten colocar obturadores en las gigantescas vigas de acero, con tal de que no se mueva del suelo y prometa no trepar. Sujeta los trocitos de cable y observa cómo se elevan las vigas, levantadas por las grúas. Semanas más tarde, suena el timbre, y cuando Walker abre la puerta un funcionario del colegio le dice que hace mil años que el chico no aparece por allí.

Angela se levanta rápidamente al ver la silueta de Elias al fondo del túnel. Le echa a Treefrog la manta por encima y le besa en la mejilla.

—Hasta luego, Treefy —dice.

—Quédate aquí.

Ella menea la cabeza.

—Gracias por el dibujo.

—No es un dibujo.

—Lo que sea. Eh, tío. ¿Tienes pasta?

—Por unas monedas bailaré en su boda.

—Muy gracioso.

—No —dice él—, no tengo pasta.

Ella dobla cuidadosamente el papel milimetrado y se lo guarda en el abrigo de piel, le guiña un ojo y se humedece los labios.

—Tengo sed —dice—. Voy a ver al camello.

—... al camello, repite él en un susurro—. Quédate aquí.

Observa su figura que entra y sale de los haces de luz y luego desaparece, y al cabo de un momento oye gritos cerca del cubículo de Elias; tal vez Angela le ha enseñado a Elias el mapa de su cara con la magulladura desaparecida. Treefrog se arrima más a la pared del túnel, extrañado por el ritual de amor y puños: se cuadrarán el uno frente al otro, distantes al principio, luego acercándose, como en un embudo; Angela y Elias, girando lentamente hacia abajo, el círculo que separa el amor de los puños se irá encogiendo, hasta que un puño se acerque al amor y el amor se acerque a un puño, girando siempre hacia abajo, y entonces un puño es el amor y el amor es un puño, y están en la boca del embudo, ambos, matándose a martillazos y a amor.

Doce

PARTIDAS POR EL SOL

Treefrog se retira a la cueva de atrás en busca de silencio y enciende una vela. La cera blanca gotea sobre el suelo de tierra.

De las bolsas herméticas saca sus mapas manuscritos, los mapas del nido, del túnel, de Dancesca, de Lenora, y los extiende a sus pies. Al contemplarlos siente como si ellas lo miraran desde abajo. Los dobla y los guarda todos excepto los de Lenora y Dancesca, y en una hoja limpia copia a Dancesca exactamente como la recuerda, constante, inmutable. Todos los contornos de su cara perfecta. Como si de repente fuera a despertar y salir del papel y ponerse de pie y respirar y suspirar y recordar. Le toca el cuello y luego sus dedos suben hasta los ojos. Con el lápiz traza los últimos huecos y luego guarda el nuevo mapa en su bolsa de plástico.

Treefrog saca otra hoja limpia y, observando el viejo mapa de Lenora, trata de imaginar cómo habrá cambiado la cara de su hija en los cuatro años que lleva sin verla. Renueva completamente su paisaje, alarga la nariz, rellena una pizca los labios, añade un poco más de peso en las mejillas para que los contornos se eleven más, ahonda el hoyuelo de la barbilla, depila las cejas, agranda la oreja y dibuja un lago diminuto en el lóbulo, dejando espacio para el pendiente. Tarda una hora en hacer el mapa. Cuando termina, levanta el papel en el aire y lo roza con los labios y le dice que lo siente, procurando siempre que no se le vayan las manos a la zona del papel que representa el resto del cuerpo.

A Dancesca le gusta cómo anda por la cornisa Clarence Nathan. Sube a la azotea en las tardes de verano, cuando el sol se pone en un cielo químico; le huelen las manos a champú, tiene una cicatriz reciente en la mejilla: Dancesca le pellizcó la oreja a una clienta y ella agarró las tijeras y le hizo un corte, largo pero superficial. El médico dijo que no necesitaba puntos; simplemente le sujetó la mejilla con los dedos y se la grapó con tiritas. El corte le dejó en la cara un delgado arroyo de piel pálida. Dancesca cubre la cresta irregular con una gruesa tira de maquillaje.

Se sienta al borde de la cornisa, con un pie colgando sobre la nada y el otro apoyado en la azotea.

—Haz ese giro —dice, moviendo las trenzas.

Clarence Nathan camina por la cornisa, totalmente concentrado, con un tupé ridículo. La conoció en su peluquería del East Harlem. Estaba un poco rellenita, aunque luego adelgazó. Con ojos castaños. Preciosa. La piel más negra que el fondo del río. Cuando ella lo miró en el espejo, él apartó la vista. Se ruborizó. Cuando acabó de peinarle, le dejó una propina enorme. En la puerta de su edificio, lo recibieron con risotadas despectivas, al verlo llegar balanceándose sobre la punta de los pies, con un peine saliendo del copete rizado. Dos días después se la encontró en Saint Nicholas Park, y se sentaron en un banco para que ella le retocara el pelo.

Recorre la cornisa del tejado con sus vaqueros de pata ancha y parece como si sus pies no se movieran; luego le coge la mano a Dancesca e intenta convencerla de que se suba a la cornisa. Pero ella no es capaz; las rodillas se le doblan de miedo.

—Lo que tienes que hacer —dice él—, es pensar que tu cuerpo ni siquiera existe.

—No puedo.

—Claro que sí. Sólo tienes que olvidarte de dónde estás. Haz como si estuvieras en la acera.

—Estás como un cencerro.

—Mira —dice él.

Hace su movimiento favorito —se quita los zapatos y salta de un edificio a otro. Más tarde cogen una manta y la extienden sobre la azotea. Los envuelve un penetrante olor a alquitrán. Primero se sientan en los extremos de la manta, pero luego se van aproximando hasta que ella nota el aliento de él en su mejilla. Él le pasa la mano por la cintura y se tumban juntos. Le abre los botones de la blusa y palpa el aro de metal del sujetador. Manipula con ambas manos el broche de atrás, lo abre, le baja un tirante. Ella se recuesta, le abraza los hombros. Se rozan con los labios, y, con dedos vacilantes, él se aprieta contra la cadera de ella, que se acerca aún más y le muerde el lóbulo de la oreja. Honestamente, se introduce dentro de ella. Cuando hacen el amor, Clarence Nathan, a sus diecisiete años, siente como si estuviera entrando en su propia historia.

Por la mañana, otra vez sin ella en el piso, lo despierta su abuelo.

Walker ha colocado en el mostrador del baño una toalla y jabón de afeitar y una navaja de hoja recta. Lo ha puesto todo en fila, con mucho cuidado, incluso ha calentado un poco más de agua. La barba gris de Walker está demasiado larga, dice: no soporta poder cogerse el bigote con los dientes. Ha empezado a encontrar trozos de comida secos en él y le desagrada mirarse al espejo.

Clarence Nathan sigue a su abuelo. Las primeras sombras de la mañana yacen en el suelo. Cuando los hombres abren de un empujón la puerta del baño —la cerradura está rota— ven a Louisa sentada en la taza, doblada. Al principio no es más que un cuerpo encorvado, pero luego levanta la cabeza lentamente y ven que tiene la falda levantada y que recorre desesperada los muslos buscando un sitio nuevo donde pincharse.

—¡Fuera de aquí! —grita.

Walker golpea la pared con el puño medio cerrado.

—Pero, ¿qué coño haces, mujer?

Ella levanta la vista y se clava la aguja a toda prisa. Clarence Nathan siente un escalofrío al ver el vello púbico de su madre, que asoma cansado por sus bragas blancas.

—Te juro que es el último, te juro que es el último.

Se levanta y se estira la falda, se frota los ojos con la manga de la camisa. Al pasar mira al viejo a los ojos.

Walker suspira y se inclina sobre el lavabo y se lava las manos aunque ya están limpias. Sentado en un taburete fren-

te al espejo del baño, dice, una y otra vez, como en un mantra:
—Señor.

Su nieto le recorta primero la barba con las tijeras; le tiemblan los dedos. Walker nota el calor de la mañana que se posa dentro de sus mejillas hundidas y luego penetra más en él; incluso sus pulmones y su corazón parecen sudar en el evanescente paisaje de su cuerpo. En el horizonte ve una galerna catastrófica que viene hacia él: oscuros vientos y una lluvia contagiosa. La predicción le habla en sus rodillas y hombros y codos. Así es el tiempo. Sabe que no le queda mucho. No será difícil rendirse. Que llueva, piensa, mientras el agua y la espuma se deslizan por sus mejillas. Que llueva a cántaros. En los últimos meses Walker ha dejado de ir al médico. El dolor es su compañero. Le sorprendería —incluso se encontraría solo— si le abandonara. Se ha acumulado a su alrededor durante tantos años, ha regalado un orden necesario a las horas, a la rutina, a la contemplación de la calle. Piensa en Eleanor, en la forma en que una vez se levantó el camisón junto al lavabo de otro baño.

Una sonrisilla lasciva aparece en la comisura de sus labios cuando la barba cae al suelo.

Su mente evoca pequeños momentos. Walker se detiene en el borde de los recuerdos. Ha empezado a rezar otra vez, con ritmos largos y complejos, aunque no está muy seguro de si habla consigo mismo o no. Recuerda la oración que pronunció a medias en el túnel, en 1917, aquel momento de silencio antes de que los chicos empezaran a lanzar las velas. Saca la lengua y casi puede saborearlo.

La navaja se acerca a sus patillas grises.

—Oye, hijo.

—¿Señor?

—Anoche oí unos ruidos en la azotea —dice Walker—. Como si alguien diera saltos.

Clarence Nathan nota que se le encienden las mejillas, pero su abuelo se ríe a carcajadas durante un buen rato.

—Es una chica maja. ¿Cómo se llama?

—Dancesca.

—Sí, desde luego que es un buen partido.

Clarence se muere de vergüenza, le tiemblan las manos, se le escapa la navaja y un corte diminuto aparece cerca de la oreja de su abuelo. Limpia el resto del jabón de la cara del viejo y enjuga el corte con la toalla, observando cómo el tejido absorbe la sangre.

—No se te ocurra soltarla —dice Walker.

Clarence Nathan rasga un trozo de periódico, lo lame, y se lo coloca al viejo en el corte; el papel se seca y se queda pegado. La sangre oscurece el papel.

—Siento haberte cortado.

—Ni me entero —dice Walker. Contempla su reflejo en la ventana y dice—: ¡Nathan Walker, sigues siendo más guapo que la hostia!

Riendo entre dientes, se vuelve hacia Clarence Nathan.

—Vamos a disfrutar el día tú y yo. Sólo un paseo rápido.

—Sí señor.

—Tengo que decirte una cosa.

—Sí señor.

Las calles parecen partidas por el sol, dilatadas por el calor. Walker y su nieto cruzan las avenidas en dirección oeste y suben por la colina hacia Riverside Drive. Walker siente la cruz de plata que oscila en su cuello y el fresco metal que toca su piel.

Mientras camina, mira de reojo a Clarence Nathan. El joven lleva un *dashiki*. Un gorro rojo-verde-amarillo encaramado en la cabeza. Pantalones de color verde chillón. Una armónica —regalo de Walker— abulta en uno de los bolsillos. Clarence Nathan está llegando al final de su adolescencia: los músculos rugen bajo la camisa, tiene la nuez grande y prominente, una forma conocida de mover los hombros al andar. El muchacho intenta cultivar un estilo afro, pero sobre todo el pelo no le pega: una media melena lacia y negra.

Se sientan en un banco del parque detrás de la tumba de Grant y miran por entre los árboles de la orilla hacia el río que corre más abajo. El adolescente se encarama en el alto respaldo del banco. Walker levanta la solapa del saquito de tabaco, acerca la nariz, aspira el aroma, levanta la cara al aire.

—¿Se nota limpio, verdad?

—¿Señor?

—El día, se nota limpio.
—Sí señor.
—¿Cómo dices que se llama la chica esa?
—Dancesca.
—No se te ocurra soltarla. ¿Te lo he dicho ya?
—Sí señor, me lo ha dicho.
Tras un largo silencio, Clarence Nathan dice:
—Ayer me dejaron subir hasta el piso cuarenta y tres. Con los obreros. Se ven los ríos a kilómetros: el East, el Hudson. Cuando no hay bruma.
—¿Ganas dinero con ese trabajo?
—Sí señor. Un poco.
—¿Ahorras algo?
—Sí, sí, claro.
—¿En qué gastas el resto?
—Pues depende.
—De eso quería hablarte.
—¿De qué?
—Hay dos tipos de libertad, hijo. La libertad para hacer lo que a uno le da la gana y la libertad para hacer lo que uno tiene que hacer. —Y entonces Walker pregunta—: Le compras droga a tu madre, ¿verdad?
—No, señor.
—No me mientas, hijo. Le compras caballo. Lo sé. Ya sabes lo que opino de las mentiras.
—Nunca he comprado drogas, nunca.
—Entonces le das dinero.
Clarence Nathan calla.
—No le des más dinero.
El adolescente baja la cabeza.
—Sí señor.
—Lo digo en serio. Prométemelo.
—Sí señor —dice.
—Si no dejas de hacerlo, no sé qué va a ser de ella. Es lo que hay que hacer.
—Ya lo sé.
—¿Sabes lo que hizo? Le sacó todas las teclas al piano. El otro día levanté la tapa y no estaban.

—¿Señor?

—Seguro que creyó que eran de marfil puro. Seguro que creyó que las podría empeñar. La parte de arriba es de marfil pero el resto es madera. No valen nada de nada.

Clarence Nathan se mira fijamente los dedos.

—Escúchame, hijo —dice Walker. Tose y se limpia la saliva de la barbilla—. ¿Te hablé alguna vez del primer lanzamiento subacuático del mundo?

Ya conoce la historia, pero dice:

—No señor, nunca.

—¿Me prometes no volver a darle dinero?

—Se lo prometo.

—Vale —dice Walker, extendiendo la mano—. Haz como que esto es una Biblia.

Clarence Nathan pone la palma de la mano sobre la mano de su abuelo.

—Ahora jura sobre ella.

—Lo juro.

—Jura por tu vida que no le vas a dar ni un centavo.

—Lo juro por mi vida.

—Bueno —dice Walker. Tose de nuevo, siente que su cuerpo se quiebra en un dolor repentino, cierra los ojos—. Era el primer viaje del tren, y los chicos trajeron pelotas de béisbol, y...

A lo lejos Treefrog oye un fuerte golpe de carne sobre carne y un gruñido. El viento sopla por el túnel desde el lado sur, batiendo las grietas y los recovecos, abriéndose camino hacia arriba a través de su nido. *Castor* se le sienta en el regazo, con chupiteles de leche en los bigotes. Treefrog le echa el aliento y le limpia la leche con el pulgar y el índice, para que el hielo no le afecte al sentido del equilibrio.

Clarence Nathan ha visto muchas veces a su abuelo registrar la ropa de su madre, sacar unos paquetitos y tirarlos por el váter. Louisa llega a casa y revuelve en la taza con una percha doblada, pero no encuentra nada. Recorre el piso, blandiendo la percha como si fuera un arma. Amenaza con marcharse, dice que le dan la heroína en un programa de rehabilitación; tiene que eliminarla poco a poco de su cuerpo. Habla de Dakota del Sur, de ir en autobús, de ir en avión, pero sólo transporta sus huesos de la calle al piso y viceversa. Tiene la cara marrón como el cuero, con una colección de arrugas. El único color que ha visto en años es el rojo subiendo por un tubo de plástico, cuando se equivoca y tira demasiado del émbolo de la jeringuilla.

—Necesito un préstamo —dice una noche a última hora.

—Se acabaron los préstamos, ya te lo he dicho.

—Lo necesito para comprar comida.

—Tenemos comida de sobra.

—¿No sabes que tengo que daros de comer? ¿Sabes lo que cuesta dar de comer a una familia entera?

—Pero si ni siquiera comes tú. Sólo tomas esa mierda.

—No digas mierda. —Cierra los ojos—. Lo necesito, Claren. Por favor.

—¿Dónde te van a dar medicamentos a las tres de la mañana?

—No es más que un préstamo. Por favor.

—Si se entera me mata —dice él, indicando con la cabeza la forma dormida de Walker.

—No tiene por qué enterarse.

Le coge la cara entre las manos y tiernamente le acaricia las mejillas con dedos temblorosos.

—No, mamá. Lo siento.

—Es la última vez —dice ella—, te lo juro sobre la Biblia.

—Mamá, no me hagas esto.

—Mañana me buscaré un trabajo.

El blanco de sus ojos, grandes y suplicantes. Una terrible necesidad en sus dedos trémulos. Lo mira como si él pudiera aplastarla, quebrarla, disolverla, crearla.

—Por favor —dice, acercando las manos a la hoja de un ventilador eléctrico, que está encendido; el ventilador no tiene cubierta—. Te lo suplico. Por favor.

Retira las manos del ventilador en el último minuto y deja caer la cabeza, cierra los labios, frunce la boca.

—Seguro que prefieres verme en la calle.

—Mamá.
—Mi propio hijo. Me echa a la calle.
—Yo no haría eso.
—¿Entonces cómo quieres que consiga el medicamento?
Él suspira, baja la cabeza.
—¿Sabías que las huellas de pata de pájaro...
—Mamá.
—... son perfectas para dibujar el símbolo de la paz?
—Estás puesta, mamá.
—De verdad, son perfectos.
—Estás diciendo gilipolleces de loca, mamá.
—Dibujas un circulito alrededor. Piénsalo. Yo te enseño. Un círculo perfecto. Así. —Con el dedo le hace un círculo en el pecho, araña tres líneas como una huella de pájaro dentro del círculo, ladea la cabeza, y dice—: No me eches a la calle. Por favor. Sé demasiado para estar en la calle. Sabes lo mal que estoy desde que perdí a tu padre.
Clarence Nathan mete la mano bajo el colchón, donde guarda el dinero, y le entrega un billete de veinte dólares bien doblado. Ella sonríe y se mete el dinero en el escote de la blusa.
—Nunca lo olvidaré —dice ella.
Se marcha tras besarle ágilmente en la frente. Él se da un puñetazo en la palma de la mano.
Clarence Nathan duerme en la escalera de incendios; le han contado que su padre hacía lo mismo. No le molesta el ruido de la calle: sirenas de policía, discos que suenan por ventanas abiertas: Jimi Hendrix, James Brown. Estruja el cuerpo para caber en el pequeño espacio, con los brazos alrededor de las rodillas. A veces la noche se ve interrumpida por unos disparos; o por una bocina musical que resuena; o por parejas que gritan asomadas a la ventana. Un paisaje de amor y odio. La crueldad se palpa en el aire. Pero también la ternura. En esta parte del mundo hay algo vivo cuyo corazón podría estallar con tanto dolor acumulado. Como si de repente todo vacilara bajo la gravedad de la vida. Como si la propia ciudad hubiera dado a luz los entresijos del corazón humano. Venas y arterias —como los túneles de su abuelo— rebosantes de sangre. Y millones de hombres y mujeres chapoteando por las calles en medio de esa misma sangre.

Muchas veces, Clarence Nathan se imagina que tiene un oído muy agudo y escucha la sangre salpicando las orillas de piel de los cuerpos, en una sinfonía de miseria y amor.

Ve pasar a su madre bajo una luz fugaz, y le parece tan delgada, abrazándose, tiritando, que su carne fláccida parece hacerla refugiarse en la niña que una vez debió de ser.

Unas semanas más tarde, mientras cuelga obturadores en las vigas, a ras de suelo, le avisan para que se ponga al teléfono que hay cerca de una de las cabañas de los trabajadores. Cruza el solar, tamborileando un ritmo en el muslo.

—Es tu madre —dice Walker—. Ven a casa.

La puerta del piso se abre antes de que llame. Los ojos de Clarence Nathan recorren la habitación. El piano destripado tiene la tapa abierta. El sofá está apoyado contra la ventana. Unas cuantas sillas de mimbre yacen abandonadas en medio de la habitación, con la tapicería deshilachada. Walker se levanta y agarra a su nieto por la solapa y le da un puñetazo, un puñetazo lento, sin potencia. Pero, aun así, el joven cae al suelo.

—No cumpliste tu promesa, hijo.

Clarence Nathan se lleva un dedo a los labios.

—Siéntate —dice Walker.

—¿Dónde está mamá?

Walker menea la cabeza.

—¿Dónde está?

—Ya sabía yo que iba a pasar esto —dice Walker.

—¿El qué? —El joven acerca las rodillas al pecho y se abraza los pies—. ¿Dónde está?

—Levántate del suelo.

El joven se levanta, echa un vistazo a la habitación, rompe a llorar, diciendo:

—Yo le di todo ese dinero.

—Ya no importa. Cuando se acaba, se acaba, tienes que aceptarlo. Se acabó.

—Se acabó, repite Clarence Nathan, sin pensar en lo que dice.

—Venga acá esa mano.

Clarence Nathan extiende una mano y Walker le da la suya, temblando.

—Vamos a rezar.

Tras unos minutos de silencio, Walker dice:

—Siento haberte pegado, hijo.

El viejo se acomoda en el sofá y saca un poco de tabaco del saquito que lleva colgado del cuello, lo mira con atención, cuenta los trozos.

—Qué mierda —dice al fin. Se seca un ojo, intenta beber de una taza de té que desde hace tiempo está vacía—. Tenía la esperanza de que lo dejaría.

Clarence Nathan mira por la ventana.

—Es culpa mía. Yo le di el dinero.

—No te compadezcas, hijo. Fue culpa suya. Lo peor que puede hacer un hombre es compadecerse así.

Walker se levanta con esfuerzo, se seca los ojos, cruza la habitación.

—Tenemos que bajar a la funeraria. Arreglarlo para que se la lleven de vuelta a Dakota del Sur. Tiene que estar cerca de ese lago del que hablaba.

Clarence Nathan le abrocha el abrigo a su abuelo, le ayuda a ponerse una bufanda al cuello, se agacha para atarle los cordones de los zapatos. Cierran la puerta con tres llaves y juntos bajan las escaleras. Clarence Nathan sujeta al viejo, que se agarra a la barandilla. Salen a la luz del sol. Clarence Nathan, llorando aún, se quita la gorra de béisbol y se la pone a Walker para que la visera le proteja los ojos.

En Saint Nicholas Park, en un día húmedo y desapacible, le enseña a Dancesca cómo se hace un símbolo con la huella de un pájaro.

—Mira —dice—. Mira. Dibujas un redondel. Así.

Treefrog se despierta en la cueva de atrás cuando una rata corretea y le roza los tobillos. Arrima las rodillas al pecho y silba para llamar a *Castor*, pero el gato no está cerca. No sabe si es de día o de noche, si estaba muerto o sólo dormido, o las dos cosas, y si puede seguir así para siempre, muerto y dormido.

Enciende otra vela y vuelve a meter los mapas en sus bolsas de plástico. Meciéndose atrás y adelante en medio de la oscura humedad, espera a que el ruido de un tren le indique si es por la mañana o por la noche. No hay trenes entre la medianoche y las siete; después, los Amtrak pasan cada cuarenta minutos. Se chamusca la punta de la barba con la vela encendida, nota el calor en la barbilla, y aguarda casi una hora, enroscado, escuchando los rugidos de su estómago. Nada, así que debe de ser de noche. Deja caer cera caliente en la yema de los pulgares, donde se endurece rápidamente. Luego presiona con los dedos el costado izquierdo para compensar el dolor del hígado. Todavía le queda dinero del funeral de Faraday y piensa que a lo mejor debería salir a comprar ginebra.

Pasa de la cueva a la habitación y se siente atraído por el túnel, baja de un salto.

Ni una sola luz. La negrura más absoluta. Treefrog pasa junto al montón de basura de Dean y huele la suciedad humana, se aparta para no mancharse los zapatos de mierda.

Treefrog choca con el cochecito de niño, que ahora está lleno de basura. Se para a mirarlo, extiende el brazo y lo mece un poco de un lado a otro: era el verano de 1976, Lenora acababa de nacer. Era pequeñísima. Tenía el pelo bonito y fino y oscuro. Su piel era suave y de color caoba. Clarence Nathan sentía que su mundo había cambiado de ecuador, le había dado sentido, historia. Pasaba horas con ella en brazos. La niña dormía sobre su estómago y daba pataditas envuelta en mantas. Dancesca se acostaba con ellos. El tiempo tenía una cualidad nueva, a veces transcurrían horas enteras sin que hiciera otra cosa que mirar a la niña. Se sentían completos, llenos, valientes, seguros. El desamparo de Lenora les daba profundidad. Se movían juntos como la Trinidad, él, Dancesca, Lenora. Cada domingo pagaba un taxi para que Walker pudiera venir a visitarlos. Se sentaban juntos a ver partidos de béisbol. La niña dormía en una cuna muy cerca. Eran tiempos de una lentitud dulce, incluso cuando Lenora pataleaba y lloraba. Un domingo, Walker levantó a Lenora de la cuna. Besó a la niña en la frente. La llevó al cuarto de baño, donde ya había llenado el lavabo con agua caliente. Clarence Nathan lo observaba. El viejo iba a bautizar a la niña: una mezcla de su propia religión y la historia de la de Eleanor. Justo antes de meter a la niña en el lavabo con cuidado, Walker le dijo algo al oído. Por un momento todo quedó en silencio, y el viejo introdujo al bebé en el agua. La niña lloró un poco, luego se calló. Walker salió del baño con la niña envuelta en una manta caliente. Más tarde dijo: «Voy a llevar a Lenora a dar un paseo». Dancesca y Clarence Nathan se asomaron a la ventana y vieron al viejo que salía a la calle, empujando el cochecito. Al pasar junto a una boca de riego, se le cayó el chupete a Lenora. Walker se inclinó y, con dificultad, lo recogió del suelo. La goma estaba sucia. Miró un momento a su alrededor, parecía confundido. Luego se metió el chupete en la boca para limpiarlo. Se inclinó y con delicadeza introdujo la tetilla en la boca de la niña, y le dijo algo a Lenora al oído. Desde arriba, Clarence Nathan sabía exactamente lo que su abuelo le estaba diciendo a la niña.

Treefrog se aparta de pronto del cochecito, sigue adelante, hace equilibrios sobre un raíl, pie izquierdo pie derecho pie izquierdo pie derecho. Ahora siente la imperiosa necesidad de hablar con alguien, con cualquiera, de decir algo, simplemente de dejar que le salgan palabras de la garganta, largas y lentas y honestas. Se detiene un momento junto a la puerta de Papa Love y luego decide no despertar al viejo artista; de todas formas no le abriría la puerta.

En el cubículo de Elias se oyen murmullos y por debajo de la puerta sale algo de luz. Parece que Elias ha vuelto a conectar el zumo. Treefrog pega la oreja al cubículo y oye llorar a Angela. Luego un golpe sordo pero fuerte. El sonido alcanza a Treefrog en la parte baja del estómago y permanece ahí, royéndole las entrañas. Saca la llave inglesa del bolsillo. Tiene la boca seca, los pies vacilantes. Quiere abrir la puerta e irrumpir dentro, pero se contiene, paralizado por la inacción. Los golpes y el llanto continúan, y oye a Angela decir, en patéticos hipidos largos y agudos: «¿Por qué haces daño a los que quieres, por qué haces daño a los que quieres?».

Treefrog se queda en la puerta y golpea la llave inglesa rítmicamente contra las palmas de la mano. Entonces oye a Elias moverse.

Treefrog se aparta del cubículo con sigilo y se sitúa bajo la rejilla, al otro lado del túnel. Decide esperar a que salga Elias, pero no ocurre nada. Y vuelve a escuchar los golpes, los lloriqueos, la respiración de Angela. Treefrog se desliza por la pared hasta sentarse en la grava del túnel. Lentamente, se quita los guantes y saca la navaja. Aprieta la hoja contra la palma de la mano. Qué nadería, piensa. Qué cobardía. Qué vida solitaria, como una oreja: escuchando, siempre escuchando, sólo escuchando.

Con la navaja se hace un corte en la palma derecha, luego la izquierda; enciende el mechero y se sorprende al ver dos estrechos arroyos de sangre que corren paralelos por sus muñecas levantadas. Se remanga el abrigo hasta arriba y un pequeño glóbulo de color rojo se acumula en el pliegue de cada codo.

Bajo la rejilla, Treefrog mira hacia arriba, contempla las estrellas irrelevantes y sabe que la luz que llega a sus ojos nació hace años; ahí arriba no hay nada más que el movimiento del pasado, cosas que implosionaron hace mucho y desaparecieron para siempre: fue años más tarde, un viernes; terminó su turno en el rascacielos, bajó en el ascensor, se duchó y se recogió el pelo en una cola de caballo corta, y ellos lo esperaban fuera en un coche de alquiler nuevecito, un Ford. Walker había pedido un coche de fabricación americana. Dancesca se sentó atrás con Lenora, que tenía cinco años, y Clarence Nathan conducía. Tardaron cuatro días en llegar a Dakota del Sur. Clarence Nathan había enviado cientos de dólares para la lápida, un billete de veinte cada semana, pero en el cementerio sólo había una simple cruz de madera con el nombre Turiver. La familia de Louisa se había mudado. La maleza florecía en la vieja cabaña donde ella había vivido. Bajaron los cuatro juntos hasta la orilla del lago. El lago era inmenso, y estaba quieto salvo por una motora que avanzaba por el agua. Habían traído la merienda, y se sentaron en silencio a comer jugosos sándwiches de pepino. Un esquiador tropezó en la estela de la lancha. Por primera vez en todo el día se rieron al ver al esquiador dando volteretas por el aire. Para entonces Walker ya tenía el cuerpo prácticamente paralizado por el reúma, pero llevó a Lenora a la orilla del lago y extendió un brazo y dobló una rodilla y estiró la punta del pie en el aire y la niña imitaba cada gesto, y no había ni un movimiento en el cielo ni huellas en el barro. Permanecieron así, bailando. Clarence Nathan le tocó el brazo a su mujer, el sol de Dakota del Sur se derramaba generoso a su alrededor.

De repente Treefrog oye un golpe que le hace abrir los ojos, se pone en pie, busca a tientas la llave inglesa. La bisagra superior de la puerta cruje y la madera se astilla.

Por la puerta rota escapa la luz eléctrica.

Por un momento se pregunta dónde está exactamente —en un túnel o en un coche o junto a un lago— y entonces Angela sale del cubículo dando tumbos, empujando la puerta rota, con el cuerpo agitado y la respiración acelerada.

Elias la persigue.

—¡No! —grita ella.

La bombilla desnuda oscila en el cubículo.

Elias le da un puñetazo en la parte de atrás de la cabeza y ella tropieza de nuevo, se vuelve, gira bajo la luz, cae.

Angela se pone de pie a rastras; tiene sangre en la boca y sangre en el ojo y sangre por la mejilla. Incluso en el charco de luz pendular, Treefrog ve que su cuerpo es una triste piltrafa rota. Cojea por la grava, al borde de la vía, con el abrigo de piel a medio vestir, blandiendo el bolso para mantener a raya a Elias. «¡No!» Y entonces Treefrog sale de la lejana oscuridad empuñando la llave inglesa.

Elias, —apartándose para esquivar el bolso de Angela—, mira al otro lado de la vía, se baja la capucha de la sudadera, y dice:

—Mira quién está aquí. —Llama a Treefrog con el dedo—. Venga, tío, venga, hijo de puta.

Angela lloriquea junto a la vía, abrazada al bolso. Treefrog es consciente de cada paso que da, como si flotara por las tinieblas.

La puerta del cubículo se balancea adelante y atrás y la luz se filtra en el túnel, lamiendo los rincones oscuros, tocando el cuerpo de Treefrog; se desvanece una vez más, hasta que la puerta deja de oscilar y Treefrog queda de pie en un círculo definido de luz.

No necesita mantener el equilibrio, la certeza bombea en su interior. Atraviesa la vía y se detiene.

Elias sonríe maliciosamente.

Treefrog le devuelve la sonrisa.

Elias pone un pie delante del otro, levanta los puños.

Treefrog se acerca.

Elias hace un giro rápido.

Treefrog se aparta del arco de la patada de Elias, avanza, se agacha para esquivar la segunda patada.

La pierna de Elias pasa por encima de él como a cámara lenta.

Como impulsado por un resorte, Treefrog se incorpora y la llave inglesa se eleva y —con precisión perfecta— alcanza a Elias en la ingle. Elias cae contra el cubículo, agarrándose los huevos. Emite un grito agónico y traga aire cuatro veces.

Apoya una mano en el suelo, se endereza lentamente y busca una navaja en el bolsillo de atrás.

Treefrog se acerca más.

Elias abre mucho los ojos. Abre la navaja y le amenaza con ella.

Treefrog sigue avanzando.

El blanco de los ojos de Elias parece enorme.

La navaja rasga el aire.

Treefrog se aparta.

El cuerpo de Elias describe la misma curva que la navaja.

Treefrog entra en el espacio que se ha creado y sonríe. El golpe de la llave inglesa en el codo de Elias es rápido y grácil, y el crujido del hueso es el eco de la puerta al astillarse, y la navaja cae al suelo con estrépito.

Cuando la llave ataca por segunda vez, le da en el hombro a Elias, que emite un aullido animal, con la cara encogida por el terror. Se tambalea, con una mano se agarra el codo, con la otra los testículos, y entonces la llave inglesa vuelve a girar.

Esta vez le golpea la rodilla a Elias y, con un ágil movimiento, Treefrog le da una patada a la navaja.

Cuando Elias cae, Treefrog le planta la bota en los dientes y una alegría monumental le invade cuando la cabeza de Elias choca contra la puerta rota. La bota de Treefrog conecta con la ingle de Elias y el hombre se pliega como un acordeón por el inmenso dolor y emite un gemido que, piensa Treefrog, podría reverberar en las paredes y permanecer para siempre en el túnel.

Recoge la navaja de Elias, se la guarda en el bolsillo, se agacha y le dice tranquilamente:

—Buenos días, capullo.

Elias escupe sangre y vuelve la cara, tosiendo y gimiendo. Angela, que contempla la escena desde la vía, aparta la mano de su boca destrozada y grita de alegría. A Treefrog le parece, durante todo este tiempo, que esto es lo primero que ha hecho en su vida.

Trece

DONDE EL ACERO Y EL CIELO SE TOCAN

Treefrog lanza el bolso al nido y trepa fácilmente hasta la primera pasarela. Se quita los guantes para agarrarse mejor, se inclina para cogerla por la muñeca.

Ella apoya la pierna contra la columna, pero las suelas de sus zapatos de tacón patinan y él tiene que usar toda la fuerza de sus antebrazos para auparla. Tiene la cara hinchada y magullada; por la boca le mana sangre de un diente roto; tiene el ojo lacerado y sanguinolento. Solloza con una pierna apoyada en la columna de cemento.

—Treefy. —Agita los brazos y respira nerviosa—. No puedo. No puedo. Treefy.

Parece que desea caerse —hay poco más de un metro hasta el suelo del túnel— pero finalmente se estira y se agarra a la viga y él le pasa los brazos por las axilas. Se inclina peligrosamente por encima de la viga y la arrastra hacia arriba a través de la oscuridad hasta dejarla acostada en la viga más baja, lloriqueando.

Recuerda cuando levantaba a su hija del columpio y siente el estómago enorme y vacío.

—Pasa las piernas al otro lado —dice él.

—¿Por qué coño no...

—Descansa un rato, Angela.

—... pones una escalera?

Pasa por encima de ella con un movimiento ágil y le coge la mano.

—Quiero bajar —dice ella.

—Ponte de pie —dice Treefrog—. Yo te sujeto, no te caerás, te lo prometo; tienes que fiarte de mí.

—Yo no me fío de nadie.

—Inténtalo.

—De nadie, he dicho.

Se queda a caballo de la viga helada, aferrándose al borde. Su cuerpo empieza a tiritar, así que él se inclina y la abraza para calentarla. Le mira los tacones y dice:

—Espera un minuto.

Y se va, en doce pasos, hasta la siguiente viga, entra en el nido y vuelve con unas zapatillas de deporte y tres pares de calcetines. Treefrog se agacha y le quita los zapatos a Angela.

—Ya está —dice.

Tira los zapatos de tacón al otro extremo de la vía, hacia el mural; aterrizan y ruedan por el parche de nieve que hay bajo la rejilla.

—Estate quieta —dice, y le pone dos pares de calcetines.

Le ata las zapatillas —le siguen quedando grandes— y le dice:

—Ahora.

Se guarda en el bolsillo el tercer par de calcetines, pasa por encima de su cuerpo acurrucado, se pone en pie detrás de ella, la levanta, y la agarra por la cintura.

—¡Treefy!

—Yo te sujeto.

—Tienes las manos heladas.

Esto es lo que recuerda mientras camina tras ella: llega después del amanecer, un hombre en movimiento hacia el cielo. Sube los escalones de la boca de metro, baja por una calle arisca llena de bocinas de coches. Es engullido por hombres y mujeres de negocios que se dirigen a Wall Street, pero pronto se une a otros obreros de la construcción, que parecen salidos de anuncios de tabaco negro. Tienen los ojos legañosos por las noches de amor y alcohol y televisión y cocaína. Los bolsillos traseros de sus tejanos han adoptado la lógica de lo que llevan dentro: la huella de un paquete de cigarrillos, un pequeño círculo donde sobresalen las latas de tabaco, la protuberancia de una bolsita de cocaína, la marca de una cartera. En la cartera llevan fotos de sus madres y sus novias y sus hijas y algunos hasta de sus padres y sus hijos. Si les pasa algo, estarán cerca de sus seres queridos; es mejor morir cerca de la familia que del negocio. De todos modos, rara vez mencionan la muerte, ni siquiera en el funeral cuentan que el muerto se precipitó desde una altura de doce metros, o que el hueco del ascensor se derrumbó, o que el suicida fue a parar a la red, o que un perno cayó de arriba del todo y abrió un pasillo de sangre en la cabeza de un albañil. En vez de eso hablan de mujeres y chicas y camareras y la suave curva de las nalgas y los culos llamativos y el aspecto de los pezones en verano y la manera en que un hombro se desnuda al sol.

Juran a voces mientras avanzan por las calles. Nunca ceden el paso. A su lado, los hombres de negocios parecen pequeños, inútiles y femeninos.

A veces uno de los obreros se mete el dedo en la nariz y escupe un chorro de mocos al suelo, y un ejecutivo tuerce la boca asqueado, pero los obreros siguen caminando, indiferentes, en medio de la hora punta matutina.

Clarence Nathan se pone tanto sus nuevas botas marrones que tiene un círculo sin vello donde la caña de cuero le roza las piernas. Es una especie de talismán. Un amuleto. La camiseta azul se le ajusta al torso. En la cartera del bolsillo de atrás lleva a su abuelo, a su madre muerta, a su mujer y a su hija de tres años. Ya no lleva el pelo a lo afro, como se lo puso Dancesca, sino otra vez largo y liso. Arriba del todo, si levanta la cabeza, un esqueleto de su creación se alza hacia el cielo despejado de Manhattan. Algunos de sus compañeros se quedarán al pie del edificio, colocando ganchos; otros colgarán grapas de las cuerdas y se asomarán peligrosamente sobre la sección media de acero; otros pasarán todo el día en los pasillos, reparando montacargas, retorciendo cables eléctricos, enlechando, martilleando, pintando, colocando escayola. Pero Clarence Nathan subirá más arriba que ningún otro hombre de Manhattan.

Después de tomar café en el cobertizo, sube al montacargas con los demás. Se elevan, aristocráticos, en el aire. Catorce hombres, dos equipos de siete. El viento mece la jaula. No hay cristales, sólo barras a la altura de la rodilla, la cadera, el pecho.

A sus pies, Manhattan se convierte en un borrón de taxis amarillos y siluetas oscuras. Hay algo en esta ascensión semejante al deseo, el suave vaivén, la brisa refrescante, el saber que él es quien horada la virginidad del espacio, donde el acero y el cielo se tocan.

Todos los colegas de Clarence Nathan son fuertes. Un par de ellos son Mohawks, y su sangre se distribuye de forma equilibrada por todo el cuerpo: les viene de su historia, es un don, tienen equilibrio puro, la idea de caer es un anatema para ellos. Otros son de las Antillas o de Granada, y hay un inglés, Cricket, que pronuncia las vocales como si las sirviera con pinzas. Es delgado y rubio, con el rostro picado de viruelas, y lleva un pendiente en forma de rayo. Lo llaman Cricket porque una vez intentó enseñar a los demás obreros el deporte de su país subido a una viga. Tras sacar brillo a una pelota imaginaria frotándola contra el muslo, bajó la cabeza y echó a correr por la estrecha viga para demostrar la técnica del lanzamiento, describiendo un círculo gigante con el brazo. Los espectadores lo observaban sentados: Cricket casi se cae —a nueve metros de la plataforma de metal— pero se sostuvo con la fuerza de sus brazos y quedó colgando, sonriente; luego se aupó y dijo:

—¡La pierna antes que los palos, caballeros!

El montacargas se detiene con estrépito. Clarence Nathan termina el café, tira el vaso de papel, y recorre la plataforma de metal hasta llegar a dos escaleras que se elevan en el aire. En broma los hombres llaman a esta zona el punto del acojone. Ningún hombre normal va más allá.

Los más ágiles —Clarence Nathan y Cricket— suben los escalones de dos en dos. Llevan los cinturones de cuero llenos de herramientas, que les golpean los muslos. Hay tres escaleras hasta la cima del edificio, donde las columnas de acero se alzan en el aire. El capataz, Lafayette, con gafas de montura gruesa, asoma la cabeza al final de la escalera y dice:

—Un día más, un dólar más.

Mirando por dónde pisa, Lafayette camina por el andamio flotante. Cricket va con él, diciendo:

—Un día más, un dolor más.

Clarence Nathan recuerda los mapas mentales que se hizo

ayer: dónde dejaron ciertas piezas de maquinaria, qué huecos hay en el andamio, en qué zona del tejado puede volcar accidentalmente con el pie un caldero de pernos, dónde habrán tirado una lata de cerveza al final del último turno. La radio crepita y las ondas transmiten un ruido confuso de voces. Los hombres observan las enormes grúas amarillas que entran en acción, levantando vigas y columnas de acero. El metal avanza centímetro a centímetro por el aire. Cuando el acero está sobre el andamio, Lafayette establece el orden en que trabajarán los hombres. Los obreros esperan charlando.

El más callado de todos es Clarence Nathan. Apenas habla pero, a veces, cuando el capataz no está cerca, él y Cricket se retan a andar a ciegas por las vigas. Se mueven como si estuvieran en tierra firme. Si caen no llegarán muy lejos, pero nueve metros son tan mortíferos como treinta. Con los ojos cerrados, nunca pierden el paso.

En la plataforma, Clarence Nathan le da la vuelta al casco, se mete el pelo dentro. El encargado de las señales habla por radio con el que dirige la grúa en su lenguaje codificado. Levantan una enorme columna de acero, la colocan en posición y la atornillan por abajo. La columna apunta al cielo. De la grúa cuelga un cable con una bola al final; los hombres la llaman la bola de la jaqueca. Lafayette silba para pedir que venga un hombre y Clarence Nathan le indica que sí con el pulgar. El cable viene hacia él.

Alarga la mano para agarrar el cable, lo detiene y, con soberbia despreocupación, se monta en la bolita de acero.

De repente el cable se mueve y él se balancea en el aire, en la nada. Adora esa sensación: solo, sobre el acero, por encima de la ciudad, con sus compañeros debajo, sin pensar en nada más que en su vaivén en el aire. Se sujeta con una mano. La grúa lo iza, despacio y con cuidado, hasta la cima de la columna. La bola de la jaqueca oscila un poco y luego se detiene. Clarence Nathan cambia el peso y ágilmente se traslada a los gruesos rebordes de acero de la columna —por un segundo se siente absolutamente libre de todo; es un momento de máxima pureza, a solas con el aire. Abraza la columna con las piernas. En la columna de enfrente, Cricket aguarda. Entonces la grúa les trae una enorme viga de acero, que avanza por el aire poco a poco, minuciosa, metódicamente, y los dos hombres estiran el brazo y la sujetan y la atraen hacia sí. «¿Todo bien?», grita Cricket. «¡Vale!» Colocan la viga en posición con fuerza brutal, a veces utilizan grandes mazos de goma o llaves para encajarla en su sitio. El sudor les corre a mares por el torso. Insertan pernos y los aprietan, pero no del todo; más tarde otros obreros los acabarán de atornillar. Y entonces los hombres las desenganchan —la viga se encuentra ahora entre las dos columnas, y el esqueleto del edificio va creciendo. Clarence Nathan y Cricket caminan por la viga y se reúnen en el centro. Dan un paso en el espacio para subirse a la bola de la jaqueca, abrazados, y descienden hasta la plataforma, donde los esperan los demás. A veces, en broma, Clarence Nathan saca la armónica cuando está en la cima de la columna y la toca con una sola mano. El viento se lleva la mayor parte de la melodía, pero de vez en cuando las notas se filtran hasta los obreros de abajo. Las notas suenan ondulantes y forzadas, y por eso los hombres a veces lo llaman Treefrog, un nombre que no le gusta demasiado.

—¡Muy bien!, dice Treefrog, cuando Angela y él llegan al final de la primera viga.

Angela respira con dificultad. Bajo el abrigo de piel se percibe el movimiento de su pecho.

—¡No sé cómo coño me vas a llevar ahí arriba!

—Es fácil.

—Bájame. Sólo quieres follar. Eres como todos. No me encuentro bien, Treefy. Ay, Treefy.

—Parece más alto de lo que es, de verdad.

—Quiero mis zapatos.

—Imagínate que estás en el suelo.

—Bueno, es que no estoy en el suelo.

—Si piensas que estás en el suelo está chupado.

—No soy una niña —dice ella, limpiándose un churrete de sangre que le corre por el abrigo de piel.

—Nunca dije que lo fueras.

—Yo me quedo aquí. Tráeme los zapatos.

—Están ahí abajo, hostia.

—No me voy hasta que me traigas los zapatos.

—Bueno, vale, quédate aquí.
—No me dejes, Treefy. Por favor.
—Tú mírame.
Coloca la mano en el asa tallada en la columna y en cuestión de segundos se planta en la segunda pasarela. Metro y medio más abajo, Angela sigue abrazada a la columna de cemento como si estuviera escayolada a ella. Treefrog rodea la viga con la pierna y se inclina y le coge la mano y —casi con violencia— sube a Angela por el aire y la agarra por la cintura y la aúpa. Pensó que iba a gritar y chillar y patalear, pero lo único que dice es:
—Gracias, Treefy.
Angela se sienta en la viga, tiritando. Ha dejado de llorar y parpadea varias veces con el ojo bueno, se enjuga la sangre del otro.
—No me encuentro bien.
—Sólo tienes que cruzar esto. Relájate. ¿Ves? Ahí arriba. No mires hacia abajo. ¡Te he dicho que no mires hacia abajo!
—Me hizo daño.
—Ya lo sé.
—¿Lo mataste?
—No.
—Quiero que lo mates —dice Angela—. Mátalo al muy capullo. Métele un paño de cocina azul en la garganta.
—Vale.
—No lo mates, Treefy.
—Vale. Lo que tú digas.
—Me vas a dejar que me caiga.
—Confía en mí. Yo trabajaba en los rascacielos —dice.
Ella lo mira fijamente.
—Me da miedo.
—Tranquila. Te prometo que no te va a pasar nada.
—Eres raro.
—Tú tampoco eres muy normal que digamos.
—¡Yo soy normal! No me llames *desnormal.*
—Vale vale vale. Eres la mujer más normal que he visto en mi vida. Venga.
—Qué mono eres, Treefy.

Se pone de pie detrás de ella y la guía por la estrecha viga. Ella da pasos lentos y precisos y él la lleva abrazada: sólo el clima lo detiene —el acero se vuelve resbaladizo con la niebla y el hielo y la lluvia, y lo peor de todo son los rayos. Los hombres han colocado en la cima del edificio un pararrayos provisional, pero al primer indicio de tormenta fuerte los mandan a casa. Cuando hace buen tiempo, avanzan un piso por semana. El sol rebota en el metal, pero por lo menos, el viento los refresca. Aunque va contra las normas, Clarence Walker suele trabajar sin camiseta. Aún tiene el cuerpo limpio de puñaladas y cicatrices. El capataz, Lafayette, habla de las cataratas heladas de Canadá, de cómo escalaban por la espesa capa de hielo con botas especiales y cuerdas y mosquetones y piolets, y de las saunas indias donde entonaban cánticos al cielo para purificarse. A Clarence Nathan le gusta la idea —estar suspendido sobre un río— y se imagina a sí mismo en mitad del ascenso a una catarata, con el agua goteando detrás del hielo.

Los viernes, al acabar el turno, los hombres se toman unas cervezas en las vigas de arriba, sentados en fila, con las piernas colgando, y tiran las latas a las redes que hay mucho más abajo. Les gusta aparentar indiferencia; la indiferencia es su mayor don. Nunca se dejan ver sin ella. Aunque noten que una nube de humedad empieza a rodearlos, seguirán sentados, charlando. Suena el *clac* de las latas de cerveza al abrirse. Llevan los cascos enganchados a la cintura con mosquetones. Muchos de los cascos lucen pegatinas: escudos de Harley Davidson o de los New York Mets, un emblema del parque nacional de Yellowstone, una pegatina circular del Hard Rock Café y, muy a menudo, banderas de Canadá con hojas de marihuana en el centro. Los hombres hablan del fin de semana que se acerca: a quién verán, cuánto gastarán, cuántas veces follarán. El viento se lleva sus risotadas. De la ciudad sólo sube el más débil de los sonidos; una sirena de vez en cuando, el claxon de un camión. Esperan a que se vaya Lafayette para sacar bolsas de coca y pajitas rojas y a veces un poco de chocolate. Encienden los porros con fósforos. Las cuchillas de afeitar trocean grandes granos blancos. Un hombre protege con los brazos una gruesa raya de coca para que no se vuele nada.

Colocado de marihuana —no esnifa coca— Clarence Nathan habla con los helicópteros que vienen del Hudson y del East River.

Después del trabajo, va en metro hasta la calle 96 y luego anda hasta casa mientras el sol describe un arco descendente en el este. De su cinturón de trabajo cuelga la llave inglesa que marca el ritmo contra su muslo. Le parece que todavía está en las vigas, flotando, y se cerciora de que sus pies no tocan las grietas del pavimento. No tiene que andar mucho para llegar al pisito donde vive con su familia, en el cruce de la West End Avenue con la calle 101, pero primero se acerca a Riverside Park, fumando mientras camina. A veces —antes de llegar al parque— se detiene junto a un parquímetro y ensaya su viejo truco, haciendo equilibrios sobre él a la pata coja.

Camina mirando al suelo y cuenta los pasos. Es curioso, le gusta que terminen en número par, aunque no es absolutamente necesario. No es más que un juego. En el parque, suelen abordarle los chaperos para ofrecerle una mamada. El parque es uno de sus lugares favoritos. «Hoy no», dice, y a veces le silban; les gusta que lleve camisetas sin mangas, en sus brazos sobresalen los músculos. A la puerta del piso hace el chiste de siempre —«¡Cielo, ya estoy en casa!»— y Dancesca aparece como si acabara de salir del televisor, con el maquillaje impecable, las cuentas en el pelo, la piel oscura, los dientes blancos, su hijita agarrada a una pierna. En el vestíbulo, Clarence Nathan se quita la camiseta y Dancesca le acaricia el pecho con los dedos y le pellizca juguetona. Lenora se queda fuera del baño mientras él se limpia el trabajo del día. Cuando sale, la levanta y le da vueltas en el aire por encima de su cabeza hasta que ella dice: «Papi, me mareo». Después de cenar acuesta a la niña. En la pared de su cuarto, Lenora ha clavado con chinchetas una enorme lámina de plástico transparente azul, y dice que es su acuario. Bajo el plástico hay fotos recortadas de peces, conchas, plantas, gente. En la parte superior del acuario, donde Lenora coloca a los que más quiere, hay una instantánea de sus padres el día de su boda, a la puerta del registro civil, en 1976. Clarence Nathan lleva una ancha corbata marrón y pantalones de campana. Tiene el pelo corto. Dancesca lleva ya un vestido premamá. Parecen avergonzados, confusos. Ella tiene las manos cruzadas sobre el estómago abultado. Él se retuerce los dedos de nervios. Sus hombros apenas se tocan. Pero al fondo está Walker, con un vago aire de triunfo, sin sombrero, señalando en broma su propia coronilla calva.

También hay una foto en blanco y negro de Walker con otros topos a la boca de un túnel. Todos los demás hombres están muy serios con sus bigotones, pero Walker, cubierto de barro, parece feliz. Tiene una pala apoyada en la cadera, las manos bajo los brazos, y grandes músculos.

Antes de dormir, Lenora cambia de sitio las fotos del acuario. Clarence Nathan se sienta en la cama. Finalmente se despide tirándole un beso desde la puerta. A veces, para hacer el tonto, cierra los ojos y camina a ciegas por las habitaciones. El piso es pequeño y viejo, pero limpio, con un estéreo, un sofá de flores, un televisor pasado de moda, una cocina llena de aparatos blancos y rojos. Antes había una bañera en la sala pero ya no la usan, está llena de trastos y tapada con una lona. En las paredes hay dibujos enmarcados de tiendas de Nueva York, regalo de Walker.

Clarence Nathan abre una lata de cerveza y se sienta en el sofá a ver la tele junto a Dancesca. Al final de la tarde hacen el amor y Dancesca se mueve como un río por debajo de él. Después se ponen otra vez a ver programas de television y a él le gusta esta inactividad, este ritmo. Quiere que su abuelo se venga a vivir con ellos, pero Walker dice que morirá en Harlem; morirá en la habitación donde pasa los días charlando con los únicos fantasmas del mundo que valen la pena; morirá susurrándole algo a cada uno de ellos: Sean Power, *Ruibarbo* Vannucci, Connor O'Leary, Maura, Clarence, Louisa Turiver y, sobre todo, Eleanor, que le regala una preciosa sonrisa sensual mientras se atusa el pelo y se encarama al lavabo del baño.

Treefrog adelanta un pie para sujetar a Angela mientras anda por la viga.

—Sólo quedan un par de pasos —le dice—. Un par y estás allí.

Ella agita los brazos y él se los pega al cuerpo. La rodea con los suyos y siente la calidez del abrigo de piel. Los pies de ella avanzan centímetro a centímetro por la viga y, justo antes de llegar al muro bajo del nido, se abalanza hacia él y lo agarra con las dos manos.

—Lo conseguí —dice Angela, mientras trepa al muro y sonríe—. Es fácil.

Él se planta delante de ella de una voltereta, da dos pasos, enciende una vela en la mesilla de noche.

—Guau —dice ella.

—Era un almacén. Guardaban aquí arriba las cosas del túnel. Alguna vez debió de haber una escalera o escalones para llegar hasta aquí, pero ya no. Casi nadie ha subido.

—¿Para qué son los tapacubos?

—Son platos.

—Tío —dice ella—. ¡Un semáforo!

—Lo encontró Faraday.

—¿Tienes corriente?

—Ya te dije que no.

—Guau. ¿Es muy grande este sitio?

—Llega hasta allá, hasta la cueva que hay detrás.

—Treefrog el Cavernícola.

—Voy a dibujar un petroglifo.

—¿Eso qué es?

—Nada. Escucha, tenemos que curarte esos cortes, Angela. Te sangra el ojo.

—Ya no me duele —dice ella tocándose el ojo.

—Eso es porque tienes la adrenalina a tope —dice él—. Hay que curarlos antes de que te empiecen a doler.

Ella recoge el bolso del suelo.

—¿Tengo buena cara, Treefy?

—Sí.

—Mentiroso.

Rebusca en el bolso y luego empieza a gimotear.

—Elias nos va a matar.

—Nos esconderemos atrás —dice, y coge una vela y se meten en la cueva. Pone la vela en la estantería y la luz parpadea proyectando extraños dibujos en la roca excavada. Ella se tapa la nariz con las manos.

—Tío, tú cagas aquí —dice.

—No.

—Huele a mierda. No me gusta este sitio. Quiero mis zapatos. Quiero mi espejo.

—Mira, ahí están todos mis mapas —dice señalando una hilera de bolsas herméticas.

—Me dan igual los mapas. Elias nos va a matar.

Ella sale de la cueva y vuelve a la habitación. Todavía entra un poquito de luz por las rejillas del otro lado del túnel.

—Yo no me quedo aquí, de ninguna manera. Nos va a matar.

—Siéntate en la cama —dice él.

—De eso nada, Treefy.

—No te voy a poner la mano encima.

Se toca el diente suelto.

—Seguro que nos mata.

—Deberías ir al médico.

Con el pulgar mueve el diente en la encía y lloriquea:

—No.

—¿Por qué no?

—No me gustan los médicos. Sólo el doctor Treefrog.

Él sonríe y se acerca a la lata amarilla que hay al pie de la cama.

—Voy a hervir agua para limpiarte la cara.

—Tengo sed.

—No tengo drogas.

Ella avanza tímidamente por el suelo de tierra hasta la alfombra y se sienta en la cama. Treefrog hace una hoguera con los restos de leña y periódicos. Angela se calienta las manos al fuego y juguetea con el estuche vacío de una cinta que encuentra en el suelo. Con el borde de la carátula se limpia los dientes de abajo. Coge el sarro con los dedos y lo echa al fuego.

Él se retira para no asustarla y se sienta en el suelo, al pie de la cama, mientras el agua hierve.

—Ahora me duele —dice Angela, metiéndose en el saco de dormir.

—Cuando hierva el agua te curaré.

—Duele de verdad de verdad.

—Ya lo sé. —Luego, tras un largo silencio, dice—: ¿Dónde estará *Castor*? Hace horas que no lo veo.

—¿Cómo sube hasta aquí?

—Lo cojo en brazos.

Ella se acurruca más aún en el saco de dormir.

—¿Cuidarás de mí, Treefy?

Y él recuerda cómo, cuando Lenora tenía cinco años, le subió mucho la fiebre y él se quedó en casa una semana sin ir a los rascacielos mientras Dancesca trabajaba. Compraba comida en el supermercado del barrio. Calentaba latas de sopa de pollo en la cocina. Lenora estaba en la cama junto a la lámina de plástico azul. Padre e hija pasaron revista a todas las fotos de la casa. Ella eligió las que más le gustaban. Él encargó copias para que Lenora pudiera colocarlas en el acuario. Cuando le subía más la fiebre, le pasaba un paño húmedo por la frente y le daba la sopa a cucharaditas, con cariño, soplando primero para que no le quemara la lengua.

—Treefy.

—¿Eh?

—¿Me escuchas?

—¿Eh? Sí.

—¿Me protegerás?

Moja el pañuelo en el agua hirviendo, se vuelve y dice:

—Claro que te protegeré, Angela.

Los domingos, Walker coge un taxi en la calle 131 y le dice al conductor que toque el claxon al llegar al apartamento de Clarence Nathan. Son cinco pisos sin ascensor y las piernas y el corazón de Walker se rebelan contra la idea de subir a pie. Clarence Nathan baja las escaleras con Dancesca y la niña, y, por la ventanilla del taxi, paga al conductor y le da una buena propina.

Ayuda a Walker a salir del taxi y tiene que sujetar a Lenora para que no se le abalance al viejo. Walker se apoya en un bastón de madera que él mismo ha fabricado. El poco pelo que le queda es entrecano y tiene la tez como un grabado de arrugas.

—¿Cómo está mi chiquitina? —pregunta Walker inclinándose.

—Hola, abuelito.

Walker se endereza.

—Qué hay, preciosa.

—Qué hay, Nathan —dice Dancesca.

—Madre mía —le dice. Cada día estás más guapa.

Con lentitud infinita descienden por la colina hasta el parque. Walker lleva un sombrero nuevo, un Hansen; una pluma sale de la cinta sobre el ala. Lenora adelanta a los tres adultos, que repasan las trivialidades de la semana: los resultados de béisbol, los partidos de baloncesto, los caprichos del tiempo. Charlan de buen humor y a veces incluso mencionan a los fantasmas de Walker. A Dancesca le gustan las historias que cuenta de Eleanor. Clarence Nathan, que las ha oído muchas veces, suele ir delante con su hija.

Son días espléndidos, los mejores días.

Aunque llueva van al parque, apretujados bajo los paraguas. Clarence Nathan limpia el asiento de los columpios con el faldón de la camisa y, de vez en cuando, Dancesca trae una toalla para que su marido se deslice por el tobogán y lo seque antes de tirarse Lenora. En las visitas de los domingos todo gira en torno a Lenora. Los adultos se turnan para columpiarla. Se reúnen al final del tobogán para recibirla. La suben a los dinosaurios de fibra de vidrio. Walker mide la altura de la niña con el bastón. A veces se saca una bala del ombligo, pero a ella no le gusta demasiado el truco; le da miedo.

En primavera los cuatro extienden una manta en el suelo, se sientan a la sombra de los cerezos y comen sándwiches de pepino, los preferidos de Walker. Cuando se pone el sol de la tarde al otro lado del Hudson, caminan cansados hasta el extremo del parque y Clarence Nathan para un taxi y le mete a su abuelo veinte dólares en bolsillo, y el viejo se marcha.

Un domingo por la tarde, mientras Dancesca y Lenora están de visita, Walker lleva a Clarence Nathan hasta el borde de un túnel de ferrocarril que pasa por debajo de Riverside Park. Hay una verja a la entrada del túnel, pero la cerradura está rota. Los dos hombres abren la verja, entran y se quedan de pie en la escalera metálica. Walker le da una patada a una aguja hipodérmica, que cae al suelo del túnel.

—Malditas jeringas —dice.

Al principio está oscuro, pero sus ojos se acostumbran y perciben las rejillas en el techo y los murales pintados debajo. Por las rejillas caen sin parar pétalos de cerezos. Una figura emerge de las sombras, un hombre con aerosoles de pintura. Nieto y abuelo se miran y abandonan el túnel; Clarence Nathan sujeta por el hombro a Walker para ayudarle a subir el empinado terraplén.

—Una vez yo cavé ahí —dice Walker, señalando el túnel—. Trabajé en ese sitio.

Le limpia meticulosamente el corte que tiene al lado del ojo, mojando el pañuelo en el agua hirviendo, retorciendo la tela, enjuagándolo en la cazuela hasta que, incluso en la penumbra, ve que el agua se vuelve roja. ¿Cómo sería de niña, cuando el agua caliente tenía el color del óxido? ¿La llevaría su padre a columpiarse? ¿Se sentaría en la parte de atrás del coche con los brazos en el regazo? ¿Alguna vez pensaría que iba a conocer un lugar más oscuro que los campos de maíz de Iowa por la noche? ¿Y qué mapa podría él hacer de su carne si usara las escalas más diminutas y se cartografiara los corpúsculos del borde de violencia de su ojo?

Siente el aliento de Angela en el cuello mientras le cura la herida. Al otro lado del túnel brillan los rayos de la mañana; ahora hay luz suficiente para que Elias venga a visitarlos. Debería haberle incrustado la llave inglesa en la garganta; debería haberle golpeado más fuerte, como hizo su propio padre, su padre desconocido que se cargó a un poli y a un mecánico. Por un momento una visión cruza fugaz por la mente de Treefrog y ve el mango de una pala bien metido en la cabeza de un hombre blanco. Su padre le guiña el ojo y dice:

—No pasa nada, hijo, conseguí un cuadrangular.

Treefrog humedece con la lengua el extremo limpio del pañuelo. Si tuviera ginebra podría desinfectar el corte, pero no importa, pronto sanará. Dobla el pañuelo en cuatro y suavemente presiona la tela contra la mejilla. Se inclina para besarle la frente. Ella le dice:

—Apestas, tío.
—Duérmete —dice él.
Treefrog sube la cremallera del saco de dormir, coge un par de mantas y vuelve a su silla. Retira del fuego el cazo de agua sanguinolenta. Las llamas saltan y le calientan las manos; se acuerda de la armónica, pero a Angela se le cierran los ojos y pronto se quedará dormida.
Arropándose con las mantas, deja que el fuego se consuma y escucha en el silencio, esperando a *Castor*. Angela rebulle un poco en el saco de dormir, roza la almohada con los labios. Él sonríe y repite:
—Apestas, tío.
A veces, cuando estaba en la cama con Dancesca, ella olía el sudor de la obra aunque él se hubiera duchado. Lo apartaba y decía:
—¡Infracción de tráfico!
—¿Eh? —preguntaba él.
—¡Multa de aparcamiento!
—¿Eh?
—Hueles mal, Clar.
—Ah.
Y se levantaba y volvía a bañarse, se afeitaba bien, se echaba colonia en la cara, regresaba a la cama, y se acurrucaba junto a ella. Dancesca había adelgazado desde la boda. Él echaba de menos su plenitud, su pecho abundante, pero no se lo decía; a veces hasta se sentía orgulloso: mientras otras esposas echaban carnes y se desparramaban, la suya adelgazaba para él.
Una vez lo acompañó a Houston, donde el equipo estaba construyendo un rascacielos. Dejaron a Lenora con la familia de su madre. Era la primera vez que Dancesca iba en avión; le encantaron las pajitas rojas de las bebidas. Se llevó siete, una por cada año de Lenora. El calor de Texas resultaba opresivo incluso en invierno y los agotaba. Tras un día de trabajo se quedaban casi siempre en el hotel —los buenos tiempos, los mejores tiempos. El aire acondicionado zumbaba. Dancesca estaba fascinada por las botellitas de champú del baño. Sobre la mesilla de noche había dos vasos de plástico envueltos en celofán; no los abrieron. Dancesca y Clarence Nathan se echaban

ginebra directamente en la boca el uno al otro. A ella le encantaba dejar que los cubitos de hielo se le derritieran en la tripa. Querían enviarle un telegrama a Walker pero no se les ocurría nada que decirle excepto:

—Estamos en el estado de la estrella solitaria.

Una noche, en un bar de las afueras, tomaron unos cócteles con Cricket. La música estaba alta. El alcohol vibraba dentro de ellos. En una mesa cercana había unos hombres que trabajaban en los pozos de petróleo. Cricket los retó a caminar por el tejado del bar; según él era cuestión de mantener el equilibrio. Apostaron cien dólares. Todos salieron a la noche. El edificio tenía dos pisos y un tejado picudo, en forma de *uve* invertida. Clarence Nathan y Cricket caminaron con los ojos cerrados. Los otros les siguieron nerviosos, vacilantes, asombrados. Al regresar al bar, él y Cricket recogieron sus ganancias, compartieron unos tragos, se dieron palmadas en la espalda. De repente un taco de billar aterrizó en la parte de atrás de la cabeza de Clarence Nathan, que cayó al suelo; intentó levantarse pero resbaló en su propia sangre. Dancesca chillaba. Cricket fue atacado por un grupo de cuatro. Una navaja abrasadora rajó el pecho de Clarence Nathan. Lo llevaron al hospital. Su primera cicatriz. Dancesca permaneció a su cabecera y durante meses —cuando volvieron a casa a Nueva York— lo curó con una cataplasma especial que le extendía amorosamente por el pecho. Le untaba la pasta amarilla, y luego sus dedos descendían serpenteando y se detenían en éxtasis.

Abre los ojos y observa a Angela mientras duerme.

Con ternura, Treefrog le toca el lado del ojo donde la sangre aún rezuma del corte. Lo limpia una vez más y luego se retira al olor acre de su propia oscuridad. Sopla el fuego para reavivarlo. En el gulag sólo queda un poco de arroz y algo de comida para gatos. Saca el arroz, mide dos tazas, lava el cazo y lo seca con el faldón de su segunda camisa, la más limpia. Revuelve el arroz con el dedo, espera a que se haga y despierta a Angela con un beso en la mejilla. Ella come con avidez y, cuando termina, dice:

—¿Qué vamos a hacer, Treefy?.

Treefrog la mira y se encoge de hombros.

Ella mete la mano en el bolsillo del abrigo y desdobla el trozo de papel milimetrado donde él dibujó su cara, y lo mira, se toca la mejilla y dice:

—Seguro que ahora las montañas son todavía más grandes.

—Podría hacer un mapa de ti sin moratones —dice.

—¿Por qué haces mapas, tío? —pregunta ella.

—Hago mapas de todo. Hasta de mi nido.

—¿Por qué?

—Por si acaso Dios viene a visitarme.

—¿Qué?

—Para que Él pueda llegar hasta aquí guiándose por los contornos.

—¿No serás un meapilas?

—No. Sólo es por si me busca.

Ella se da la vuelta en el saco de dormir y suspira.

—Eres raro. —Se toca el diente suelto y se muerde la uña larga del pulgar con el otro incisivo. Usa el trozo de uña para limpiarse el sarro de los dientes de abajo—. Yo antes tenía unos dientes preciosos —dice—. Todo el mundo me decía que tenía unos dientes preciosos.

—Sigues teniendo los dientes bonitos.

—No digas mentiras.

—No digo mentiras.

La observa a la luz de las velas mientras ella escupe el trozo de uña.

—¿Treefy? —dice—. Tengo sed. Quiero crack.

Y de repente Treefrog se da cuenta de que esto no va a durar, que ella se marchará pronto, que no se quedará en el nido, que él no puede hacer nada para evitarlo; se irá igual que vino. Arrima las rodillas al pecho, estira las mantas, siente el latido sordo de su corazón en la rótula. Su hígado emite leves punzadas de dolor. Le pide un cigarrillo y ella rebusca en el bolso y saca las manos vacías.

—Mierda —dice—. Voy a ver a Elias.

—No puedes.

—¿Por qué?

—Por el paño de cocina azul —dice él.

Se quedan casi una hora en silencio y él piensa que quizás

permanezcan así para siempre. Tal vez baje alguien y encuentre sus huesos blanqueados en el nido. Si tuviera reloj podría valorar todo ese silencio. Un centavo por cada veinte minutos. Tres centavos por hora. Setenta y dos centavos por día. Al final de su vida podría llegar a ser millonario. Mece la silla de un lado a otro y se aparta el pelo de los ojos.

De repente se incorpora y da una palmada, mete la mano en el bolsillo y saca su navaja del ejército suizo.

—Mira esto.

Treefrog se toca la barba, pasa los dedos por ella. Abre las tijeras, se sienta en el borde de la cama y empieza. Le sorprende la forma en que el frío mastica su barbilla cuando corta el primer mechón.

Angela dice:

—Tío, pareces más joven.

Él sonríe y desde el centro del mentón sube hasta la patilla izquierda y continúa por el lado opuesto. El pelo le cae en el regazo; lo mira y dice:

—Me acuerdo de ti.

—Las tijeras están romas; siente tirones y arañazos en las mejillas. Aun así, sigue cortando la barba a ras de piel. Si tuviera una navaja podría afeitarse más a fondo, llegar hasta su propia esencia, al hueso incluso. Mientras se corta el pelo, le cuenta a Angela que a veces graba su verdadero nombre en la nieve, arriba, para no olvidarlo: Clarence Nathan Walker.

Maneja las tijeritas con el pulgar y el índice, y ni siquiera necesita pasar la navaja roja de una mano a otra. Cuando la barba desaparece, se quita el gorro de lana y se toca el pelo.

—Ay, tío, el pelo no, me gusta tu pelo.

—Un momento.

Para no mellar la hoja usa un cuchillo de cocina bien afilado y tira al fuego los largos mechones enmarañados, aspirando el olor a quemado. Vuelve a la carga con las tijeras, hasta que nota el cuero cabelludo tirante y rasurado.

—Ven aquí —dice Angela.

—Voy —responde él.

Se acerca a la cama y se acurruca junto a Angela; estira las mantas. No se quita ni la ropa ni el abrigo. Ella se gira para ponerse de cara a él y le pasa el pelo por la cabeza y él saca la lengua y saborea toda la porquería subterránea, pero no le importa, no aparta la lengua, y ella sonríe y le toca los restos de barba.

—Eres mono, Treefy, eres realmente mono.

Ella lo abraza, y él se aprieta dentro del saco cerrado. Treefrog respira hondo y cruza los brazos sobre el pecho y se mete aún más dentro. Angela se da la vuelta y gime. Él se inclina para estirar el fondo del saco donde se le han enredado los pies y —cuando la respiración de Angela se normaliza— apoya contra ella todo su cuerpo. Los faros de un tren iluminan el túnel y el nido se llena con el fulgor de las luces que se aproximan y él se mueve al son del *clac clac clac* de los vagones contra la vía.

La luz del tren que pasa esparce sombras móviles, proyecta una maraña de pulsaciones contra la pared del nido. Treefrog tose calladamente mientras traga el aroma de Angela. Levanta las mantas, se quita los guantes y sujeta la cremallera del saco de dormir. Ella se gira un poco y Treefrog, con la garganta seca, baja la cremallera diente por diente.

Treefrog mete la mano en el saco, a la altura del estómago de Angela, y siente el calor del abrigo de piel.

—Treefy —dice ella.

Es un abrigo barato; lo sabe por el plástico de imitación que rodea los botones por donde vagan sus manos. Toquetea el cuarto botón tras desabrochar los tres primeros y se relaja. Desabotona las tres blusas y las abre. Su mano palpa la camiseta térmica y debajo percibe la blanda y hermosa redondez de la carne. Oye cómo Angela levanta la mano —roza el saco de dormir— y agarra la suya y la guía bajo la camiseta térmica y él siente una descarga al tocarla y ella dice:

—Tienes la mano fría, tío.

Treefrog saca la mano, se la calienta frotándola contra su propia piel, y se abre camino bajo la camiseta una vez más. Es una camiseta ajustada, no hay mucho espacio para maniobrar. Angela guía su mano y la camiseta térmica se desliza por su vientre. Ella se levanta la camiseta por encima de los pechos.

Treefrog roza sus pezones con los dedos y parece que fuera a palpar el pecho entero, pero no lo hace; luego retira la mano y le toca el ombligo y oye un ligerísimo jadeo en la almohada sucia mientras la acaricia.

—Treefy —susurra ella de nuevo.

—Clarence Nathan —dice él.

Y entonces ella dice: «Ay» cuando le toca las costillas.

Angela sigue sujetándole la mano; los dedos serpentean por su estómago y a Treefrog se le acelera el corazón. Hace años que no toca así a una mujer: la descarga de adrenalina, la sensación de euforia, la levedad de la sangre, la pletórica erección. Su mano rodea el pecho pero no lo toca —no puede tocarlo— y se desliza por el escarpado paisaje del pezón.

—Sigue, Treefy, —musita ella.

Se quita con dificultad los pantalones y las bragas y vuelve a echarse en el saco de dormir. Apoya la cabeza en la almohada y le sonríe y él mueve ligeramente el cuerpo —tranquilo, no te vayas a estrellar— y le agarra la mano, la aprieta contra su pecho, y por un momento Treefrog siente que ni siquiera necesita mantener el equilibrio, y ella no dice ni una palabra, ni una sola palabra, nada, sólo lo agarra por los hombros y lo acerca más y él estruja su pecho —lo ha olvidado todo— y entonces él se acerca y ella le baja la cremallera y ella está caliente y él la penetra y ella gime en todas las vastas agonías de una mujer que se encuentra al borde del aburrimiento y de una feroz pasión humana.

Por la tarde, Elias grita por debajo de la pasarela y lanza al nido una bolsa de plástico ensangrentada, que aterriza con un golpe sordo.

Antes de abandonar el nido, Treefrog elige una sección del suelo que lleva tiempo sin hacer. Con manos trémulas, coge una hoja nueva de papel y dibuja un gráfico horizontal en un lado y una larga línea recta debajo de él, usando el borde de una cajetilla de tabaco para no torcerse.

Recorre el nido, tanteando el paisaje con las botas. Le enseña a Angela cómo marcarlo. Mientras camina le va diciendo dónde debe poner puntos de lápiz para indicar las elevaciones del suelo del nido —un incremento cada centímetro y medio— y ella enciende el mechero y marca el papel con cuidado. Treefrog retrocede arrastrando los pies y sabe exactamente lo que va a tocar con los talones. Tiene que agacharse mucho para salir de la cueva. Sus pies chocan contra la colección de tapacubos y el lápiz de Angela traza el borde de un semicírculo. Hacia la parte frontal del nido, se sube al colchón. De nuevo parece haber una distancia enorme entre la cama y el suelo. Pasa a tientas sobre la mesilla de noche, toca una vela en toda su longitud, vuelve a bajar, está a punto de estrellarse contra el semáforo roto, y llega al final del nido y al precipicio que los separa del túnel. Regresa por el mismo camino, asegurándose de que todo está correcto, demorándose sobre el colchón con los ojos cerrados.

La vela se derrite hasta la última gota; la cera blanca impregna la tierra.

Termina el gráfico —la cueva, la cama, la vela, el pequeño túmulo de tierra donde, sumido en el dolor, acaba de enterrar a *Castor*— y, cuando termina, surge una geografía de inmensos valles y gargantas y montañas y cañones, un viaje difícil —él lo sabe bien— incluso para Dios.

Sujeta con cinta aislante las botas descosidas, se sube a la pasarela y ayuda a Angela a bajar hasta el suelo del túnel. Ella camina insegura, despacio. Lleva unas mantas.

—¿Adónde vamos? —pregunta Angela.

—A un sitio que se me ha ocurrido, responde él.

—Tengo sed —dice ella.

—Y él le dice al oído que en ese sitio hay camellos. Ella le pregunta si tiene suficiente dinero y él asiente, sí. Angela cruza el túnel dando saltitos y recoge los zapatos de tacón, los sacude para quitarles la nieve, y luego vuelve y se pone de puntillas y le besa y le dice:

—Venga. Espero que sea verdad.

Él se seca los ojos y dice que esta vez, si ve a Elias, lo matará sin dudarlo, le aplastará el cráneo, lo estrangulará, lo incrustará en la tierra junto al cuerpo de *Castor*. Pero mientras avanzan por el túnel, a través de todas las dimensiones de la oscuridad, no se oye ni un alma, y cuando llegan arriba hace frío y está despejado y no hay nieve. Cruzan el parque y suben la calle y encuentran una tienda abierta, donde él compra tabaco, y, a la puerta, Angela se sube el cuello del abrigo y se toca las magulladuras de la cara y luego se para un momento, sonríe —Crack, —dice, y se pone una sobredosis de carmín para abrir boca.

Catorce

AHORA QUE SOMOS FELICES

Vivía en la calle 131. Ahora su vida era sobre todo silencio. Pero yo lo quería más que a nada en el mundo ¿sabes?, así que lo visitábamos siempre que podíamos. Ya te conté que hacía muebles. Pero no sé por qué le había dado, al final de su vida, por construir un violín. Y se compró un trozo de madera y lo talló en forma de violín, así, ¿sabes? Cogió un corcho y lo envolvió en papel de lija, y se pasaba el día allí sentado, barnizando y tallando y puliendo. Luego compró crin de caballo —no sé dónde coño la encontraría—, y se hizo un arco. Decía que toda su vida la música había sido para él como un regalo, con aquel piano tan importante y todo eso. Mi abuela incluso tocó una vez un piano que había en los túneles, pero esa es otra historia. Tápate con esa manta, tía. Bueno, pues eso. Preparaba el té en su piso y luego bajaba a la calle y se sentaba en la puerta a trabajar en el violín y tenía una cosa, un cubreteteras, para que no se enfriara el té. Era de la madre de mi abuela, Maura O'Leary. Y un día cuando está preparando el té ¡va y se lo pone de sombrero! Parece que sus hijos le gastaron esa broma una vez. Hasta me lo hacía a mí cuando era pequeño. Sólo porque le gustaba, le hacía gracia. Y a lo mejor le apetecía llevarlo puesto en la cabeza, para que no se le enfriaran los recuerdos o algo así.

Y bajaba y se sentaba en la calle 131 con su violín a medio hacer y el puto cubreteteras en la cabeza. Se reían de él pero le daba igual; se estaba muriendo, así que se permitía esas excentricidades, ¿sabes? Una vez le compré un walkman —entonces yo tenía dinero— pero él pasaba de esas cosas. Joder, si hasta le compró un cubreteteras pequeño a mi Lenora, pero a la niña no le gustaba ponérselo, y no me extraña nada. Íbamos a verle cada poco y nos sentábamos a la puerta con él, y aquéllos eran buenos tiempos, los mejores tiempos. Y allí estábamos todos —Lenora también— cuando tocó su violín por primera vez. Tío, qué mal tocaba, sonaba horrible, tío; era espantoso, ¿vale? Pero también era bonito. Y cantó una canción que es un blues que no pega con el violín, y que dice, *Señor, estoy tan abajo que creo que estoy debajo de abajo*. Como estábamos muy a gusto sentados allí en la calle, se nos ocurrió cambiar la letra y nos pusimos a cantar, *Señor, estoy tan arriba que creo que estoy encima de arriba*. Pasaban los coches. Incluso oímos unos disparos más abajo de la calle, pero no hicimos ni caso.

Ésta es una de las cosas que pienso siempre. Debajo de abajo y encima de arriba. Nunca oí nada mejor, lo mires por donde lo mires.

Ya sé que tienes frío, tía, yo también. Tío, el día que fui a su casa sí que hacía frío. Dancesca había ido con Lenora a ver a su familia; todos tenemos dos familias, lo mires como lo mires. Como el viejo Faraday. Subí las escaleras y por entonces aún fumaba —no, no, cigarrillos; cigarrillos, tía— así que siempre procuraba apagar el pitillo en el tiesto que había en el piso de abajo, porque le había dicho que lo había dejado.

Ya te lo dije. Luego.

Bueno, pues escucha.

Iba yo solo y llamé a la puerta. Normalmente me lo encontraba arrebujado en el sofá o algo así, con dolores, pero esta vez me abrió la puerta; fue en 1986 y él tenía ochenta y nueve años y estaba hecho polvo. Pero esta vez va y me abre la puerta y me dice, te vi venir por la calle, hijo. Estaba ya arreglado, con el abrigo puesto y la bufanda y el puto cubreteteras. Entré y me quité el abrigo y me senté y encendí la tele y había un partido de béisbol, los Yanquis contra los Red Sox. Y me preguntó quién iba ganando. Y le dije que acababan de marcar los Yanquis, aunque era mentira. Mi abuelo tenía un amigo que era de los Dodgers y los Yanquis, así que se ponía muy contento cuando ganaban los Yanquis. Los Yanquis acaban de conseguir un cuadrangular, dije yo. Y entonces se acercó al sofá y dijo: Vamos a dar un paseo tú y yo. Yo le digo, Hace frío fuera, pero él contesta: Hoy me encuentro bien, podría andar millones de kilómetros. Vamos a ver el partido, le dije, pero entonces él alargó la mano y me levantó del sofá —aún tenía fuerza— y nos pusimos el abrigo y salimos. Imagínate a un viejo con un cubreteteras en la cabeza, y fuera hacía un frío de la hostia y no hay nadie en la calle más que un par de colgados vendiendo caballo.

Bajamos a la tienda y compramos el *Daily News*, y nunca lo había visto con tanta energía. A veces dicen que saber que te vas a morir da energía.

Venga, Angela, que tú no te vas a morir.

Y entonces, mira, se metió un poco de tabaco en la boca pero yo no dije nada, aunque me apetecía un pitillo. Él siempre decía que de viejo se podía permitir un vicio, decía que lo único que los viejos lamentan es haberse portado demasiado bien en la vida. Así que, bueno, nos metimos en el metro y cambiamos de tren un par de veces y fuimos hasta el túnel que mi abuelo había cavado hace muchos muchos años. Salimos a la calle y aparecimos junto al East River, cerca de un montón de basura al lado del edificio de aduanas. Y entonces va y me dice: Debajo del río hay un anillo de oro. Era de tu bisabuela, dice, y yo le digo que ya lo sé, porque me lo ha contado miles de veces. Y luego me dice —¿sabes lo que me dice?— me dice: Me gustaría caminar por ese túnel y saludar a mi viejo amigo Connor, dice, eso es lo que me gustaría hacer.

Y yo digo, ¿Cómo?

Me gustaría caminar por debajo del río.

Y, claro, yo le digo, estás loco. Y él suspira y dice, venga, bajaremos y cogeremos el tren.

No se puede caminar por el túnel, le digo yo.

He dicho ir en tren, dice. En tren, hijo.

Así que bajamos las escaleras —nunca lo olvidaré— pagamos el billete y yo le ayudé a bajar los escalones. Seguía usando bastón. Esperamos al tren M al borde del andén. Es el tren M, ¿no? Sí. Y cuando llegó, hizo mucho ruido al frenar, y mi abuelo me agarró por el codo y me apartó y me miró a los ojos así y me dijo, va y dice: ¿Qué opinas? Y yo le dije: ¿Quieres caminar debajo del río? Hoy es domingo, dijo, vamos a esperar al siguiente y ver cada cuánto pasan. A lo mejor tardan media hora. Los domingos no funcionan tan bien. No sé cuánto tardó, pero fueron como treinta y cinco minutos y —te lo juro por Dios, si es que existe, te lo juro— nos miramos y nos reímos, mi abuelo y yo. Entonces la puerta del tren se cerró y en el andén sólo quedamos nosotros. Y nos dijimos que sí con la cabeza. Bueno, dice él, sólo unos metros y ya está. Y chocamos las manos. Entonces yo era muy ágil —más que ahora— y de un salto me planté en la vía y levanté los brazos para cogerle y ayudarle a bajar. No tenemos por qué hacerlo, le digo, y él dice: Me apetece. Es lo que quiero hacer. Sólo unos metros.

Cuidado con el tercer raíl, le digo. Y él dice todo contento: Sé muy bien lo que pasa con el tercer raíl, hijo.

Y luego me pregunta, ¿tienes un mechero? Y yo le pregunto por qué. Y él dice que si el tren llega antes de tiempo, podemos encenderlo para que nos vea el conductor.

Le di el mechero y le pregunté cuánto rato andaríamos, y él contesta que quince minutos más o menos. Y yo digo, mejor darse prisa.

Nos alejamos un poco del andén y entramos en la oscuridad. Más oscuro que ningún túnel. No me da vergüenza decir que íbamos de la mano.

Venga, dame la mano.

Ya sé que tienes frío. Anda, toma mis guantes.

Por el medio de la vía, bajando la cuesta del túnel, me soltó la mano y se apoyó en mi hombro, caminando un paso por detrás de mí. Era como si tuviéramos los ojos vendados. No sé por qué no paramos, pero seguimos andando. Y yo pensaba todo el rato: deberíamos haber traído una linterna. Y él me señalaba todo tipo de cosas en el túnel: la franja metálica roja y blanca de la pared, las curvas, el sitio donde ardió un soldador.

Aquel túnel..., nadie vivía allí, por supuesto. Nadie podría vivir allí. Era demasiado estrecho. Pero por allí había pasado gente, artistas de las pintadas; estaba un tal COST REVS 2000, y todo tipo de pintadas, pero nadie como Papa Love; nadie en el mundo dibuja como Papa Love. Íbamos muy juntos. Y yo pienso: Allá arriba está el agua con sus barcos, y Brooklyn y Manhattan, y estamos caminando por debajo del río. Tiritábamos por el frío y la humedad. Yo miraba hacia atrás con miedo. Entonces yo estaba bien. Quiero decir, que no estaba jodido. No estaba jodido de la cabeza.

Ya sé que no, Angela.

Sí, tú también eres muy mona.

Sol y cigarrillos.

Pero escucha.

Tú escucha.

Teníamos que haber dado la vuelta, pero seguimos. El túnel estaba lleno de curvas y muy tranquilo, y él coge el mechero y lo enciende unas cuantas veces a ras de suelo. Por aquí está la alianza. Yo no veo más que un montón de grava y unas piedras, pero él mira al tejado, o al techo, o lo que sea, y yo le pregunté si había encontrado el anillo y él dice: Un momento. Se estaba quemando el pulgar con el mechero. ¡Venga!, le digo. Un momento, dice él, estoy echando un vistazo a esto. ¡Venga venga venga! Va y cierra el mechero, mira hacia arriba y le dice al techo: ¡En estos momentos los Yanquis llevan uno de ventaja! Yo ya empezaba a asustarme y me sentía mal, porque los Yanquis no habían conseguido un cuadrangular, pero no dije nada. Tengo miedo. Así que cojo el zippo y agarro al abuelo por el abrigo y lo arrastro por la parte llana del túnel. No hay ratas, no está Skagerak, ni Barents, nada —sólo nuestra respiración— y él dice: Me acuerdo, y yo digo, ¿de qué? y él dice, me desacuerdo.

Y yo digo, vámonos.

En el nombre de Dios, dice él, que es una cosa que decía a veces.

¡Vamos! digo yo. Echo la mano atrás y lo agarro de la manga. Trato de que no se apague el zippo, pero la llama no dura nada. Bien lejos del tercer raíl y todo. Por el medio de la vía. Cada vez más deprisa, yo le tiro del abrigo. Él casi no se puede mover y yo pienso que a lo mejor tendré que cogerlo en brazos.

Estoy bien, déjame en paz, Angie. Estoy bien.

Angie. Angela. Lo que sea.

Tú escucha.

A lo mejor es que se sintió joven de repente, o yo que sé qué mierda, ochenta y nueve años pero de repente diecinueve; o a lo mejor volvió al pasado —un, dos, tres, adentro, afuera— y estaba subiendo otra vez —por el túnel y el río y todo— pero no era así. Yo lo llevo a rastras y a lo lejos se ven las luces de la estación —aún falta bastante— y yo grito, grito: ¡Venga! ¡Venga! Él se para un momento y se agarra las rodillas y se agacha y dice, hacía años que no me sentía tan bien.

Y entonces se quedó allí de pie, con la mirada fija. A lo mejor reconoció la esquina. A lo mejor estaba recordando cosas. El caso es que no se movía. Así que tiré de él cada vez más fuerte. Sus pies iban *pum pum* por el suelo y yo veo el andén y pienso: Tío, nos hemos librado, nos hemos librado. Llegamos allí, ¿vale? Hemos caminado bajo el río. Todo el recorrido, de un lado a otro. Levanta el bastón y entonces yo oigo el ruido y la sirena de un tren estalla y dos faros alumbran a lo lejos, y yo —yo soy ágil— yo, yo estoy subido al andén y estiro los brazos para agarrarlo por los sobacos, y subirlo —las luces del tren se acercan— y se me resbala la mano y él se vuelve a agarrar y se le cae el sombrero —eso es lo horrible, ¿sabes?, era el cubreteteras; qué cosa más idiota— y él lo quiere coger y yo trato de agarrarle, y él me mira, y yo te juro por Dios, si es que existe —te lo juro, te lo juro, yo le quería, le quería, le quería, Angie—, él me mira y su cara parecía decir, era como si dijera: ¿Qué hacemos ahora, hijo, ahora que somos felices?

Un sueño: Clarence Nathan se cercena las manos y chupa la médula de los huesos hasta que aparece un corredor vacío por el que camina, con un grado de desesperación tan alto como Manhattan.

Dancesca me cuidaba. Ella también estaba más triste que la hostia. Y Lenora lloraba sin parar. Incluso colocó el bastón del abuelo en su acuario, pero se caía constantemente. Quiero decir con esto que a nadie en el mundo se le ha echado de menos más que a aquel viejo. La escena no se me va de la cabeza: el tren lo arrastraba y lo arrastraba. Y yo gritaba en el andén. Y las ruedas del tren chirriaron. Y luego de repente un silencio tan grande que ni te imaginas. Después de aquello no podía hacer nada. Estaba paralizado. Tenía las manos vacías. Lo quería como ningún hombre puede querer a otro hombre.

No, no estoy triste.

No lloro.

Te digo que no.

Y mira esto, aquí —mira— esto es lo primero que me hice. Se me ocurre que tengo que masacrar mis manos y, cada vez que toco algo —mierda— lo toco dos veces, así. O así. Todavía lo hago, pero ya menos. Ahora es la costumbre. Pero —por entonces— si no lo tocaba dos veces me volvía loco, como si alguien me hubiera vaciado la mitad del cuerpo. Volví a los rascacielos pero no hacía nada, tardaba mucho en subir, me latía la cabeza, *pum pum*, y sabía que estaban pensando en echarme. Así que, una noche, me quedé en la parte de arriba del rascacielos —ya llevábamos cuarenta y siete pisos— con aquel amigo mío, Cricket. Les dio a los guardias unos cuantos pavos para que no nos molestaran. Hacía frío y no había estrellas. Yo me sentía fatal; la cabeza me latía *pum pum pum pum*. El acero era peligroso porque había llovido y helado un poco. La ciudad estaba toda iluminada, como pasa a veces.

Ya ves, para mí era como una de esas fotos en las que todas las luces están borrosas porque te has dejado el obturador abierto, ¿sabes cómo te digo?

Subimos por la escalera, estábamos un poco pedos, nos habíamos tomado unas cervezas. Cricket no paraba de decir: Tú estás mal de la cabeza. Pero yo pensaba en mi abuelo y nada me iba a detener. Llegamos a la plataforma y me subí a una de las vigas que tienen forma de X. Sin problema, pero Cricket está un poco nervioso porque está un poco pedo. Al final él también se subió, nunca le había visto trepar tan despacio. Saqué el tabaco del bolsillo.

Bueno, pues encendí un pitillo y se lo tiré por el aire a Cricket, que estaba al otro lado de la viga, pero no cogía ni uno.

Velas no tenía, pero ojalá hubieras visto aquellas puntitas rojas volando por el aire. Cuando Cricket atrapaba una, la guardaba entre las manos, pero casi todos los pitillos cayeron por la pared del edificio a las redes que había debajo, supongo. Ojalá hubieras visto aquellas puntitas rojas. Como ésta. Creo que encendí unos dos paquetes. Los tiré por el aire. Y me quedé sentado en la viga toda la noche, y no me da vergüenza decirte que lloré como un niño. Me quedé allí sentado lanzando cigarrillos toda la noche, porque no podía pensar en otra cosa.

Y entonces fue cuando me marqué con un pitillo encendido. Ésa fue la primera vez, creo.

Mierda, sí, me dolió pero no lo sentí.

Me hice una pequeña quemadura redonda en el dorso de esta mano, como un cráter. Luego en esta otra mano, antes de que Cricket me sujetara. Me agarró y me dijo, lo siento, tío. Me abrazó y me dijo: Ya verás como todo se arregla. Justo antes del amanecer nos fuimos a casa y Dancesca está frenética, casi se vuelve loca, me manda sentarme, con mucho cariño y tal, me pone una cataplasma en la mano. Tenía una receta familiar para preparar cataplasmas.

Sí, es como una pomada amarilla.

Ay, tenía los ojos castaños y preciosos, se parece mucho a ti.

Los dientes bonitos, sí.

Ya te he dicho que luego vamos a pillar.

A las tres de la mañana, a lo mejor.

Pero Angie, Angela.

Ojalá hubieras visto aquellas puntitas rojas volando por el aire.

Observa las marcas que dejan los clips. Los estira del todo, acerca el metal alargado a la llama de la cocina de gas.

El metal se calienta y enrojece, y Clarence Nathan lo dobla con unas pincitas. Se curva muy ligeramente, y él sopla para que se enfríe y se endurezca. Se aparta un pelo de los ojos. Hay que tener cuidado; los clips se rompen fácilmente. Con las pinzas sostiene el clip sobre la llama de gas, forma pacientes curvas en el metal. Cuando termina, el clip parece el cuerpo de una serpiente reptando. También hay otros modelos: un barco, un ojito, una pirámide, una pala.

Clarence Nathan se aparta de la cocina y se acerca a la mesa —en los pies descalzos nota los clavos fríos del suelo de madera— y allí se sienta y fuma, observando las espirales de aire azul. En un rincón, el televisor crepita lleno de nieve gris. Todo lo demás está sumido en un silencio fabuloso. Posa los clips en la encimera de la cocina para que se enfríen, y cuando están listos los calienta uno a uno hasta que se ponen candentes, al rojo vivo. Acerca los clips a los brazos y aprieta con el puño hasta que el dolor lo atraviesa como una bala.

Cierra los ojos, aprieta los dientes y los tendones del cuello se abultan y su garganta emite un impresionante rugido. Dancesca ya lo ha oído tantas veces que ni siquiera se mueve del dormitorio.

Su corazón no participa lo más mínimo, sólo su cuerpo. Qué sensación. Una delicia. La recibe, la saluda: el cuerpo mantiene su forma, pero lleno de dolor. Su piel parece un paraje desierto de marcas impresas, los dos lados de su cuerpo chamuscados por igual, quemados con la curiosidad de un espectador.

Incluso se los ha fundido en los pies y así, por la noche, cuando anda descalzo por el suelo, le parece que los dibujos suben y bajan por él. Intenta recordar cuántos meses hace que murió Walker: y si son tres, decide que son cuatro; y si son cinco, decide que son seis; y si es septiembre, un mes impar, decide que ya es octubre.

Afuera, cuando camina por la acera, siempre procura no pisar las grietas. Cuenta al andar; sus pasos terminan en número par. De vez en cuando incluso vuelve sobre ellos para obtener el número correcto. Luego tiene que dar un paso atrás y otro adelante para asegurarse de que ejerce la misma presión en el pie izquierdo y en el derecho. A la entrada de una tienda de comestibles sube el escalón y lo baja. Los dependientes lo vigilan de cerca. Compra cigarrillos y les dice: Gracias gracias. Vuelve a casa con sus clips. Sigue grabando su torso.

Dancesca crea grandes cenas para interrumpir el silencio de la tarde. Él se sienta a la mesa y con los tenedores da golpecitos contra los platos vacíos. Lenora le pregunta por qué come con dos tenedores. Le contesta que es un juego especial y ella también empieza a hacerlo, hasta que su madre le dice algo al oído.

Más tarde su hija le pregunta:

—Papá, ¿estás loco?

—Vete a tu cuarto, nena, ahora mismo —dice Dancesca.

Mira a Clarence Nathan y dice:

—Qué cosas se le ocurren.

En el trabajo los capataces han notado algo curioso: tiene que tocarlo todo con las dos manos. El día que cumple treinta y un años, en 1986, se empeña en que tiene treinta. Ya se han enterado de lo de los cigarrillos. Ahora se ha convertido en un rito. Lo echan y, en la oficina de empleo, rellena los formularios dos veces.

En casa apaga el televisor. Necesita darle al botón con la mano izquierda para compensar. Pero el botón no gira más, así que enciende el aparato. Luego lo apaga de nuevo. Se da cuenta de que ha usado menos la mano derecha. Toca el botón una vez más. La pantalla vuelve a la vida.

Encendido apagado encendido apagado encendido apagado.

Encendido.

Apagado.

Hasta que ya ni recuerda cómo estaba al principio. ¿Estaba encendido? ¿Estaba apagado? Se tira de los pelos. Se tumba en el suelo, se pone las botas, las ata igual de tirantes, y luego destroza el televisor con ambos pies. El cristal se esparce. Mete la mano en el aparato y queda encantado al encontrar un número par de añicos. Los junta y los pega con cinta adhesiva y le da otra patada al cristal.

Clarence Nathan está sentado en el suelo, meciéndose adelante y atrás, con la cabeza entre las manos.

Por la mañana tiene que preparar dos tazas de café. Bebe un sorbo de una y otro de otra. Unta de mantequilla cuatro rebanadas de pan. Se cerciora de que la mermelada de fresa tiene un número par de pepitas.

Siente un suave latido en el cerebro si no se segmenta a sí

mismo en porciones iguales. Vuelta y recolección, vuelta y recolección.

El sofá de la habitación tiene algo que le inquieta. Ve un fantasma en él y lo evita.

—Ahora júralo —dice en voz alta dirigiéndose a nadie.

»Lo juro.

»Jura por tu vida que no le volverás a dar ni un centavo.

»Lo juro.

Y lo repite todo dos veces.

Un día llama a información y pide el número de Nathan Walker, en Manhattan; responde una voz y Clarence Nathan cuelga el teléfono sin decir palabra. Luego coge el teléfono con la mano izquierda, marca, cuelga otra vez. Por un momento el suicidio le araña un lado del cerebro. Lo deja que repose ahí y cave una zanja en sus pensamientos.

Teníamos un piso genial, ¿sabes? En West End Avenue. Era un quinto, y a pesar de que no tenía buenas vistas ni nada, era genial. Yo había ganado bastante pasta en los rascacielos. Entonces nos pagaban como cincuenta mil al año. Teníamos dinero en el banco. Nos iba bien, aunque el dinero se iba acabando. El sindicato tenía un buen seguro.

Treinta y dos, o así.

¿Ahora? Treinta y seis, creo. ¿Y tú cuántos tienes?

Tranquila, no te vayas a estrellar.

Bueno, pues yo dormía en la habitación de Lenora. Estaba empapelada de amarillo, con el acuario y tal, y ella se va haciendo mayor; ahora pone allí estrellas de cine, compañeros del colegio, también cantantes: Stevie Wonder, Kool & the Gang. No le gusta separarse del acuario, pero yo necesito el cuarto para que se me arregle la cabeza; por eso duermo allí. Así que ella duerme con Dancesca. Pero Lenora viene a visitarme siempre. Yo monto una luz azul encima del acuario y brilla y entra en el plástico, y a ella le gusta. Estaba iluminado por la parte de arriba y más oscuro por abajo, igual que un acuario de verdad. Al viejo Faraday le habría gustado. Una vez fuimos juntos hasta Penn Station, Lenora y yo, y nos sacamos una foto de ésas de fotomatón, sentados en la banqueta de tornillo, cuatro fotos de ella conmigo, y las colocó en la parte de arriba del acuario. Mira, aún tengo una, ¿ves?

Sí.

Y, mira, todos los días me trae platos con comida. Sándwiches y café y de todo. Leche en una jarrita. Hasta le quita la corteza al pan del sándwich. Y se queda allí, me mira y me pregunta: Papá, ¿por qué no te dejan comer con cuchillo? Papá, ¿por qué dice mamá que no puedes llevar cordones en los zapatos?

A veces Dancesca entra también, y se sienta en el borde de la cama y me corta el pelo y me dice, dice, le podría haber pasado a cualquiera. No fue culpa tuya. Y me traía a Lenora para que me diera un beso antes de acostarse, y tal. Es una niña estupenda. Quiero decir, que tenía aquel acuario en la pared, ¿no? Y allí está Walker, arriba del todo. Encontré el negativo en el armario de la cocina, fui a la tienda de fotografía, hice otra copia, luego otra y otra, y al final estaba nadando por todas partes. Hice no sé cuántas copias. Supongo que tenía que haber ido al manicomio pero fui un par de veces, como paciente externo. Y los loqueros me decían que estaba bien, que me lo inventaba todo porque me daba la gana. Tenían allí un montón de terapeutas y psicólogos y todos decían que yo soy muy interesante, porque no hay desequilibrio químico, cuando me dan medicamentos me pongo peor, así que ya no me dan medicamentos, y Dancesca les dice que ella me cuidará. Y me cuida. Me cuida de maravilla. Gracias a ella estoy bien. Y a la hora de cenar pone la mesa muy bonita, con su mantel, y no dice nada aunque yo sigo cambiando el tenedor de mano. Y hablamos de tonterías y estamos bastante contentos, a mí se me va arreglando la cabeza. Pero bebo un poco, le cojo el dinero a Dancesca del bolso. Voy hasta la licorería donde lo tienen barato. A veces una botella al día.

Ajá.

Ella le corta el pelo a la gente para ganar pasta, y Lenora está en el colegio, y yo me quedo en casa casi todo el día y hasta tenemos una tele nueva que compramos cuando yo me cargué la otra.

No lo sé, Angie. A lo mejor sí.

Mierda, todo el mundo está un poco loco, ¿no?

¿Qué?

No.

No te vayas.

Quédate aquí. Ya saldrá el sol. Ven, mira, tengo tres pares de calcetines. Póntelos. Póntelos en las manos, que a mí me da igual. Ya me da igual todo. Nunca le he contado a nadie esta historia. Anda. Póntelos.

¿Por qué no quieres los azules?

Ah. Sí. Vale. No me acordaba.

Pero si no son paños de cocina.

Lo que tú quieras.

A ver si te vas a congelar.

Mira, mira como es. ¿A que es genial? No te vayas, Angie. Quédate aquí sentada hasta que salga el sol, ya verás qué bonito es.

Ajá.

Hay marea baja.

Sí sí sí, arena fría, ¿a que es mucho?

No te vayas, Angie.

¿Elias?

Elias no tiene más que un hombro jodido. Te matará igual. Ya viste lo que le hizo a *Castor*. Tú tápate con la manta de una puta vez y escucha.

Angela. Escucha. Tienes que decirme una cosa.

Tienes que decirme que no me vas a odiar.

Tú dímelo.

Porque no quiero que me odies.

Tú dímelo, porque Dancesca sí me odia, y Lenora también. Se marcharon y no las volví a ver. Así que tienes que decirme que no me vas a odiar.

En la estación de autobuses de Port Authority recoge a Dancesca y Lenora. Han pasado dos semanas en Chicago con unos familiares. Cogen un taxi para ir a casa. Él le pide al conductor que pare junto a un parquímetro y hace el truco, pero Dancesca no mira; sigue cabizbaja mientras él pasa de un parquímetro a otro. Él estira los brazos, implorándole que mire, hasta que Lenora baja la ventanilla y dice:

—Mamá quiere que vuelvas al coche.

La cosa va mal, ¿sabes? Yo estoy un poco loco. Lenora hace preguntas, como, ¿por qué ya no trabajas? Y, ¿por qué dice mamá que estás enfermo? Y, ¿por qué mamá siempre quiere ir a ver a sus primos de Chicago? Bobadas así. Tiene como nueve o diez años y me mira y me hace esas preguntas. A veces, cuando voy al baño o estoy viendo la tele o tal, se dedica a cambiar de sitio mi foto en el acuario, así que a veces estoy en el fondo, con todo el plancton. Me siento fatal, pero no digo nada, ni una palabra. Ella tiene los ojos pequeños para ser una niña, casi todos los críos tienen los ojos grandes, pero los suyos son pequeños. Y una cicatriz en la oreja de cuando se cayó del triciclo. Me mira. Sé que suena estúpido, pero esas bobadas te parten el corazón.

Sí, me acuerdo del caso. Estábais en el asiento de atrás.

Ahora se ve, Angie. Bueno, casi. Cuando el sol salga del todo.

Sí. También me acuerdo de eso. Tu viejo.

Esa Cindy sí que sabe bailar.

Pero escúchame. Tengo que contarte esto.

Escucha.

Mira, muchas veces paseamos por el parque los tres, y si el tobogán está húmedo yo me tiro dos veces con una toalla en el culo y si está seco se tira ella, pero ya es muy mayor para el tobogán, no le gusta demasiado, lo que sí le gustan son los columpios, a lo mejor le recuerdan a la época en la que nos iba bien, antes de que se me jodiera la cabeza. A lo mejor se acuerda de eso. A veces Dancesca y yo nos sentamos en los bancos y ella me dice: Tienes que superarlo. Y yo lo sé. Quiero decir, que no soy yo el que me hago eso a mí mismo. Es cosa de la cabeza. Es, no sé, el parque infantil...

El de la calle 97.

Sí.

Vale, ya. Tú tranquila, ¿vale?

Apoya la cabeza en mi hombro. Así. Muy bien. A que se está bien.

No hablo bajo.

No lloro.

Angie.

Estoy en la habitación, ¿sabes? Llevo varios días en la habitación. Allí tirado. Solo. Y entonces oigo a unos niños que entran en casa y me digo: ¿Qué cojones es eso? Salgo del cuarto y allí están los críos muy bien vestidos y tal. Los amigos de Lenora. Se callaron todos cuando aparecí. Y en la mesa hay una tarta enorme. Lenora se me acerca y dice, es mi cumpleaños, papá. Y entonces noto en el estómago ese vacío del que te hablé y digo: Felicidades, felicidades. Y veo la tarta gigante sobre la mesa. Así que voy a la cocina y cojo dinero del bolso de Dancesca, los últimos cinco dólares. No tenemos mucha pasta, hasta se nos están acabando los ahorros. Yo ya no trabajaba en los rascacielos. Me guardé el dinero en el bolsillo. Salí a la calle y fui a la pastelería del supermercado. Pero cuando volví con la tarta, no era tan grande como la otra. Así que me acerco al cajón de la cocina, y Dancesca me agarra por la muñeca y dice: Deja el cuchillo donde estaba. Sólo voy a cortar la tarta, digo yo. Y ella dice: Es el cumpleaños de Lenora, déjala que la corte ella. Y yo digo: Por favor, sólo quiero colocar los trozos.

No sé por qué. Pero Dancesca me sonríe como si entendiera y me da un beso en la mejilla.

Así que corto la tarta y coloco los trozos del mismo tamaño en dos platos. Los pongo en unos platos grandes y blancos.

Porque me gusta que las cosas sean iguales.

Sí.

Y creo que es una de las veces que mejor estuve, sentado allí en aquella habitación viendo como los críos se comían la tarta de cumpleaños, aunque Lenora no pudiera cortarla y las velas estuvieran todas en el mismo trozo. Y yo era feliz. Allí sentado, siendo padre. Y cuando todos los niños se marcharon, Dancesca se pone a limpiar y le dice a Lenora: ¿Por qué no vas al parque con tu papá?

Bueno, ella ya es mayor, Lenora, pero no sé por qué le siguen gustando los columpios. Está muy alta y ya tiene formas y está llegando a la pubertad y tal, pero le encantan los columpios. Se pasaría el día columpiándose. Así que nos acercamos al parque. Era verano. Había basura. Cerezos en flor por los senderos de arriba. Estamos juntos en los columpios. Lleva el pelo peinado en trenzas. Se columpia alegremente y me pide que la empuje. Yo lo único que quiero es que llegue más alto. Me pongo detrás de ella. Casi no cabe en el pequeño columpio de madera, y sus pies hacen curvas en el aire. Al principio sólo empujo las cadenas de metal. Ella se ríe. No lo hago a propósito.

Lo juro.

Lo que pasa es que mi mano —esta mano— da la vuelta a la cadena. Sólo la rozo en el borde mismo, nada más que un ligero toque con el dedo, y ella ni siquiera se da cuenta y grita otra vez que la empuje más alto —lleva puesto el vestido de cumpleaños— y, mierda, no quiero hacer eso, sólo empujarla, agarrándola por los sobacos, y Dancesca viene por el camino, con tres latas de Coca Cola, pero yo la veo y vuelvo a poner las manos en las cadenas de metal. Pero ya ves, lo volví a hacer.

Y luego lo hice otra vez. En los columpios.

Y luego lo hice una noche en la habitación y ella llevaba un camisoncito y yo le digo a Lenora: Es nuestro jueguecito, pero sólo cerca de los sobacos, nada más, sólo la acaricio cerca de los sobacos.

No.

De eso nada, joder.

No.

No quiero repetirlo.

No es eso.

No lloro.

Es que tengo frío, nada más. Con el frío me moquea la nariz.

Escúchame. Por favor.

Aquella mujer, ¿sabes?, llamó diciendo que Lenora tenía problemas en el colegio. Y yo me acuerdo porque cuando entró me miró las manos llenas de cicatrices y tal. Con quemaduras de cigarros y de los clips. Yo cogí y metí las manos debajo del culo y me quedé allí sentado esperando. Sentado a la mesa con Dancesca. La asistenta social entró y estuvo muy maja con Dancesca, pero a mí no me decía nada; lo único que dijo fue: ¿Le importa dejarnos un momento, por favor, señor Walker?

Era la primera vez en años que alguien me llamaba así: señor Walker. Pero, ya ves, ese nombre me hizo sentir que no tenía nada en el cuerpo, como si me hubieran vaciado, así que voy y salgo de la habitación. Entonces yo bebía un montón. Tenía ginebra en la habitación. Estoy dándole a la botella. Ni siquiera escucho detrás de la puerta ni nada. Entonces se cierra la puerta y oigo a Dancesca en la cocina. Está rebuscando en los armarios. Yo miro el acuario. Ella entra en mi habitación con un cuchillo pero no lo usa, es por si acaso. Y coge y me da un bofetón y me vuelve la cara del revés, y luego se va y yo noto en la mejilla la marca de su mano y pienso: Dame en el otro lado, dame en el otro lado, pero ella ya no está. Está en la otra habitación. Dame en el otro lado, dame en el otro lado. Fui para allá y me quedé en la puerta. La observo. Coge las maletas. Mete la ropa sin doblarla, llena dos maletas y las cierra. Echa el cerrojo. Luego pasa por delante de mí como si yo fuera de aire. Lenora no está en casa, aún no ha vuelto del colegio. Dancesca abre el armario de Lenora y coge un sujetador de niña. ¿Sabes lo que es esto?, me dice, y luego baja otra vez la cabeza y sigue llenando la maleta. Mete toda la ropa de Lenora y luego arranca el plástico azul de la pared, recoge las fotos del suelo, y me tira la mía a la cara: Pervertido. No eres más que un pervertido.

Y yo soy incapaz de decir nada.

Estoy paralizado, como te dije.

No es una zorra.

Que te digo que no es una zorra.

No, no la toqué ahí.

¡Que no!

Sí, sólo los sobacos. Nada más.

Nunca le toque, eso. El pezón no.

Sólo por ahí.

Yo no...

No era más que una niña.

Nada más que una niña, Angie. Nada más que una niña.

No quería hacerle nada.

Nunca la volví a ver después de aquello. Dancesca la sacó del colegio y se fueron con sus parientes y ella no escucha nada de lo que digo cuando la llamo por teléfono y luego desaparece sin dejar rastro; me dicen que no está, que las dos se han ido, dicen que está en Nueva York, que no quiere hablar conmigo, pero yo sé dónde está, sé que está en Chicago.

Estoy pensando en ir hasta allí, sí. Algún día.

Angie.

¡Angie!

No. De eso nada. Nunca la toqué ahí, te lo juro, nunca, lo juro, y es la verdad, ahí nunca.

No era eso, no estaba empalmado, no era nada de eso.

No la tocaba como tú crees.

No.

¡Escúchame!

O sea, lo que quiero decir es que estaba en la habitación de ella y le tocaba los hombros y me daba vueltas la cabeza y perdía el control y pensaba en otra cosa. O sea, que no estaba empalmado, no me creas si no quieres, era otra cosa, pero Dancesca no quiso escucharme, nadie quiso escucharme; supongo que ni yo mismo escuchaba, tenía la cabeza jodidísima y me latía *pum pum pum pum* como te conté.

Cada vez lo pienso más. Nunca le había contado esto a nadie. Quiero decir, que todos llevamos dentro una historia, ¿no? Un hombre es lo que ama y por eso lo ama.

No es una gilipollez.

No.

Ay, Angie, no.

No, Angie.

No hagas eso.

Espera, mira.

Ahí fuera.

¿No lo ves? Mira, te dije que saldría el sol. Mira. Ahora se ve. Está gris y tal pero, ¿a que es bonito? Eh. Angie.

Mierda, quiero decir que eso es lo que quería decir. Me dijiste que no lo habías visto nunca, Angie.

Angie.

Dijiste que querías ver el mar.

Que le den por el culo al crack.
Sí, ése es mi crack, joder. No tengo crack, cojones. Y tampoco lo voy a comprar. Que le den por el culo al crack.
¡Que le den por el culo al crack!
Angie.
Eh, Angie. No puedes ir.
¡Te matará, Angela!
Se te ha caído el puto calcetín.
Angie.
Angela.
No fue como tú piensas.
Joder, Angie. Angela. ¡An-ge-la!
Estaba sacando a mi abuelo del cuerpo de Lenora.

Durante semanas después de irse Dancesca, Clarence Nathan duerme en otras zonas de la ciudad. Lleva el pelo corto y siente que el frío le muerde las orejas. En Riverside Park pincha a un hombre pelirrojo con su navaja del ejército suizo. Conoce al hombre de vista; también es un colgado. Clarence Nathan está sentado en un banco junto al Hudson, y el pelirrojo le da un toque en el hombro —«¿Me das un pitillo, colega?»— y Clarence Nathan le pide que le dé un toque en el otro hombro para compensar. El pelirrojo se ríe y se inclina y le quita el cigarrillo encendido de la boca. La hoja es pequeña y patética, pero entra y sale con facilidad y el pelirrojo se queda allí parado mientras una manchita de sangre se extiende por el estómago de su camiseta. Clarence Nathan sale corriendo, y después, en el autobús, se apuñala a sí mismo. Al cabo de unas semanas vuelve a ver al pelirrojo y éste le dice que lo va a matar, pero Clarence Nathan le tira dos paquetes de tabaco y ahí acaba la cosa; nunca vuelve a ver al pelirrojo. Vaga por la ciudad abrumado por el dolor. Se le despega la suela de las botas y la arregla con la cola que robó en una tienda. Una tarde ve a Cricket de lejos, paseando por el parque, y se esconde entre la maleza junto al terraplén. En el parque abundan los yonquis y los chaperos, pero ya no le preguntan si quiere que se la chupen; está destrozado y cabizbajo y sucio y cubre su torso musculoso con camisas largas para no quedarse mirando las cicatrices.

A veces hay una madre con un niño en el parque. Los alcanza deprisa y luego se tapa la cara y los adelanta, espera junto a una farola o un banco del parque, se vuelve y ve que no son ellas.

Una tarde de marasmo ve como una paloma cruza el parque, desciende en picado hasta el pie de la colina y entra volando por la verja de hierro. Pensando que tal vez la paloma viva en el túnel, Clarence Nathan baja por el terraplén que conduce a la verja. Han salido flores junto a los manzanos silvestres. Sus pies resbalan en la tierra. La verja está cerrada. Clarence Nathan observa el hierro forjado y ve que uno de los barrotes está doblado hacia atrás. Espera un poco a que se le calme el corazón; luego dobla el cuerpo y se cuela por el hueco. Permanece un rato de pie en el andén metálico, como aquella vez con su abuelo. Todo está en silencio. El túnel es alto y ancho y cómodo. Se le pone la carne de gallina al bajar los escalones. Penetra en las sombrías profundidades, cruza un montón de basura. Abre una botella y da un trago y mira al techo. Contempla el túnel y luego lo siente: se eleva justo dentro de él; es primitivo y necesario; y ahora sabe que aquí es donde debe estar, que éste es su sitio.

Avanza arrastrando los pies y ve un árbol muerto plantado en un montículo de tierra y murales iluminados desde arriba. Se adentra en el túnel, pensando en el mundo que camina por encima de él, todas esas almas solitarias con sus banalidades y sus peculiares formas de vergüenza. Dancesca está ahí arriba. Y Lenora. En alguna parte, no sabe dónde. Ha intentado llamar a Chicago, pero le cuelgan el teléfono. Hasta ha pensado en comprar un billete de autobús, pero el dolor que lo invade es demasiado tremendo; no puede ir a ninguna otra parte, tiene que quedarse aquí; esto le gusta, esta oscuridad. Pisa un raíl y siente un ligero rumor en el pie, y segundos más tarde llega un tren con la sirena a todo volumen y él se aparta para verlo pasar y todos los viajeros miran por la ventana sin darse cuenta de nada y luego el tren se va y sólo queda la impronta de sus luces rojas en los ojos de él y se acerca a la pared y se tumba bajo un mural del *Reloj Blando* de Salvador Dalí y no tiene ni idea de la hora que es.

Mira hacia arriba por la rejilla del techo, observando la luz que abandona el cielo. Se pasa las manos por el cuerpo y da un puñetazo a la pared del túnel y lo vuelve a hacer, y cada vez siente crujir sus manos. Sigue golpeando hasta hacerse sangre en ambos puños y entonces mezcla la sangre y sigue golpeando hasta que se agota —incluso con los codos— y luego entra dando tumbos en la negrura más negra y no se oye un ruido en el túnel.

A Clarence Nathan le duelen las manos pero no le importa; ojalá pudiera asesinarlas, aniquilarlas, suicidarlas; no guardan ninguna relación significativa con sus muñecas; lo que más desea en el mundo es deshacerse de sus manos.

Regresa al lugar donde vio volar la paloma, la arisca oscuridad lo rodea, choca contra una columna. Con toda la gimnasia que recuerda, trepa por la columna y se encuentra en una estrecha pasarela y camina por ella, agradeciendo el dolor de sus manos —ya ni siquiera lo siente, es parte de sí mismo, orgánico— y está en lo alto del túnel, conserva todo su espectacular equilibrio; no hay signos de nada ni nadie, todo es frío, silencioso, de otro mundo, y le asombra descubrir que la pasarela conduce a un cuarto elevado, y abre las manos para recibir al cuarto oscuro y cae allí y se enrosca y no duerme.

La cosa es que, Angie, un hombre necesita tiempo para enterrar sus manos. ¿Me escuchas? Podría ir y enterrar mi mano aquí mismo si quisiera. Tú mírame. ¿Ves cómo desaparece? Justo ahí abajo, en la arena. Las dos. Angie. Angela. ¿Pero dónde coño estás? ¿Angie? Mira cómo desaparecen.

Quince

NUESTRAS RESURRECCIONES YA NO SON LO QUE ERAN

Camina solo por la arena de Coney Island, justo a metro y medio de la marea alta; las olas arrastran trozos de plástico y espuma sucia; escucha el inusual ruido del agua a su alrededor; un perro anémico le olisquea los pies y huye cuando los mueve. Se le están congelando los dedos dentro de las botas; recuerda que le dio sus calcetines a Angela. Al quitarse la arena del pelo, le asusta lo corto que lo tiene. Se pone en pie y se sacude la arena de la ropa y las mantas, mete la mano en el bolsillo para sacar las gafas de sol, pero se han partido en dos. Intenta sujetarse las gafas en las orejas pero se le caen y las deja en la arena y mira al mar, notando que va a cambiar el tiempo, contemplando el rojo de la mañana que surge a lo lejos, en el horizonte. Le resulta extraño que el sol salga tan rápido, ese momento abrupto antes de que se aletargue, su arco de lentitud, su rutina diaria.

Vuelve la espalda y se aleja de la playa.

Por el paseo marítimo corren algunos madrugadores. Unos cuantos amantes rezagados salen de los clubes nocturnos. Un judío ruso con sombrero negro y larga barba y tirabuzones. Un hombre con un carrito plateado vende café y donuts.

Todavía conserva en el bolsillo del abrigo un billete de cinco dólares del funeral de Faraday, con los alfileres clavados. Compra café y un *bagel*, pasea un poco, tose y escupe. La flema tiene más sangre que nunca. Nota que el calor del café le invade y su estómago se ha encogido tanto que no logra comerse más que la mitad del *bagel*. Le tira la otra mitad al perro, que sigue abajo, en la arena. El perro olfatea el medio *bagel,* se da la vuelta y se aleja a toda prisa. Se oye el rumor distante de los trenes en el paso elevado. Cuenta el dinero —un dólar con veinticinco centavos— y se dirige a la estación. Hay nieve derretida al borde de la acera. Ahora tiene las palmas de las manos llenas de costras por los cortes que se hizo.

Toca el borde de su gorro de lana para saludar a dos señoras y se aparta para que pasen.

—Buenos días, señoras —dice, pero ellas ni lo miran, se escabullen.

Se salta el torniquete y nadie lo detiene. Se sienta en el segundo vagón del tren, en el centro de la fila de asientos, lejos del mapa del metro. El tren está lleno de trajes y faldas bien vestidos; una mujer se empolva la cara. Nota que todos los asientos están ocupados excepto los que tiene al lado, sabe que huele muy mal y por un momento piensa en levantarse y cederle el asiento a una mujer —cualquier mujer— y quedarse de pie entre los dos vagones para que el viento se lleve su aroma. Pero en cambio se estira en el asiento, luego se enrosca, coloca las manos bajo la cabeza y se mece al ritmo del tren D. Se ha vaciado de historia y todo lo que Clarence Nathan Walker ha sabido en su vida se encuentra entre este tren y un túnel.

«Y el viejo Sean Power, que Dios tenga en su gloria, el viejo Power me dijo una vez que Dios simplemente tiraba para adelante y soltaba uno, Dios tiraba para adelante y se echaba un pedo. Pero no me gusta pensar eso, hijo, aunque es gracioso y me hace reír. Yo lo veo de otra forma completamente distinta. Y a veces por la noche, mira, todavía siento como todo mi ser sube por aquel río.»

Espera en la verja, en el brusco silencio de una última nevada, coge un puñado de nieve y se frota la cara, se siente fresco, vital, alerta. Se ha pasado la mañana en la estación de autobuses: quince dólares ida, le dijeron. En el bolsillo tiene veinte dólares. Botellas y latas. El dinero de la redención.

Sólo hay unas huellas en la nieve y sabe que son de Angela. Coloca las botas sobre las pisadas, agrandándolas.

Se quita los dos abrigos y Clarence Nathan se cuela por la verja; de pie en el andén metálico, vuelve a ponerse los abrigos mientras recobra el aliento. En el túnel los brillantes haces de luz azul se entrecruzan con la oscuridad. Los copos de nieve hacen su viaje largo y conocido a través de la luz: giran, caen, se reúnen. Baja los escalones y camina rápidamente de haz de luz en haz de luz, disfrutando de la breve furia de la claridad.

Un hombre rapado, envuelto en un abrigo muy oscuro, cuyo forro le llega más abajo de los muslos, delgado y como esculpido por alguna terrible degradación humana, con las botas de construcción rodeadas de cinta aislante, un gorro púrpura bien calado; las motas de polvo que nadan en el haz de luz rebotan en todos los ángulos de su cuerpo, como si hasta la propia luz lo rechazara. Pero se mueve con una extraña soltura, con seguridad, haciendo equilibrios sobre el raíl mientras camina. Clarence Nathan se ha revisitado, ha completado el círculo, cada sombra de sí mismo conduce a la siguiente, que no es más que otra sombra en la oscuridad de la caseta de feria. Siente un escalofrío al ver a una ratita que corre junto a la vía como dispuesta a acompañarle el resto de su vida. Coge un puñado de guijarros, se los lanza a la rata y sigue andando.

Treinta y nueve días de nieve y hielo y frío atroz. Tiene los pies tan entumecidos que apenas le duelen. La barba empieza a sombrearle las mejillas. Pero avanza deprisa, con determinación, solitario y seguro.

Al llegar al cubículo de Elias se detiene y escucha tras la puerta y no le sorprende oír la música de la radio bajo las risitas de Angela. Con los ojos cerrados, se imagina a Elias y el impulso del amor atravesándole el cuerpo, hasta el hombro roto y la rótula astillada, y la ternura con la que se estará preparando Elias para darle a Angela un golpe puro y duro en el bajo vientre. Clarence Nathan nota que han arreglado la puerta y que Elias se ha apropiado del váter de Faraday. Por un momento una sonrisa fugaz cruza sus labios pero, cuando piensa en *Castor,* la sonrisa se desvanece, y tiene ganas de entrar y caer sobre ellos, pero no lo hace y sabe que no lo hará; nunca lo hará. Los dejará a solas con sus propias brutalidades y con todos los inviernos que faltan por venir.

—Angela —susurra—. Angie.

Da un derechazo al aire y sigue avanzando, junto a la pila de latas y el carro de supermercado y el cochecito de niño y el árbol muerto y el olor a mierda y a pis y a todas y cada una de las suciedades imaginables del mundo. Roza con los dedos el árbol muerto y se pregunta si algún día podrá florecer. Se ríe de esa idea absurda: pétalos fabulosos brotando como el sonido de un piano distante que alguien tocó hace años bajo tierra. Había un árbol en Harlem, el Árbol de la Esperanza —su abuelo se lo contó—, que talaron al ampliar la Séptima Avenida. Todavía se conserva un trozo en un teatro situado al norte de la ciudad.

Un recuerdo pasa volando por Clarence Nathan mientras avanza por el túnel. Todas las canciones que lleva en la sangre. *Señor, no he visto ponerse el sol desde que estoy aquí abajo.*

Mete la mano en el bolsillo y de sus profundidades saca una pelota rosa. Mientras la hace rodar por la palma de la mano vislumbra algo que se mueve en las sombras, y sus ojos están ya tan entrenados que ve a un hombre, con melena, barba, sucio, y se da cuenta de que está mirando a Treefrog. «Hola», dice, y la figura asiente sonriendo. Clarence Nathan se vuelve y lanza la pelota contra la pared. Se da palmadas a ambos lados del cuerpo y va entrando en calor, y nota que la figura sigue sin apartar la vista. Clarence Nathan mantiene la pelota en el aire, adelante y atrás por encima del árbol muerto, y, mientras juega, toda su herencia se mueve dentro de él: Walker en Georgia contemplando una piel de serpiente colgada de la pared, Walker con la cabeza sobre una almohada que cobra vida en sus sueños, Walker a la orilla del East River junto a hombres con sombrero, Walker contento pintando la mitad de un pichón, Walker tocando un piano atado con un lazo, Walker aporreando un automóvil con los puños, Walker junto a un lago con una niñita, Walker con un corcho envuelto en papel de lija, Walker mirándolo desde la vía del metro, Walker con un sombrero rojo, Walker en un inmenso torrente de agua, ¿qué hacemos ahora, hijo, ahora que somos felices?

Clarence Nathan mantiene la pelota en alto y en el túnel sólo se oyen los golpes de la goma contra la pared.

Caza la pelota con la mano derecha, se muerde el interior de las mejillas. Mira hacia atrás y a lo lejos, hasta el fondo del túnel, inundado por los haces de luz. Treefrog permanece de pie en las sombras, vigilándolo. Se comunican en silencio, se hacen gestos, se entienden. Clarence Nathan tira la pelota contra la pared y suelta una carcajada al recogerla. Coloca la pelota en una de las ramas del árbol y se aleja en dirección al nido.

La estalactita ha empezado a gotear. Alarga una mano, sólo una mano, y coge unas gotas, se frota la cara, y los ojos le brillan enérgicos: Walker apretando con el pulgar la aguja saltarina de un fonógrafo, Walker clavando la pala en la orilla marrón, el sonido del remo y Walker sentado con las piernas dobladas en una barca llena de musgo, Walker leyéndole el periódico al techo de un túnel, la canción de los radios de la bicicleta de Walker con las jaulas en delicado equilibrio sobre el manillar, Walker grabando iniciales en una pala.

Clarence Nathan cruza la vía y llega a la columna, agarra el asidero, y se arrastra hacia arriba. Su cuerpo está completamente seguro, cada uno de sus movimientos conduce al mismo movimiento, podría recorrer eternamente estas columnas y estas vigas. Tres metros de altura y sabe que, —aunque quisiera caerse—, le resultaría difícil, sus brazos lucharían contra la memoria y los miembros se aferrarían y estaría muerto pero su cuerpo podría seguir viviendo. La viga aún está fría al tacto. Tal vez su piel se pegue a la viga y la huella de su mano quede allí para siempre. Camina por la viga, sin contar los pasos, sube por la segunda columna y cruza la última pasarela. Pasa con soltura por encima del muro bajo, cerca del semáforo, y mira la sombra de Treefrog, que ahora está solo en el túnel. Clarence Nathan se sienta un momento, cierra los ojos y palpa el suelo a tientas en busca de una vela; no encuentra más que un cabo y lo enciende. Un pequeño anillo de luz lo rodea: Walker golpeado por una porra que le deja una cicatriz en la frente, Lenora cayéndose de un triciclo, Walker en una tienda llena de esmóquines, Lenora que llega a casa balanceando la cartera del colegio, Walker partiéndole los dientes a un soldador con el canto de la mano, Lenora arropándose con las sábanas, Walker vistiéndose frente al espejo, Lenora cambiando de sitio en una pared la foto del viejo, Walker sin aliento bajo el toldo de un estanco, Lenora contemplando los trozos de una tarta de cumpleaños, Walker inclinándose para coger un sombrero, los tirantes caídos de un camisón de niña, Walker guiando una canoa por el túnel, vuelta y recolección, vuelta y recolección, Walker afanando partes de Lenora que cuelgan de los árboles, Walker sobre un géiser de agua, subiendo, subiendo, subiendo.

Clarence Nathan se asoma por un lado del nido y mira hacia las sombras, y con una media sonrisa le dice a la oscuridad:

—Nuestras resurrecciones ya no son lo que eran.

No se le aparece en forma de una zarza ardiente o un pilar de luz pero sonríe entre dientes y toca el borde de la mesilla de noche con el pie.

La cera de la vela forma un charco endurecido sobre la mesilla. Vuelve a empujarla un poco y observa el vaivén del lago blanco. Entonces le da una patada más fuerte y se siente bien, como debe ser; le da aún más fuerte y la mesilla se tambalea un segundo y luego se endereza. Un tren de la mañana pasa a toda velocidad por el túnel, pero él no presta atención, da un paso atrás. Con un solo pie golpea la mesilla de noche, que choca contra la pared y ahora el lago blanco está boca abajo, y —con tremenda energía— levanta la mesilla y la estrella contra la pared, oye como cruje y se astilla. Recoge los trozos y los rompe en mil pedazos. Los arroja fuera del nido y aterrizan en el túnel, lejos de la vía.

La bota de Clarence Nathan arremete contra el semáforo, que transmite su vibración al alambre de espino y el gancho que lo sujeta a la pared. Se quita los dos abrigos, los echa sobre la cama y empieza a arrancar el semáforo. El semáforo tiembla imperceptiblemente, sale polvo del agujero del gancho, y sigue tirando hasta que lo suelta. Cae hacia atrás con el semáforo en las manos y ríe entre dientes. Levanta el semáforo —tranquilo, no te vayas a estrellar— y da un puñetazo en cada cristal, verde primero, luego amarillo, luego rojo. Sonríe mientras levanta el semáforo y lo tira por la pasarela. El semáforo gira por el aire y cae y se rompe, y los cristales de colores se hacen añicos y se esparcen por la grava del túnel.

Agarra la cuerda de corbatas que cuelga del techo, tira de ella, por un instante se le ocurre que podría ponerse una en la frente, pero no tiene tiempo de deshacer los nudos, y se limita a hacer un ovillo con la cuerda y lo lanza y lo ve girar y deshacerse, con todos sus colores, hasta que cae al suelo formando una piña. Coge la armónica, que también sale disparada, volando, dejando escapar tal vez un silbido del viento en sus lengüetas antes de estrellarse contra el suelo del túnel. Por un lado del nido vierte el contenido de sus botellas de pis, que forma un amplio arco amarillo. Detrás del líquido van las botellas vacías. Levanta el colchón y le da la vuelta; a la luz del mechero ve que la ropa mojada está llena de gusanos cimbreantes, pero continua buscando monedas y tabaco, encuentra unos cuantas colillas a medio fumar y un botellín de ginebra sin abrir. Con una sonrisa derrama la ginebra por el suelo. Entonces azota a sus propios fantasmas dormidos y a Angela, da la vuelta al colchón otra vez y lo arroja del nido.

Aterriza con un golpe sordo y triste.

Pasa la mano por el gulag para ver si queda algo. Luego los tapacubos salen girando de sus dedos, se deslizan por el túnel y golpean la pared con un extraño sonido agudo. De una patada mete una piedra en el hogar y se siente vivo y poderoso y dentro de él hay un millón de movimientos y camina por el nido con pasos calculados, deshaciéndose de todo, hasta de los restos de pelo y barba que hay esparcidos por el suelo. Cuando los tira vuelan como plumas describiendo grandes arcos en el aire.

Clarence Nathan entra en la cueva de atrás, con cuidado de no tocar el túmulo bajo el cual yace *Castor*. Se acerca a la estantería y la derriba con un empujoncito.

Los libros son lo primero que tira; entra y sale de la cueva y los lanza desde la parte delantera del nido; la mayor parte de ellos aterrizan en la vía con el lomo abierto. Probablemente

Dean los recogerá. Contempla sus mapas extendidos entre el barro helado. Hay decenas. Sabe bien que arderán y lo que eso significa. Una docena de bolsas herméticas revolotean hasta el suelo; se acerca al hogar y busca el zippo. Hace una bola con los mapas y —a la luz del viaje de Dios y los rostros del suyo— pasea la mirada por el nido y se ríe en silencio, sin pena; los mapas se reducen a cenizas, los contornos se consumen. El humo recorre el túnel y sale al mundo de arriba: cuatro años de mapas en una sola quema. Se acerca al montón de ropa y mete en una bolsa de plástico todo lo que necesita —nada más que un par de camisas y unos pantalones y un par de zapatillas de deporte— y la bolsa de plástico cae dando tumbos y aterriza cerca de la vía y más tarde la recogerá y la bolsa pesará lo suficiente.

Desear es no tener, piensa, recordando a Lenora y la forma en que la tocaba, pero ya no siente aquel vacío; ha seguido viviendo para disfrutar la calma de este momento.

Debería quedarse un rato y saborear el nido vacío, pero no lo hace. Sale a la pasarela, y un pequeño temblor recorre sus pantorrillas. Mantiene los codos pegados al cuerpo. A sus pies se abre una vasta sima negra de seis metros. Aún hay algo de hielo en la pasarela. En la comisura de los labios lleva medio cigarrillo encendido. Cierra los ojos, sonríe y logra dar media vuelta en la pasarela, moviéndose en mínimos incrementos graduales, chasqueando la lengua al avanzar. El cigarrillo oscila en sus labios. El hielo cruje bajo las botas. Sabe que a ciegas todo resulta abrupto, nada anuncia su llegada excepto la memoria. Toda luz verdadera retrocede ante el recuerdo de la luz.

Está a mitad de camino, con la cara fija en una peculiar sonrisa, a la pata coja, y estira un brazo, luego el otro, cambia de pierna, inclina la cabeza hacia el hombro, baila como una grulla en el país de abajo.

Se balancea un poco, da un brinco y se gira, con los brazos extendidos para mantener el equilibrio. La idea de sí mismo sin pelo ni barba le resulta fantástica y piensa que si tuviera un espejo —no lo tiene— se atrevería por primera vez a mirarse los ojos cerrados. Se ríe de su idea absurda, gira en la pasarela, completa el círculo. Ahora sabe que intentará ir a verla, que probablemente nunca irá, pero que —cuando vaya— no le pedirá nada pero le dirá que no quería hacer lo que hizo, que buscaba sus raíces, el don de la sangre, y le contará que, cuando era pequeñita, había levantado a su abuelo, había sacado los hombros de Nathan Walker del cuerpo de ella.

Yo quería sacar de ti los hombros de Nathan Walker.

Pero por ahora estira ambos brazos y adelanta una pierna y mete la cabeza debajo del brazo y la vuelve a levantar y, cambiando la estructura de su cuerpo, Clarence Nathan sonríe ante su propia ridiculez —un, dos, tres, adentro, afuera— y repite estirando los brazos:

—Nuestras resurrecciones ya no son lo que eran.

Pero se vuelve y brinca y sabe que tal vez no sea cierto, y, aterrizando en el suelo, en el túnel, entre los detritus de su vida, con las rodillas arqueadas y el corazón acelerado, deja que una palabra repose en su lengua, sólo una vez, descansa allí, una especie de desequilibrio. Sigue avanzando por entre los haces de luz, penetra en la oscuridad, otra vez los haces de luz, pasa junto a los cubículos, se detiene un momento a escuchar la respiración de Angela. Le tira un beso y sigue adelante, junto al árbol muerto, más allá de los murales, con el cuerpo ligero, sin proyectar ni una sombra en el túnel. Y al llegar a la verja sonríe, sopesando con la lengua la palabra, todas sus posibilidades, toda su belleza, toda su esperanza, una sola palabra: resurrección.

AGRADECIMIENTOS

Algunos de los incidentes relatados en este libro se basan en hechos históricos —en concreto la explosión del río— pero han sido adaptados siguiendo las exigencias de la novela.

Me gustaría dar mis más sinceras gracias al New York Transit Museum de Brooklyn, por permitirme acceder a sus archivos; a la Biblioteca Schomburg de Harlem; la Biblioteca Pública de Nueva York; y la American-Irish Historical Society. Desearía también dar las gracias a los muchos topos que me abrieron su corazón y su memoria. Gracias a los hombres y mujeres de Harlem que me concedieron su tiempo y recordaron con tanta honestidad. Un agradecimiento muy especial a Sean y Sally McCann, Roger y RoseMarie Hawke, el capitán Bryan Henry, Barbara Warner, Ledig House, Terry Williams, Jean Stein, Christy Cahill, Darrin Lunde, Rick Ehrstin, David Bowman, Billy *The Mule* Adare, Shaun Holyfield, Shana Compton, Leslie Potter, y Roman McCann, muchos de los cuales leyeron el manuscrito en sus primeras etapas y me ofrecieron sus inestimables consejos. También a Arthur French, que desinteresadamente me ayudó con muchas partes del diálogo. Mi gratitud más sincera a todos y cada uno de los que trabajan en Metropolitan Books y Henry Holt y también en Phoenix House. Tengo la suerte de contar con dos editores excelentes, Riva Hocherman y Maggie McKernan.

Por supuesto, este libro nunca habría podido escribirse sin el amor, los consejos, y el apoyo de mi mujer, Allison. Para ella todo mi agradecimiento. Y también para Isabella.

Por último, gracias a los hombres y mujeres de los túneles de Nueva York que me permitieron entrar en sus vidas y sus hogares, muy en especial a Bernard y Marco. Ninguno de los dos aparece en este libro pero me habría sido imposible escribirlo sin ellos.

Esta edición, compuesta con tipo Sabon,
de 10 puntos sobre 12.7 por Víctor Igual, S.L.,
se terminó de imprimir en Capellades
el uno de marzo
de dos mil.